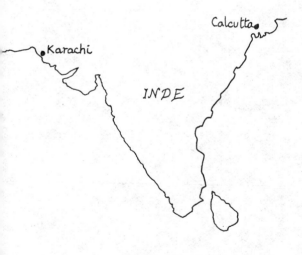

LA SACOCHE

Titre original :
The Saddlebag
Editeur original : Bloomsbury, Londres
© Bahiyyih Nakhjavani, 2000

© ACTES SUD, 2000
pour la traduction française
ISBN 2-7427-3199-7

Illustration de couverture :
© Anne Romby

BAHIYYIH NAKHJAVANI

LA SACOCHE

roman traduit de l'anglais
par Christine Le Bœuf

Ce livre est dédié à l'ouvrage
Les Chroniques de Nabil
(The Dawn Breakers).

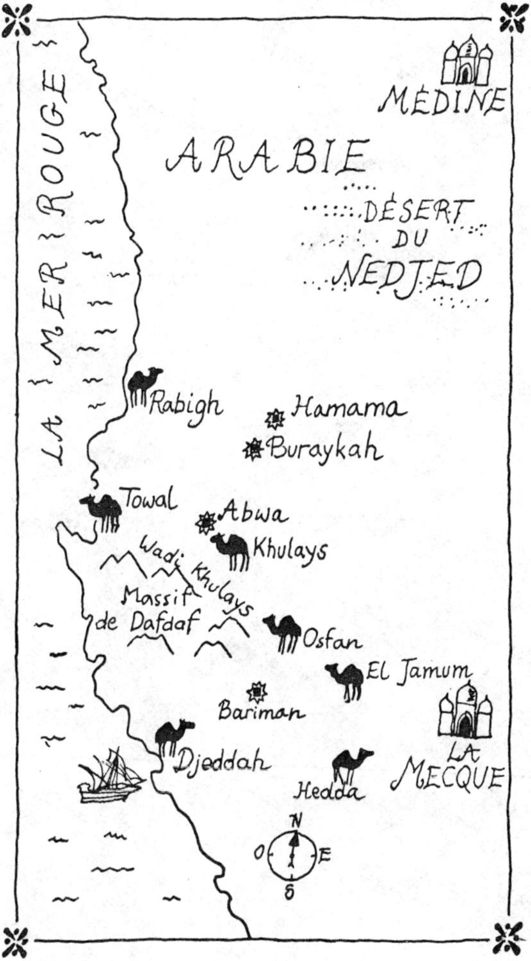

LA MER ROUGE
MÉDINE
ARABIE
DÉSERT DU NEDJED
Rabigh
Hamama
Buraykah
Towal
Abwa
Khulays
Wadi Khulays
Massif de Dafdaf
Osfan
El Jamum
Bariman
Djeddah
LA MECQUE
Hedda
N
O
E
S

LE VOLEUR

Il était une fois un voleur qui gagnait sa vie en détroussant les pèlerins sur la route entre La Mecque et Médine. C'était un Bédouin, né dans les dunes et qui ne s'était jamais connu de père. Les prêtres aussi lui étaient étrangers, et il ne se souciait ni du Prophète ni de ses lois. Ayant été élevé par plusieurs mères qui étaient toutes mortes avant qu'il n'eût appris l'art de la rapine, il n'avait reçu que peu d'amour et pas du tout d'éducation. Mais il avait toujours été libre.

La liberté, pour le Bédouin, c'était l'air qu'il respirait dans le désert. C'était cet espace ouvert à tout le possible, du connu au contesté, ce lieu inhabité, en suspens entre des réalités apparentes. Il était de naissance héritier de ce vide ; c'était un legs qui lui avait été transmis gratis. Enfant, il en connaissait déjà la valeur, mais il lui fallait encore définir cette liberté pour lui-même. Les habitants des villes, découvrit-il, ne s'y fiaient pas : ils emprisonnaient ses myriades de significations au cœur de volontés et de murailles humaines. Les seuls endroits où il en trouvait des vestiges dans le fouillis des villes et les villages sordides, c'étaient ces jardins secrets où fleurissaient des arbres fruitiers. Là, la nature sauvage s'épanouissait encore, tel le souvenir d'une fleur d'oranger, dans une cour, près d'un bassin ; là germaient, en dépit de l'espace confiné, des semences de liberté. Mais ce n'était pas assez pour le Bédouin. Il avait faim de vastes immensités.

C'est pourquoi le désert était son territoire. Deviner restait ici un droit de naissance, et l'absence de preuve, une preuve suffisante de l'immortalité. Ces vagues de sable autorisaient des interprétations innombrables ; ces collines et ces vallées offraient une infinité de prétextes à conjectures. Et bien qu'orphelin très jeune, jamais il ne s'était senti abandonné dans le désert, car l'écho de ses voix multiples lui résonnait dans la tête. Le désert avait été pour lui une mère et un père, un maître, un amant et un guide.

Sans qu'il sût lire, le désert avait fait de lui un érudit. Il avait découvert des traités entiers cachés dans les tempêtes de sable ; il avait lu un millier de poèmes inscrits en travers de l'horizon. Quand il avait l'âme pure, au lever du soleil, il comprenait le langage des sables. A vingt ans, il connaissait les sentiers secrets longeant les failles des falaises et pouvait déchiffrer les énigmes des dunes mouvantes. Il analysait chaque nuage de poussière en fonction de son heure, lisait les messages de la lune en toutes ses saisons et reconnaissait la voix de toutes les étoiles. Le vent était sa religion et la planète Vénus son amour, et il avait trouvé des traces de leurs volontés dans les rochers et les vallées désertes. Et, surtout, il savait comment se cacher, comment voler puis disparaître dans les ravins bordant la route entre Djeddah et les villes saintes jumelles. Et c'est pour cette raison qu'il s'était joint à une bande de brigands qui l'employaient comme guide.

Le pas fut aisé à franchir, de la maraude au service des bandits. Dès son enfance, le Bédouin avait épié ceux qui s'arrêtaient devant les oratoires au bord des chemins et il avait écouté leurs conversations près des puits des villages. Il apprenait leurs intentions, évaluait leurs faiblesses, et les surprenait sur la route des pèlerinages. Parfois, il se faisait même embaucher par eux comme guide particulier. Mais ce n'étaient pas toujours des poches que venaient les plus grands trésors. Enfant, il avait été fasciné par un homme prostré sur le sable, qui avait pour habitude de se curer le nez tranquillement tout au long de ses prières. Il était à peine en âge de se caresser une espérance de barbe quand un autre lui fit des propositions, dans un café, et lui en donna davantage que ce qu'il attendait. Et en une troisième occasion, quand il était très jeune encore, l'extravagance même de l'hypocrisie d'un pèlerin l'avait poussé à fuir cet homme sans lui avoir soutiré la moindre piécette. En fait, il était moins redevable aux pèlerins de sa subsistance que d'une certaine capacité, acquise à leur contact, de distinguer la piété sociale d'une foi sincère.

En toutes ces années où il avait été voleur, il n'avait guère trouvé de pèlerins qui attachaient plus de valeur à leur foi qu'à leur poids financier. La plupart paraissaient s'adresser à un chiffre secret dans lequel il ne pouvait reconnaître l'Unique qui le faisait frémir d'ardeur sur la berge de sables mouvants ou trembler de peur au bord d'un précipice. Leur religion exigeait abondance de gestes extérieurs, et pourtant il n'y voyait guère de signes de cette terreur à laquelle il reconnaissait la présence du Divin. En ayant conclu que le dieu des pèlerins n'était pas son dieu, il n'éprouvait aucun scrupule à les voler.

Mais la vie était dure pour un voleur solitaire, et il y avait eu des moments d'extrême indigence où il avait connu la tentation de demander l'aumône, lui aussi, sous couvert de dévotion. C'était de cette compromission terrible que les brigands l'avaient sauvé. Ils l'avaient trouvé en train de mendier sur la route de La Mecque et lui avaient fait honte avec leurs jurons dans lesquels il ne sentait nul blasphème. Ils lui offrirent en outre leur protection, car les dangers du désert venaient moins des sables mouvants que des hommes. En échange de son aide comme guide, les brigands évitaient au Bédouin le harcèlement des tribus sauvages. Leur chef avait besoin de ce lézard du désert pour être averti avant ses rivaux de la présence des riches caravanes, et dans une certaine mesure, lui aussi avait besoin d'eux. Il conclut dès lors un accord avec eux et les servit afin de s'en protéger ; il renonça à sa liberté parce qu'il était encore assez jeune pour se croire libre. Et il résultait de ce contrat qu'il était resté fidèle jusque-là aux rêves qu'il caressait. Car il espérait se retrouver, un jour, aussi riche qu'un prince.

De tels rêves, s'il en avait fait état, auraient révélé aux brigands non seulement que ce voleur manquait d'astuce, mais aussi que c'était un naïf et un excentrique. La chose n'était pas immédiatement apparente, toutefois. Il avait les yeux étroits, perçants comme ceux d'un faucon et d'une couleur déconcertante : vacants, tel le ciel bleu, pour refléter ce qu'il y avait à voir à l'horizon, et verts lorsqu'il posait le regard sur un visage humain. A certains moments, ils prenaient une étrange teinte jaune dont, par la suite, le souvenir mettait les gens mal à l'aise. Son nez évoquait aussi le bec d'un faucon, et sa peau tannée par le soleil paraissait presque noire. Ses cheveux, gris avant l'âge à cause de la poussière et emmêlés en houppes broussailleuses, étaient retenus par un bandeau qui avait un jour été bleu indigo. Il se déplaçait à la vitesse de la lumière et ne laissait quasi aucune trace derrière lui, car il n'était ni grand ni lourd, mais petit, agile, nerveux et subtil. C'était un sauvage.

Pourtant, malgré ses yeux inquiétants et son nez aquilin, malgré son air farouche et impitoyable, c'était un rêveur, ce Bédouin. Un sentimental. Il entendait les voix de sa liberté dans le vent et dans les sables et toujours était à leur diapason. Les autres brigands le traitaient de lâche car il refusait de faire face et de se battre : il préférait tourner les talons et s'enfuir. Ils ne comprenaient pas que cela provenait de ce qu'il aimait sa liberté d'un amour absolu. Car ses voix lui disaient de ne jamais rien concéder à personne et de ne servir que les étoiles, la lune et le soleil.

Il écoutait aussi les voix des hommes, cependant, afin de mieux servir les brigands. Et bien qu'il restât sourd aux voix qui s'élevaient dans la mosquée, il prêtait attention à celles qu'il entendait sur la place du marché. Quand les pèlerins mettaient de côté leurs livres de prières et parlaient de leur propre voix, il les suivait de bout en bout. Car leurs paroles reflétaient alors leurs soucis terrestres et constituaient une carte routière de leurs angoisses. Lorsqu'ils se disputaient, lorsqu'ils marchandaient, lorsqu'ils se plaignaient, il pouvait distinguer leur richesse de leur pauvreté, leurs pertes et ses gains. Il était devenu expert dans l'art d'écouter et pouvait suivre les voix des hommes de leurs lèvres jusqu'à leurs poches.

Un soir, après plusieurs années au service des brigands, le voleur entendit dans une auberge au bord du chemin des rumeurs concernant un riche marchand et sa caravane, dont le passage était attendu d'un jour à l'autre. Si fastueuse était dans son train l'abondance des perles et des pierres précieuses qu'en raison de leur scintillement le soleil se couchait et oubliait de se relever. Si chargés les mulets et les chameaux de cette caravane qu'ils traçaient une piste d'or pur au long des sentiers rocailleux. Il y avait là de l'argent à faire pâlir la lune, murmurait-on, et toutes les richesses de l'Orient contenues dans quelques sacoches. Il y avait là des sucreries et des épices dignes de la célébration d'une noce comme de funérailles ! Au dire de certains, ce marchand venait de Chìrâz pour accomplir son *hadj* ; selon d'autres, il arrivait de Bouchir, en route vers Damas afin d'y traiter ses affaires. Toutes les contradictions quant à l'endroit d'où il venait et toutes les conjectures quant à celui où il se rendait convergeaient, néanmoins, dans la conviction générale que sa fortune était immense et bonne à dérober.

Bien sûr, il y avait eu au cours des ans bien des rumeurs de ce genre et de nombreux raids en étaient résultés. Aucun ne s'était révélé aussi profitable dans la réalité que dans l'anticipation. Mais le voleur sentait que cette histoire-là était différente des autres. Pour une raison imprécise, l'attrait de ce trésor paraissait plus irrésistible, ce marchand semblait plus riche, sa caravane promettait une opulence plus grande que n'en avaient jamais rêvé les brigands. L'expectative les saoulait. Et le voleur aussi buvait avec eux.

Ce soir-là autour de leurs feux dans le désert, comme ils mettaient au point une embuscade, le chef appela le Bédouin auprès de lui. Il s'était mis à l'aimer, son guide, avec son torse nerveux et ses jambes maigres. On ne pouvait dire exactement qu'il fût un homme, mais il avait du cœur, à la différence du reste de ces chacals. Devant tous les autres, il l'étreignit et lui offrit à boire dans sa coupe. L'honneur était sans précédent. Ils allaient se partager tous ensemble le produit du vol, selon la coutume, mais, cette fois, il était donné à comprendre au Bédouin qu'il toucherait la part du lion. La part du lion, en réalité, après que le chef aurait pris le plus gros du butin, ainsi qu'il en avait le droit personnel. C'était signe que lui, le voleur, le Bédouin, devenait un membre de la bande.

Les brigands applaudirent à grands cris et crachèrent en secret dans le sable à leurs pieds ; ils applaudirent à grands cris et échangèrent des regards obliques et méfiants. Leurs sourires manquaient de clarté tandis qu'ils se déplaçaient autour du feu en battant des bras, avides de chaleur. Il y avait dans cet honneur quelque chose qui ne leur plaisait pas.

On disait que tout baiser reçu du chef valait une fortune et pouvait également en coûter une. Ses embrassades étaient plus précieuses que des dagues ornées de pierreries et tout aussi dangereuses. Autrefois, le Bédouin avait désiré passionnément une telle distinction, un tel amour. Il y avait eu un temps où ce témoignage de confiance eût enivré son orgueil tout autant que l'escapade en elle-même l'eût enthousiasmé, lui. Mais quelque chose avait changé. Qu'est-ce qui lui prenait, à présent ? Quel était son problème ?

Ses voix étaient inquiètes. Leurs chuchotements évoquaient les sables mouvants aux pieds des brigands et le poison dans le baiser du chef. Leurs murmures, les dunes solitaires, car elles s'impatientaient des compromissions de son existence. Elles le pressaient de se séparer de ces hommes et de récolter seul le bénéfice du vol. Elles lui rappelaient le lieu secret où il pouvait accumuler ses richesses sans que nul ne les trouve. Ce n'était pas la part du lion qu'il voulait ; il ne voulait pas d'une part ! Il trouvait humiliant qu'on lui allouât quoi que ce fût. Pendant que le chef l'embrassait, il se sentit se rétracter. "Cours, chuchotaient ses voix, avant de perdre à jamais la liberté de courir."

Assis à côté du chef, il le regardait ronger les os de mouton et les lancer l'un après l'autre dans l'obscurité au-delà de la lumière du feu. Cet homme aurait ce soir-là dans sa tente le choix entre trois femmes, et les plus belles du raid. Le voleur l'observait qui léchait la graisse sur ses lèvres et se curait les dents où s'étaient coincés des bouts de viande, et il se rappela ses amours à lui, bien différentes. "Il y a plus de passion qui t'attend sous la lune nue, murmuraient ses voix, que dans les rêves du chef."

Il examina aussi le cercle des brigands autour de lui, et sut que leurs âmes avaient déjà été saisies et possédées. Il les voyait, renfrognés sous les étoiles radieuses, écoutait leurs rires sans joie, tels des hululements d'oiseaux de nuit autour de lui, sentait leur jalousie rapace dans l'obscurité scintillante, pleine d'étincelles. "Ils ont l'habitude d'envier ce qu'ils ne posséderont jamais, murmuraient les voix, et ils te haïront toujours parce que tu ne les envies pas."

Un croissant de lune apparaissait, limpide, au-dessus des dunes, et une fraîche brise nocturne lui agaçait les cheveux. La lune avait un message ; la brise piquante, un autre. La lune était son avocat ; la brise, son accusateur. La lune se disait témoin que le contrat était modifié, que le moment était venu. La brise chuchotait que ce moment avait été long à venir et que les termes du contrat étaient dépassés. Elles se disputaient, et le désert semblait rempli de leurs voix.

"Un beau froussard, sifflait la brise, amère. Plus hypocrite que n'importe quel pèlerin, pire menteur que n'importe quel mirage." Les brigands buvaient avec un abandon sauvage et devenaient tapageurs autour du feu que le vent brutal leur plaquait au visage.

"C'était différent, autrefois", murmurait la lune, et son argument était si frappant que le chef leva un instant la tête vers elle. "Il n'était qu'un enfant, alors, et maintenant c'est un homme", poursuivit-elle, mais le chef ne parut pas convaincu par cette logique lunaire, car il se détourna aussitôt tandis que l'un des brigands racontait une plaisanterie vulgaire.

"S'il y a une différence entre ce qu'il ressent et ce qu'il fait, ricana la brise, quelle différence existe-t-il alors entre lui et ceux qu'il méprise tant ?" Le Bédouin frissonna sous cette accusation et resserra sa djellaba autour de lui, dans l'ombre. Le vent avait forci. "Comment peut-il voler les pèlerins alors qu'il est pire qu'eux ?" demanda-t-il, moqueur.

"A l'origine, le marché consistait à échanger sa liberté contre une protection, répliqua calmement la lune, mais maintenant il préfère sa liberté, quel qu'en soit le prix." Et en guise de preuve, elle se dégagea d'un dernier lambeau de nuage et s'en fut avec éloquence vers les dunes obscures de l'univers inexploré.

Le voleur entendit la brise le trahir, mais les brigands semblaient ne rien entendre. Il entendit la lune prendre sa défense, mais le chef semblait ne rien entendre. Même lorsque les étoiles vinrent témoigner, l'une après l'autre, citant en exemple de lointains soleils, présentant des preuves issues de la succession des saisons, nul autre que le Bédouin ne parut se rendre compte que les temps avaient changé, que les termes du contrat s'étaient modifiés, irrévocablement.

Mais si le voleur n'avait pas encore abandonné les brigands, ce n'était pas sans raison. Il craignait leur vengeance. Ses craintes lui bourdonnaient dans la tête, telles des mouches au-dessus des trous d'eau marécageux ; elles poussaient des cris aigus, tels les grands charognards qui planaient là-haut. Le chef avait un appétit de vengeance insatiable et se montrait sans pitié envers les traîtres. Le Bédouin savait que s'il s'en allait le chef lui donnerait la chasse et le tuerait ; il ne dévierait pas de sa course. Il savait que les brigands retrouveraient sa trace, où qu'il pût se cacher, qu'ils le poignarderaient dans le dos, lui trancheraient la gorge, lui couperaient la langue et sa virilité et plongeraient les mains dans son foie et dans son cœur. Ils formaient une meute assoiffée de sang, sans merci. Chaque fois qu'il pensait à fuir, ses voix lui soufflaient qu'il courrait à sa mort.

Il ne se voyait qu'une possibilité de racheter sa liberté sans perdre la vie, et c'était de devenir riche. Pareille certitude constituait sans doute le signe le plus évident de sa naïveté. Elle tenait plus, à vrai dire, de la foi que de la réflexion et sa voix était ardente et simple. Remplie de l'espérance du jour, elle s'amassait dans les vallées de son cœur. Fraîche comme la rosée du matin, elle l'assurait qu'un moyen existait de résoudre son dilemme. Elle soutenait que si l'attrait des richesses volées était assez fort, s'il pouvait à lui seul en dérober suffisamment, s'il pouvait soudoyer les brigands afin qu'ils lui rendent sa liberté, il n'aurait plus à être le serviteur de personne ; il pourrait disposer de la liberté absolue qu'il désirait.

Et voici que l'occasion paraissait à portée de main. Puisqu'il avait gagné la confiance du chef, puisque celui-ci l'avait distingué par des faveurs spéciales, les brigands n'auraient aucune raison de soupçonner sa trahison. Si la caravane était aussi chargée de richesses que tous semblaient le suggérer, il aurait peut-être une chance d'en voler assez pour pouvoir négocier. Magnétisé par cette possibilité, le Bédouin succomba à l'insistance de ses voix. La nuit même, après avoir fidèlement servi les brigands pendant plusieurs années et s'être enfin vu accepté par eux, après avoir reçu le redoutable privilège qu'était l'amour de son chef, le voleur quitta furtivement ses maîtres et disparut dans le désert.

Pendant toute sa première journée de liberté, il se tapit dans une vallée aux dunes traîtresses, en avant des autres brigands. S'ils me suivent, pensait-il, je les entraînerai dans les sables mouvants. Mais ils ne le suivirent pas.

Le deuxième jour, il attendit en haut d'une passe étroite, près du bord d'une gorge profonde, bien caché par une crête rocheuse. S'ils me suivent maintenant, je les pousserai dans la gorge et je me sauverai par les montagnes, pensait-il. Mais ils ne le suivirent pas.

Le troisième jour, il arriva près d'un puits isolé, au bord d'une section désertique de la route entre La Mecque et Médine. C'était un endroit où les pèlerins faisaient souvent halte, car il y avait eu là jadis un oratoire ; c'était l'endroit rêvé pour piller la caravane insouciante avant qu'elle ne parvînt à l'embuscade prévue. Il y avait là une ruine sans toit et un vieux puits à sec au bord d'une ravine où il pourrait se dissimuler parmi les rochers, et une nouvelle source jaillissait près de là au bord de la route, incitant les voyageurs à s'arrêter et à boire leur content. S'ils me trouvent ici, pensait le Bédouin, je descendrai dans l'ancien puits et je me sauverai par la rigole sous la ruine, où ils ne me verront pas de la route. Mais ils ne le trouvèrent toujours pas. Peut-être ne le suivaient-ils même pas. Et où restait la caravane ?

Le Bédouin sentit naître en lui un sentiment de frustration. Nulle caravane chargée de richesses n'arrivait, nulle bande de brigands errants ne le pourchassait. Il se mit à spéculer, au plus profond de son cœur, à s'interroger sur les rumeurs qu'il avait entendues. Et il se mit à avoir peur, peur des pas qui allaient désormais s'attacher à ses pas et le traquer pour le restant de ses jours, peur de la vengeance du chef. Pis que tout, il se mit à douter de ses voix, à douter du désert qui lui avait conseillé de se cacher dans cette vallée nue entre les hautes falaises et l'oratoire en ruine. N'aurait-il pas dû rester au caravansérail, à un *farsang** de là ? Là, au moins, il aurait pu vérifier les rumeurs. Mais il y aurait aussi risqué de rencontrer les brigands. Ou aurait-il dû attendre plus près de leur embuscade ? Pendant les longues heures brûlantes du troisième jour, il rumina l'idée que ses compagnons pouvaient même avoir inventé la rumeur du riche marchand et de sa caravane dans le seul but de se jouer de lui, que le chef des bandits ne lui avait fait ces promesses qu'afin de le

* Voir glossaire p. 307.

duper, qu'ils avaient tous manigancé sa mort parce qu'ils n'avaient plus besoin de lui. Quand le soleil se coucha, indifférent, à l'occident du ciel, son cœur devint aussi sec que la poussière sur ses lèvres, et le sable fit larmoyer ses yeux jaunis. Cette nuit-là, les beautés de l'étoile du soir ne rendirent pas visite au voleur assis près du puits, souffrant de crampes et du froid. Le spectre du désespoir le courtisait.

Enfin, à l'aube du quatrième jour, alors qu'il était sur le point d'abandonner, il aperçut quelque chose qui arrivait du côté de la ville sainte. Quelque chose comme un appel venu du lointain horizon, un rendez-vous avec l'aurore. D'abord, il ne vit presque rien. Et puis les mirages liquides du petit matin perdirent leur signification et, peu à peu, il distingua trois silhouettes qui approchaient. Trois notes lancées dans le silence, voix de l'aube naissante. Les silhouettes vacillaient, clignotaient, se brouillaient, et puis finirent par émerger : trois hommes au loin, sur l'horizon.

C'était un tout autre langage que celui auquel il avait été amené à s'attendre. Loin de la caravane grandiose qu'il avait espérée. Il se hâta néanmoins de se cacher dans l'oratoire en ruine et attendit, en comptant les battements de son pouls dans sa gorge. Comme ils se rapprochaient et se détachaient de la brume tremblante, il vit que l'un des trois voyageurs était un homme jeune vêtu comme un pèlerin et monté sur un chameau. Un autre, un adolescent, tenait la bride du chameau et marchait pieds nus, comme devant un personnage de grande importance. Le troisième était un esclave noir.

Il n'y avait ni entourage, ni train fastueux, mais les rayons du soleil levant faisaient briller les courroies d'une grosse sacoche chargée sur le chameau, et l'œil exercé du voleur aperçut une perle à l'oreille gauche de l'esclave. Ni entourage, ni train fastueux, mais le voleur remarquait les signes de la déférence dont témoignait l'adolescent envers l'homme monté sur le chameau, un jeune homme dont la noblesse d'allure était perceptible même à cette distance. Ni entourage, ni train, mais... Voici un jeune godelureau plein de suffisance qui accomplit son pèlerinage, pensa le voleur, voici un riche charlatan déguisé de manière à paraître aussi pauvre que moi afin de passer inaperçu. Si je peux me fier à mon œil, voici un petit malin hypocrite qui a mis toute sa fortune dans une seule sacoche. Mais il ne m'aura pas ! Ce doit être le marchand.

C'était l'heure de la prière du matin. Sentant renaître ses espoirs, le Bédouin leva vers le ciel ses yeux fauves. Vénus scintillait, tel un dernier baiser, sur l'horizon de velours, et son cœur chanta de désir. Il pensa que sa dame Fortune l'avait abandonné, mais que peut-être elle l'aimait encore. Il l'implora dans un souffle que ce marchand soit dévot, et de tout son cœur il souhaita que celui-ci s'arrête.

Ses yeux devinrent aussi verts que le turban enroulé sur la tête du jeune homme à mesure que le chameau approchait. Presque tout le monde avait oublié la signification de l'oratoire en ruine après que l'ancienne source s'était tarie, et rares étaient ceux qui avaient entendu parler du puits récemment creusé. Mais puisque ce jour était le premier du saint mois de deuil, peut-être ces pèlerins souhaiteraient-ils prier ? S'ils s'enorgueillissaient de leurs dévotions, peut-être s'arrêteraient-ils ici, où ils trouveraient de l'eau pure ?

La chance le voulut, le marchand s'arrêta afin de procéder à ses ablutions. Le Bédouin, dans sa joie, crut entendre le puits déborder de voix jubilantes clamant leur plaisir. Son excitation était telle qu'il s'attendait plus ou moins à ce que les voyageurs se retournent et le voient. Mais ce ne fut pas le cas. Tandis que l'esclave noir déchargeait le chameau, son maître mit pied à terre et s'approcha du puits. Alors il se lava le visage et les mains dans le bonheur chantant des eaux et s'agenouilla pour prier, assisté de l'adolescent. Ce faisant, il déposa la sacoche sur le sol à côté de lui.

Le voleur la regardait avidement, le corps tendu comme un ressort. Jusque-là, tout se présentait bien. Ce pèlerin était dévot au moins en paroles. S'il était suffisamment dévot en actions, cela vaudrait encore mieux pour le salut de son âme. Tout dépendait d'une combinaison parfaite de prières et de circonspection. Que mes pas soient légers, et que cet homme prie à s'en aveugler ! se dit le voleur. Qui savait si cette sacoche n'eût pu faire pâlir le soleil ? Elle paraissait bien grosse, bien lourde ; elle avait une voix épaisse, vibrante de mystères. Si la chance n'abandonnait pas le Bédouin, elle pourrait être tout à lui. Maintenant, pensa-t-il, en adressant une grimace à la suspecte divinité de pèlerins qu'il avait appris à mépriser, que leur faux dieu soit honnête pour une fois, qu'il profite de moi pour mettre leur dévotion à l'épreuve.

Il attendit que les trois voyageurs fussent prosternés avant de se glisser hors de sa cachette, tel un serpent. En quelques secondes, il s'était emparé de la sacoche et s'était mis à courir. Le marchand, absorbé par la récitation de ses prières, ne semblait pas s'être aperçu du vol, mais l'adolescent se laissa distraire un instant. Ha ha ! pensa le Bédouin, auquel le sable brûlait la plante des pieds, la voilà, ta piété, mon gars !

Il exultait de constater le poids de la sacoche. Mais déjà l'esclave noir réagissait : il se relevait d'un bond et plongeait vers lui. Ah ! se dit le Bédouin, en se faufilant entre eux tel un soupir du vent, les prières de l'esclave ne sont pas plus pieuses. Mais son cœur battait de frayeur à sentir sur son épaule l'haleine chaude de son poursuivant. A cet instant précis, le marchand, sans cesser de psalmodier ses prières, leva une main en signe d'admonestation. Sans le moindre tremblement de la voix, sans la moindre hésitation dans sa psalmodie et en gardant les yeux fermés, il leva la main et rappela l'esclave.

Le Bédouin vit ce geste du coin de l'œil. Un geste si péremptoire, si impérieux qu'il fut tenté de lui obéir, malgré lui. Il sentit ses membres s'alourdir, ses jambes ralentir. "Ne cours pas ! chuchotaient ses voix, traîtresses, n'essaie même pas de courir. La liberté est dans l'obéissance !" Il faillit abandonner la sacoche.

Comment cela se pouvait-il ? Qui commandait à ses voix ? Le voleur était stupéfait. Le sable se moquait de lui ; les vagues de dunes riaient de lui sans pitié ; la haute falaise au-dessus de lui lança un cri de dérision qui ébranla les fondements minés de son assurance. Ce n'est que grâce au plus gros effort de volonté au monde qu'il obligea ses pieds à continuer de courir. "Les prières de cet homme sont les plus fortes de toutes, marmonna-t-il pour lui-même, si elles peuvent maîtriser mes voix !" Il était terrifié. A tout moment, il le savait, l'esclave pouvait tendre le bras et poser la main sur lui mais, à sa surprise, l'homme cessa soudain de le poursuivre. Il avait obéi ! L'adolescent aussi reprit ses dévotions comme si rien ne s'était passé. Et la prière continua.

Le Bédouin ralentit son allure pendant une fraction de seconde pour jeter par-dessus son épaule un coup d'œil incrédule. Les trois hommes étaient prosternés sur le sable. Le plus jeune, la tête inclinée et les yeux fermés, remuait les lèvres en silence. Le serviteur s'était jeté à plat sur le sol, ses longs doigts noirs étendus devant sa tête nue. Le marchand, qui pas un instant n'avait interrompu sa psalmodie mélodieuse, entonna alors une invocation. Il redressa la tête, le visage empreint d'une piété fervente, et éleva ses paumes en prière. Il invoquait le nom de l'Ordonnateur, du Tout-Puissant. Il invoquait Dieu, Celui qui pardonne les péchés, le Très Compatissant...

Les mots admirables faisaient penser à la fraîcheur d'une eau pure surgie d'une terre craquelée ; à une onde légère venue de la source de l'horizon. Dans le petit matin, ils baignaient les dunes de la lumière de l'aube. Le soleil levant illuminait le visage du marchand en train de prononcer l'invocation sacrée. Et ce visage était si éblouissant que le Bédouin, presque aveuglé, fut obligé de détourner les yeux. Il se sentit parcouru par un frisson de terreur qui lui parlait de puissances innommables, de présences infinies. Il ressentit une terreur qui lui disait que cette voix appartenait à Celui qui commandait à ses voix. Et il prit la fuite.

Il fila comme pierre qui roule vers la haute falaise de l'autre côté de la vallée, la tête pleine d'échos, les pieds déchirés par l'imprécision des rochers et de la peur. Il était bouleversé. Il ne lui avait pas fallu plus de quelques secondes pour mettre en question tout ce qui faisait sa vie, pour prendre conscience de la futilité de son passé et de la pauvreté de ses rêves d'avenir. Le son de la prière du matin le suivit, tel un doigt de lumière, tandis qu'il fuyait au pied des collines, au long des bords ombreux de sentiers connus de lui seul, la sacoche serrée contre son cœur battant.

Dès qu'il fut assez loin pour qu'ils ne puissent plus ni le voir ni l'entendre, il se mit à balbutier avec incohérence. Sûr qu'ils étaient fous, ces pèlerins ! Ne pas arrêter leur fichue prière, ne pas même le prendre en chasse ! Poursuivi par une panique qu'il ne pouvait nommer, il fut pris d'un fou rire hystérique tout en se frayant un chemin à travers la vallée ; il fondit en larmes irrépressibles en escaladant les rochers tranchants de l'autre côté. Sous la haute falaise, les ombres paraissaient menaçantes, elles lui chuchotaient des avertissements, mais ceux-ci n'étaient rien en comparaison de cette terreur sans nom qui lui collait aux trousses. Il s'élança sur la paroi quasi verticale et se mit à grimper avec un sentiment d'urgence démoniaque. Il s'était sanglé la sacoche sur le dos afin de chasser l'impression de mauvais sort qui l'obsédait, mais il ne pouvait s'en débarrasser. Bien qu'il pût voir que, de l'autre côté de la vallée, près du puits, les trois voyageurs n'avaient pas bougé du lieu de leur prière, il se sentait encore poursuivi. Ils l'avaient laissé partir et pourtant il se sentait pris pour toujours.

Ce qui le vexait, c'était que le marchand lui eût permis de voler. Il avait volé la sacoche parce que le marchand l'y avait autorisé. Il avait reçu du marchand cette liberté, au lieu de la prendre comme son dû. La différence était incommensurable, et son univers entier s'écroulait dans la faille béante entre les deux. Telle n'était pas du tout son intention lorsqu'il avait levé le pied et quitté les brigands, lorsqu'il avait fui le chef et sa "part du lion". Il n'avait pas voulu prendre part à un partage, mais n'était-ce pas ce qu'il venait de recevoir ? Il n'avait pas imaginé cette possibilité. "Ce marchand t'a donné sa bénédiction, murmuraient ses voix, insidieuses. C'est sa prière qui t'a permis de t'échapper ; peut-être même sa volonté était-elle que tu puisses le voler ! Quelle sorte de liberté est-ce là ?"

Il secoua la tête afin de se délivrer du bavardage qui la perturbait. Le vaste désert en train de se déployer dans son esprit menaçait de faire craquer les limites de sa raison. "Ce type doit être dément, cria-t-il aux rochers attentifs. Et ses compagnons, stupides."

"Stupides !" répliquèrent les rochers, moqueurs. Et l'écho provoqua en lui un tel frisson qu'il faillit perdre prise et dut rester un instant accroché immobile à la face nue du rocher, pour ne pas glisser et tomber. Avait-il mis à l'épreuve la piété du marchand, ou était-ce la sienne qui venait d'être éprouvée ? N'était-il pas stupide, lui, d'imaginer qu'il pouvait voler ce qui lui était accordé de plein gré ? Cette idée lui donna le vertige, il fut sûr de tomber pour de bon s'il regardait en bas. Il poursuivit donc son escalade.

Mais ce qu'il y avait de miraculeux dans tout cela lui réchauffait le dos tandis qu'il grimpait de plus en plus haut. S'il avait été autorisé à voler, eh bien, au diable les conséquences ! N'était-il pas le plus sacré veinard de ce côté-ci des enfers ? Même si on ne lui avait accordé qu'une portion, celle-ci était sûrement plus grande que sa part chez les brigands. Même s'il avait démontré que la prière du pèlerin était sincère et que lui se trompait, ne se retrouvait-il pas libre, en fin de compte ? A force de jouer des pieds et des mains, il atteignit des sentiers plus sûrs à mi-hauteur de la falaise, et il se mit à rire tout haut de sa bonne fortune, de la folie des pèlerins et de la sottise des brigands. Il tenait ici, enfin, un butin qui était tout à lui.

Il grimpa quelque temps sans regarder à gauche ni à droite mais seulement vers le haut, et finit par atteindre la crête venteuse du précipice. Il était arrivé au sommet de la grande falaise, au-dessus de la vallée dans laquelle il s'était tapi pendant trois jours. Il lui fallait ramper désormais, car un homme là-haut risquait d'être vu d'une distance de plusieurs lieues, et lui-même pouvait voir à des lieues. Le vent était cruel. L'oratoire abandonné près duquel il avait volé la sacoche semblait, tout en bas, un endroit vertigineux. Les trois pèlerins avaient terminé leurs prières et disparu dans les dunes. En face s'étendait la route par laquelle ils étaient arrivés. Et s'il avait regardé vers l'est et les lointains chatoyants où se trouvait la ville sainte, de cette grande hauteur ses yeux perçants auraient aperçu le carrefour où les pistes des chameaux venus de la mer rejoignaient la route des pèlerins. S'il s'était attardé à observer ces lointains, ses yeux seraient devenus verts.

Une caravane s'avançait là-bas sur cette route, miroitante, à un *farsang* à peine de distance. Elle était de taille, celle-là, mais le Bédouin n'eut pas le temps de s'en apercevoir. En rampant à plat ventre comme un lézard, il longea le bord du précipice jusqu'à une étroite chemi-née rocheuse. Là, il se laissa descendre, pouce par pouce, trouvant à tâtons les appuis pour ses pieds, accédant enfin à une grotte dans la roche

nue surplombant la vallée. C'était une dangereuse corniche, à pic sur le vide d'un côté et
avec, de l'autre, un creux peu profond où le vent
s'engouffrait, tel un océan. De là, il pouvait voir
le sommet de la falaise mais, à moins de savoir
où regarder, nul ne pouvait voir dans la grotte.
Un seul faux pas pouvait mener à une mort
immédiate, et la seule issue était le chemin par
lequel il était descendu. Tel était le repaire dont
il avait dissimulé l'existence aux brigands. Ici,
sous les pierres, il pouvait cacher sa richesse
secrète. Enfin, il était en sécurité. Nul ne pouvait
le trouver ici.

Il jeta à terre la pesante sacoche et l'ouvrit
avec impatience.

Mais qu'était-ce ? Pendant quelques secondes,
le voleur vacilla contre la paroi de la grotte. Il ne
savait pas si le murmure dans ses oreilles provenait de sa propre tête ou de l'intérieur de la
sacoche. Il la regarda de plus près. Elle était
remplie de liasses, de paquets et de rouleaux,
emballés les uns dans de la soie et les autres
dans du parchemin. Tous étaient entourés de
minces ficelles nouées avec soin. Ah ! ce marchand ne prenait pas de risques. De sa langue
rugueuse, le voleur humecta ses lèvres fendillées
en imaginant les bourses pleines, les joyaux
fabuleux et les lingots d'or emballés avec tant
de soin. Tout en murmurant des mots d'amour
à sa dame Fortune, il s'en prit aux nœuds, mais
ses ongles aussi étaient fendillés et ses mains
rocailleuses à force de fréquenter les pierres. Il
ne réussissait pas à les dénouer. Finalement,
exaspéré, il se servit de ses dents et l'un des
paquets s'ouvrit d'un coup.

L'incrédulité lui étreignit le cœur. Le rouleau
de parchemin qu'il venait de déballer tomba

ouvert à ses pieds, révélant une liasse de papiers, un papier bleu et mince recouvert d'écriture, une écriture si fine, si légère qu'elle faisait penser à des fils d'araignée lancés dans l'espace translucide. Pouvait-il lire cela ? Non. Se souciait-il d'écriture ? Nullement. Mais au cœur du rouleau de papier il trouva une boîte étroite. Ah, elle était incrustée de pierreries, peut-être ? Non. Etait-elle plaquée de feuille d'or, comme la boîte précieuse que le chef avait un jour offerte à une favorite ? Non. C'était une simple boîte en bois, enluminée de laques de couleur, et elle avait un panneau à glissière qui s'ouvrait… Le cœur battant d'excitation, il fit glisser ce couvercle, s'attendant à trouver enfin à l'intérieur collier de perles, diamants amassés.

Sa déception fut amère. Il n'y avait rien dans cette boîte, qu'une collection de roseaux taillés. Avec leur pointe noircie par l'encre, ils paraissaient usagés, ordinaires. Un plumier. Il trouva un petit couteau aussi dans la boîte, un simple canif avec un morceau de verre logé dans le manche, qui ne promettait rien de plus qu'il n'était, car il n'aurait guère pu trancher une gorge. Le seul autre mystère était un petit bol de porcelaine contenant une curieuse poudre noire. Il la flaira. Il la goûta et sa langue devint noire. De l'encre.

Etait-ce donc tout ? Des roseaux ? De l'encre ? Du papier couvert de griffonnages ? Des mots ! Suffoquant de désarroi, il fouilla la sacoche. Des ballots, rien que des ballots et des paquets, sans autre contenu, assurément, que des roseaux et de l'encre, du papier et des mots. Pas étonnant que le marchand ne l'eût pas arrêté. Pas étonnant qu'il eût fait signe à son esclave de le laisser filer ! C'était lui, lui seul, sot de Bédouin, qui était stupide. Ils l'avaient laissé s'enfuir avec ce qui était sans valeur. Proférant des jurons furieux, maudissant sa malchance et transpercé d'humiliation, le voleur chancelait sous les assauts de ses voix moqueuses. Il contemplait les paquets restants dans la sacoche, sans savoir pendant un moment s'il devait les éventrer tous ou simplement les jeter. Ces ballots trompeurs contenaient-ils tous les mêmes bêtises ? N'y avait-il là aucun joyau ? Pas de lingots d'or emballés dans ces soieries et ces parchemins ?

Ses voix étaient impitoyables. "Comment peux-tu en être sûr ? murmuraient-elles. Ne devrais-tu pas les ouvrir tous, l'un après l'autre, avant de les jeter, au cas où ?"

A ce moment, comme il hésitait au seuil de la grotte, balançant au bord d'un abîme d'indécision, il entendit une pluie de cailloux tombant d'au-dessus de lui. Sa colère avait aveuglé son habituel instinct de prudence. Ses voix l'avaient rendu sourd au monde. Il se retourna et vit au-dessus de lui à la crête de la falaise qu'il était bel et bien encerclé. Les brigands qu'il avait abandonnés étaient là ! Et le chef qu'il avait trahi !

Pouvaient-ils l'avoir suivi ? Comment cela était-il possible ? Avaient-ils réellement grimpé derrière lui, l'avaient-ils traqué jusqu'à cet endroit ? Comment, sinon, auraient-ils su où le trouver ? Mais cela ne se pouvait, car il les aurait entendus, il les aurait vus au-dessous de lui.

Il lui parut soudain que le désert lui-même l'avait trahi. Avait conspiré contre lui. Avait guidé ses ennemis jusqu'à sa cachette. Plus rien n'était sacré et il n'avait plus nulle part où aller. En un éclair, il comprit qu'il allait mourir, soit de faim dans sa grotte, soit sous les coups de couteau s'il tentait de remonter. Aucune alternative, aucune liberté ne lui restait, que la faille au-dessous de lui. Le Bédouin vit la colère froide qui étincelait telle une lame dans l'œil du chef, et comprit qu'il était pris dans un piège sans issue.

Mais la pointe de cette lame ne lui paraissait pas plus acérée que sa propre rancœur, et sa rancœur pas moins amère que ses chances de liberté perdues. Tout le possible, du connu au contesté, lui était retiré, mais il possédait encore un mystère bien à lui. Toutes ses espérances avaient disparu sauf celle-ci. Elle gisait à ses pieds, bourrée d'espoirs secrets emballés en liasses énigmatiques. Il ne renoncerait pas pour un empire à ce legs.

L'adolescent aux pieds ensanglantés n'avait-il pas déchargé la sacoche avec un respect peu ordinaire, et l'esclave noir ne lui avait-il pas couru après dans une grande urgence ? Et le marchand – le voleur en était désormais certain –, le jeune pèlerin ne l'avait-il pas laissé prendre la sacoche parce qu'il était lui-même aussi riche qu'un prince du royaume ? Et les brigands ne croyaient-ils pas, eux aussi, que la sacoche renfermait une somme fabuleuse ? Ne l'avaient-ils pas suivi jusqu'à son repaire dans l'espoir de le dépouiller de sa prise ? Peut-être contenait-elle toute la richesse du monde. L'absence même de certitudes recouvrait des possibilités infinies. Qu'ils le tuent, qu'ils le regardent se dessécher comme un lézard, qu'ils saccagent sa grotte secrète, il garderait la sacoche ! Le trésor lui appartenait.

Oubliant tout à fait son amère déception de quelques minutes plus tôt, le Bédouin renfonça sauvagement les papiers bleu pâle et le petit plumier dans la sacoche et serra celle-ci contre lui. Il lui semblait, en cet instant extrême, que ce morceau de cuir déchiré et poussiéreux renfermait son âme. Alors tout à coup, et avec un cri qui glaça les brigands et leur chef, il sauta avec la sacoche du bord de la corniche et, en rebondissant de roche en roche, plongea la tête la première, du haut des centaines de mètres du précipice, jusqu'à la vallée, en bas.

Les brigands virent la sacoche et l'homme décrire un arc, noir comme de l'encre sur fond de bleu. Ils les regardèrent tomber, courbe calligraphique sur le papier du ciel. Ils les regardèrent s'écraser dans la ravine, juste devant le puits, tout en bas. Et puis leurs yeux saisirent le miroitement d'une caravane qui approchait sur la route entre La Mecque et Médine. A peine distante d'un *farsang*... La caravane du marchand !

Quelques minutes plus tard, ils s'étaient dispersés et chevauchaient à bride abattue entre les défilés étroits et les passes traîtresses de la montagne, avec aux oreilles les imprécations de leur chef. Le voleur était oublié. Et bien que, le lendemain, il la cherchât pendant plusieurs heures entre les rochers, le chef ne revit jamais la sacoche.

Tout en bas, le Bédouin gisait sur les rochers, brisé comme un roseau, en éclats, tels des mots sur un mince papier bleu. La mémoire gronda dans ses veines et explosa en une ultime pulsation dans son cerveau disloqué. Il vit trois hommes prosternés sur le sable et entendit les mots qui lui faisaient signe, tel un long doigt de lumière. Ses yeux s'emplirent de larmes d'apitoiement sur son illettrisme tandis qu'il trébuchait, chancelant, à pas douloureux, vers la lumière. En ce bref instant précédant la mort, il sut que s'il pouvait seulement déchiffrer ces mots qui l'appelaient, il serait libre pour toujours.

Avec une suavité déchirante qui figea son dernier souffle, la psalmodie du marchand près du puits arriva jusqu'à lui. La voix du marchand arriva du puits, invoquant la miséricorde de Dieu. Il priait au nom de l'Ordonnateur. Priait pour lui, le voleur. Le Bédouin.

Tout était clair, à présent. Il entendit les paroles du marchand comme il commençait à les lire, étalées au travers de la page bleue du ciel. Il lut la prière comme il l'entendait, enjambant les cieux tel un pont de lumière. Clairvoyant et ouvert, il mourut alors, aussi riche qu'un prince du royaume, les yeux couleur d'ailes d'ange.

LA FIANCÉE

Quand la fiancée vit un homme aux ailes de flammes plonger du sommet du précipice surplombant la caravane, elle sut que c'était un ange porteur d'un message. C'était un ange qui franchissait le pont entre le ciel et l'enfer, entre le vrai et le contesté, mais elle n'eut aucune prémonition immédiate du message. Etait-ce l'un des anges ardents de lumière d'Ahura Mazdâ ou un ange ténébreux d'Ahriman, elle l'ignora aussi, tout d'abord, car l'une et l'autre possibilité l'aveuglait.

Les autres anges qu'elle avait vus au cours des quatorze années de sa courte vie semblaient moins meurtris, moins angoissés, mais elle reconnut aussitôt que celui-ci en était un à cause des ailes. Ces flammes vibrant à ses épaules rendaient l'air brûlant de joie. Du sommet du précipice, là-haut, il tomba en décrivant un arc parfait et elle lut son destin dans le mot qu'il traçait sur le ciel sans nuages. Dans un éclat du soleil souverain, elle eut le cœur transpercé par le message iridescent que portait l'ange, et puis il n'y eut plus l'ombre d'un doute, car elle prit conscience que le panache de feu qu'il avait à la main flamboyait de vérité. Elle poussa un cri et s'évanouit à cette vision.

La fiancée avait toujours été sujette aux visions. Tout enfant, elle babillait sans embarras avec des gens qui n'étaient pas là et chantait fréquemment des chansons qu'elle disait avoir apprises d'esprits invisibles. Sa mère avait d'abord tenté de la punir lorsqu'elle inventait de telles billevesées, craignant qu'on ne chuchotât alentour que la jolie fillette du marchand guèbre de Kermân était mentalement déficiente et que cela ne portât tort à la réputation de la famille. Pis encore, on pourrait murmurer parmi les voisins que la faible constitution de la gamine était due à la consanguinité et cela détruirait ses chances de faire un beau mariage, en dépit de la richesse de son père comme de sa peau de marbre et de ses yeux verts. Car chacun soupçonnait ces Guèbres, de même que les Parsis de l'autre côté de la frontière, d'avoir conservé leur foi zoroastrienne après leur conversion forcée à l'islam.

Malheureusement, sa mère devait bien l'admettre, il y avait de la consanguinité dans la famille. C'était une famille de riches zoroastriens originaires des confins orientaux de la Perse, et depuis des générations les cousins s'étaient mariés entre cousins, de Kermân à Karachi. A vrai dire, elle était pour sa part la cousine de son mari du côté maternel par une troisième épouse qui, en réalité, tenait davantage d'une sœur. Le mot "illégitimité" ne paraissant pas moins déconcertant que la notion d'inceste, on ne parlait pas de ces choses-là, bien entendu. Pas plus qu'on ne laissait s'ébruiter ses préférences religieuses ou le montant de ses biens. Car foi et fortune avaient été préservées grâce aux mariages endogames, et l'on avait gardé l'une et l'autre rigoureusement secrètes.

Les anges de l'enfant représentaient un problème beaucoup plus sérieux. Ils brillaient de

trop d'éclat, ils faisaient trop de bruit, et ils atti-
raient l'attention des voisins musulmans. Certains
murmuraient que la petite Guèbre était épilep-
tique, d'autres qu'elle était possédée par des
démons. Mais que l'enfant fût un peu folle ou
simplement mystique, l'orgueil de sa mère avait
assez souffert, depuis toutes ces années, de dis-
criminations tant réelles qu'imaginaires, sans
les stigmates d'une indignité de plus. Elle eût
souhaité que sa fille ne fasse pas état de ces
visites venues d'ailleurs.

La fillette était la chérie de son père, toutefois,
et ne pouvait avoir tort à ses yeux. Plusieurs
enfants étaient morts au berceau, et jamais il
n'avait eu le bonheur d'avoir un fils. Mais quand
cette petite fille était née, un devin zoroastrien
avait prédit qu'elle serait, parmi les siens, la première à reconnaître le sauveur Saoshyant,
lequel devait apparaître à la quatrième époque
du temps, après neuf millénaires de lutte entre
le bien et le mal. Comme la chose semblait assez
éloignée dans le temps pour être sans danger, le
marchand zoroastrien considéra la prédiction
comme un présage heureux signifiant que cette
enfant vivrait plus longtemps et jouirait d'une
meilleure santé que les autres, et il lui donna le
nom de l'esprit du salut, Haurvatât. Il prodigua
ses attentions à la fillette et la gâta en contradiction absolue avec la retenue qu'il attendait
du reste de la famille. Chaque fois que sa mère
la grondait, elle courait le dire à son père, et des
scènes éclataient dans les quartiers des femmes.
Après quelque temps, la diplomatie dicta que
même si l'enfant mentait peut-être, il n'était pas
politique de l'admettre. Sa mère pinçait les lèvres
et faisait semblant de n'entendre ni les délires de
sa fille, ni les commérages des voisins. Peu à

peu, la famille s'habitua à ses visions et, avec le temps, à l'écœurement sans mélange de sa mère, même les voisins commencèrent à venir la consulter.

L'année où sévit l'épidémie, l'enfant nommée d'après Haurvatât prétendit voir de gros oiseaux voler à chaque aurore au-dessus de la maison de son père. Nul autre ne les voyait, mais au bout d'un moment les gens commencèrent à murmurer que c'étaient les vautours descendus des rochers élevés où les adorateurs du soleil abandonnaient leurs morts, qui planaient au-dessus des vivants afin de les protéger de la contagion. Car, miraculeusement, aucun membre de la famille ne succomba à la terrible maladie. Personne, sous le toit du zoroastrien, ne fut victime du mal qui coûta la vie à des milliers d'habitants de la ville et laissa des marques hideuses à deux fois plus de vivants. C'est-à-dire, personne, sauf la mère de la fillette, qui fut l'une des premières en ville à mourir de cette vérole et cela, disaient les gens, afin de démontrer, une fois pour toutes, la fausseté des visions de sa fille. Car elle mourut en riant. La seule autre personne contaminée dans la maison du marchand zoroastrien fut une esclave abyssinienne que l'on mit aussitôt en quarantaine, avec son enfant nouveau-né.

L'année où sa mère mourut et où elle eut neuf ans, le père de la fillette prit une nouvelle épouse. Celle-ci éprouvait pour les visions de sa belle-fille moins d'indulgence encore que n'en avait montré sa mère et elle se mit à harceler le marchand afin qu'il arrangeât sans tarder un mariage pour sa fille. Le deuxième mois s'était à peine écoulé que la présomptueuse petite créature commençait à claironner ses chimères alentour, annonçant à tout le monde qu'elle avait rêvé que sa belle-mère portait en son ventre un vieux navet. Le ressentiment monta dans les quartiers des femmes. La nouvelle épouse, prise d'hystérie, perdit son bébé et en rendit sa belle-fille responsable. Les voisins murmuraient que la fillette était ensorcelée et que ses visions devenaient dangereuses ; une rumeur désagréable naquit dans la communauté zoroastrienne, selon laquelle l'enfant avait perdu l'esprit parce qu'on l'avait habituée à l'usage de la drogue appelée *haoma*, qui était la cause de ses hallucinations. Nul homme de bon sens ne souhaiterait épouser une telle anormale. Le marchand guèbre s'efforça d'apaiser son épouse, mais elle devint plus irascible encore et lui lança un ultimatum : s'il ne la traitait pas avec plus de respect et n'éloignait pas sa fille, elle retournerait chez son père.

Le marchand céda à ses exigences et se mit à la recherche d'un mari pour sa fille, car il n'avait certes aucune intention de nuire à ses relations commerciales avec la parenté de sa nouvelle épouse. Les nombreux obstacles auxquels il se heurtait faisaient néanmoins de sa tâche un exercice de construction négative. Le fiancé éventuel devait habiter suffisamment loin pour n'avoir jamais entendu les rumeurs malveillantes et n'être pas mal disposé envers la petite Guèbre. Toutefois, s'il ne souhaitait pas saper les chances de sa fille de faire un riche mariage, le marchand zoroastrien n'envisageait pas non plus de la perdre à jamais. Il avait décidé que la seule solution consisterait à lui trouver un mari qui ne vive pas longtemps, afin que sa fille chérie pût revenir bientôt. Et c'est pourquoi, au cours des années à venir, il ne se pardonnerait jamais ce qui allait se passer, conscient qu'il serait d'avoir,

dans sa quête d'un fiancé pour sa fille, prémé-
dité des funérailles autant qu'une noce. C'est
pendant l'année de l'épidémie que débutèrent
les négociations qui allaient finir par aboutir à
un contrat de mariage compliqué entre la petite
fiancée et un riche vieillard turc qui vivait à
Damas.

Les négociations furent par nécessité lentes
et prolongées. L'enfant était jeune encore, et son
père ne voyait pas d'inconvénient à faire intervenir plusieurs intermédiaires qu'il utilisait
aussi bien dans le but de ralentir le processus
que dans celui de discuter de la dot avec le Turc.
L'un de ces médiateurs était un Indien qui s'était
présenté au zoroastrien comme un confrère
commerçant de Bombay. Il était petit, gros et
huileux, et chaque fois qu'il venait à la maison
il provoquait chez la jeune fille une série de
visions doubles ou triples. Elle déclara qu'elle
l'avait vu, nu, debout au bord d'une rivière qui
s'était transformée en purin au contact de son
pied. Elle disait avoir lu, tatoué sur la peau de
son ventre avachi, un avertissement signalant
qu'il était un *druj*, un homme du Peuple du
Mensonge, selon les mises en garde des Avesta,
les Saintes Ecritures. Elle avait entendu sonner
les Trompettes de la Vertu, affirmait-elle, clamant au monde que le gros petit Indien avait
frotté ses mains huileuses sur la règle de loyauté,
la rendant impuissante dans le pays.

L'exactitude de cette vision fut avérée par la
suite. L'hindou qui se prétendait de Bombay était
un charlatan de Calcutta, déjà engagé dans des
affaires louches avec le Turc, lequel le prenait
pour un musulman dévot de Karachi. Après
s'être gagné les bonnes grâces des deux parties
au cours des négociations du contrat de mariage,

44

il fit main basse sur les cadeaux de fiançailles du futur à sa future et disparut, à la grande indignation du père de la jeune fille.

Quand on s'aperçut de sa traîtrise, les visions de la petite fiancée s'en trouvèrent confirmées, au vif dépit de sa belle-mère, et son prestige augmenta tant dans les quartiers des femmes que dans tout le voisinage. Mais cela entraîna de sévères complications et des antipathies croissantes entre le zoroastrien et le Turc, qui préféra ne pas soupçonner son médiateur. Il en résulta que le mariage fut annulé et que la nouvelle épouse du marchand fit une deuxième fausse couche.

C'est alors que le vieux Turc tomba gravement malade. Le bruit courut qu'il aurait pu mourir sans la jeune fille qui portait le nom d'Haurvatât, l'esprit salvateur. Ses visions le sauvèrent. Avec insistance, elle affirma que des anges lui étaient apparus en rêve et lui avaient recommandé qu'on envoie au vieillard neuf pièces de pure soie et neuf barils d'eau de rose pour son enterrement, le tout sanglé sur les dos de cinq ânes cypriotes. Elle ne voulut tolérer aucune opposition à ces instructions divines, et son père fut donc obligé de s'y conformer, en dépit de son orgueil blessé et de ses préférences personnelles pour les vautours à l'heure de la mort. Lorsque, par miracle, ce cadeau inattendu arriva intact, le Turc en fut si surpris qu'il se remit aussitôt de sa maladie et reprit goût à la vie. Il décida alors d'épouser la petite sorcière, quoi qu'il pût leur en coûter, à son père et à lui.

Et le coût fut élevé. Les négociations en vue du mariage, commencées l'année de l'épidémie, furent reprises durant le printemps où la jeune fille devint nubile et finirent par porter fruit quand elle eut quatorze ans. Les cadeaux que son père envoyait à Damas égalaient à la moindre pièce d'or près les présents qu'il reçut du Turc pendant cette cour prolongée.

En cette même année de l'épidémie, le zoroastrien fit également don de sa liberté à son esclave personnelle. Bien que l'Abyssinienne eût adopté le port du voile après sa maladie afin de dissimuler son visage à la beauté détruite, la deuxième épouse était une femme jalouse. La première avait appris le détachement à cause des visions de sa fille et avait été prête, bien avant sa mort, pour de hauts lieux de silence. Mais la nouvelle épouse était tout sauf silencieuse, et n'avait aucune intention de mourir. Elle avait d'ailleurs amené avec elle de Bombay ses propres servantes, une bande de perruches évaporées, des Parsis qui parlaient un mélange absurde de hindi et de persan et imprégnaient les quartiers des femmes de senteurs et d'épices étranges. Elles riaient aux éclats des visions de la fiancée, ce qui apaisait un peu l'amour-propre de la nouvelle épouse, mais elles ne purent déloger la sombre Abyssinienne de l'autel de sa dévotion. Bien qu'elle eût été congédiée, l'esclave libérée choisit de demeurer dans la maison du zoroastrien. Sa discrétion inspirait confiance, et elle devint d'abord la nourrice de l'enfant, et puis sa servante.

Dès lors, la petite fiancée eut une confidente. Elle grandit sous l'attention vigilante de sa servante, qui croyait à ses visions et comprenait le langage lumineux des anges grâce aux ombres scintillantes qu'ils projetaient sur les contours plats de la vie quotidienne. Il y avait des jours, par exemple, où la fillette refusait de se regarder dans un miroir de peur d'y voir l'ombre de l'ange ténébreux Ahriman au lieu de son visage. Un jour, elle brisa tous les miroirs de la maison, à la bruyante indignation générale, ne laissant dans les appartements des femmes qu'un plateau d'argent poli où l'on pouvait se rassurer sur son identité, parce qu'elle était persuadée que cette ombre fatale pouvait se glisser au travers d'une vitre et s'attacher à ses pieds, à jamais. Il y avait aussi ces nuits où elle ne pouvait dormir parce que, chuchotait-elle, le cristal embrasé d'Ahura Mazdâh avait pris la place de la lune et minuit était devenu plein midi. Si l'on niait de telles choses, disait-elle, un jugement serait rendu sur toute la famille. C'était une enfant difficile, qui n'obéissait qu'à ses anges.

Elle avait de fréquentes conversations avec Ameretât et Haurvatât, qui lui étaient particulièrement familières. Ces anges d'immortalité et de salut inspiraient grande crainte à la servante car elles traînaient souvent dans leur sillage des signes de mort et de décomposition, et racontaient à l'enfant des secrets qu'elle ne voulait pas partager. Elle les murmurait toutefois, ces secrets, aux petites bagues qu'elle avait aux doigts et en une occasion, après que ses bagues eurent mystérieusement disparu, la fillette se mit à dépérir, elle devint pâle et d'une maigreur effrayante. Rien de ce que les médecins disaient ou faisaient n'avait le moindre effet, et le zoroastrien fut pris de désespoir. Quand, tout à fait par hasard, la servante trouva les bagues enterrées dans le verger, sous un mandarinier, c'est leur découverte qui finit par restaurer l'appétit de l'enfant, non sans provoquer aussi de terribles crises. Elle pleura, hurla, s'arracha les cheveux et exigea qu'on remît les bagues sans délai dans leurs tombes peu profondes. Elle disait que, selon ses anges, elle devait sacrifier son désir de leur confier ses secrets afin qu'elles pussent grandir et devenir des anneaux de création. Sans ce sacrifice, sanglotait-elle, comment les doigts de Saoshyant pourraient-ils être ornés ? Sa servante conclut alors avec elle un marché : elle mangerait chaque jour une mandarine et, en échange, elle raconterait ses secrets aux arbres silencieux, afin que les bagues pussent grandir en paix à leur pied et devenir dignes du sauveur du monde.

Ses anges faisaient aussi à l'enfant des promesses qui lui donnaient de telles palpitations de joie que la servante était obligée ensuite de baigner ses petits pieds pendant des heures dans de l'eau de fleur d'oranger afin de calmer son pouls. Un jour, alors qu'elle venait d'avoir treize ans, la servante la trouva dans le petit pavillon d'été avec un bol de grenades épluchées tombé de ses genoux. Le bol s'était renversé et brisé sur le sol, et une masse de fruits rubis, tendres et vibrants, s'était éparpillée au soleil sur le damier du carrelage. La fillette semblait inconsciente, comme en transe, et elle tremblait avec violence. L'ange du royaume divin, Xšathra Varya, était venu à elle, laissa-t-elle échapper dans un souffle, et il l'avait touchée du bout de ses ailes, provoquant une douleur terrible, ici, montra-t-elle, à l'aine. Il lui avait déclaré que le temps était venu où il lui fallait devenir femme. Elle obéit, bien sûr.

C'est avec une grande célérité qu'elle répondit à ses anges. Ses longs cheveux brillants furent teints au henné après qu'elle eut ses premières règles. A quatorze ans, elle était d'une beauté stupéfiante, avec sa peau d'albâtre et ses yeux verts. Sa servante l'adorait d'une dévotion aveugle telle qu'on n'en voit que chez les chiens.

Lorsque arriva enfin le moment d'envoyer la petite fiancée à Damas, ainsi qu'il en était convenu, sa servante fidèle l'accompagna. Personne ne savait comme elle prendre soin de cette fille excentrique et gâtée, et celle-ci n'aurait accepté pour la servir aucune autre femme. Quand elle avait ses visions, personne d'autre ne pouvait la maîtriser, car ses anges se montraient parfois carrément tyranniques et difficiles à contrôler. Ils se livraient à des actes de violence dans les appartements des femmes, semant sur les tapis des traces de sirop révélatrices, de honteuses taches de fruits écrasés et des marques de brûlures. Ils étaient même allés, disait-on, jusqu'à pénétrer dans les quartiers des hommes, ou *biruni*, et y avaient tâté du *qualun*, non sans éclabousser d'eau colorée les plus beaux coussins de soie et de satin et y éparpiller les cendres du narguilé. Ses esprits, bons et mauvais, avaient besoin d'un entourage constant de serviteurs prêts à se plier à leur bon plaisir.

On décida que, pour se rendre à ses noces, elle voyagerait dans un luxueux *takhteravan*, une tente élégante construite sur une plate-forme de bois reposant sur le dos de quatre mules. Elle serait accompagnée, en outre, par douze cavaliers en armes, un train de dix-neuf ânes et chameaux et un *farrash-bashi* responsable des animaux et de la demi-douzaine de serviteurs masculins. Mais pour ses besoins particuliers et plus intimes, outre les trois suivantes qui faisaient partie de sa dot, son père fournit aussi, en marchandises, en linge et en pièces d'argent, tout ce qui était nécessaire à l'esclave affranchie qui accompagnerait la petite fiancée en tant que servante personnelle.

A l'étonnement des voisins, auxquels ses habitudes parcimonieuses n'avaient jamais permis de soupçonner l'étendue de ses richesses, et à la vertueuse indignation de son épouse, que sa prodigalité portait aux limites de l'irritation jalouse, il ne recula devant aucune dépense et n'économisa rien dans les préparatifs de ce voyage nuptial. Sa fille devait être digne d'un roi et parée comme une princesse. Pendant plus d'un an, les couturières étaient venues dans sa maison en un flot régulier pour coudre de petites pièces d'or aux ourlets superposés de ses nombreux jupons. Pendant plus d'un an, on avait préparé pour elle un opulent trousseau : draps de pure soie de Damas et couvertures de cachemire ; précieux tapis de Kâchân et coffres d'argenterie. Elle avait un samovar d'or pur martelé provenant de Russie et les semences de perles de sa mère, plus de deux mille cinquante-cinq, sans compter les perles noires de Ceylan qui avaient été mises de côté pour elle le jour de sa naissance. Elle ne manquerait de rien et posséderait beaucoup plus qu'elle n'utiliserait jamais.

A côté des luxueuses gâteries destinées à son plaisir personnel, son père avait préparé aussi des cadeaux pour le Turc : un jeu d'échecs en ébène et ivoire, une superbe calligraphie représentant le soleil, au nom de la divinité suprême, avec des invocations au Prophète enluminées d'azur et d'or, une couverture de brocart pour les jours d'hiver et plusieurs caisses d'abricots confits, dont il savait que sa fille raffolait. Puisque le Turc était vieux et hydropique, il n'y avait pas de mal à prévoir le veuvage de sa fille. Elle hériterait de tout : cela, au moins, il l'avait obtenu à force de négocier, et il avait déjà l'œil sur un prince du Rajasthan en perspective d'un deuxième mariage. Sans doute laissait-il sa fille partir au loin cette fois-ci, mais il comptait bien qu'elle demeurât plus près de chez lui la prochaine, afin qu'il pût profiter de ses petits-enfants. Sa seconde épouse, une névrosée, ne s'était pas montrée fertile.

Ne restait que la question de l'itinéraire. Le chemin le plus rapide de Kermân à Damas eût consisté à passer par le golfe Persique et Bassora, et puis le désert de Syrie. Mais ce n'était pas un chemin de pèlerinage fréquenté, et envoyer une fiancée avec sa dot traverser toute seule les solitudes du Nedjd eût été pure folie. En temps normal, il l'aurait envoyée par voie terrestre, par les routes habituelles qu'empruntaient les pèlerins persans à travers les provinces occidentales du pays et puis par Kermânchâh et l'Iraq. Mais de récents désordres de nature religieuse dans cette région lui causaient de l'inquiétude ; il y avait eu des altercations à Karbalâ et à Nedjef entre les autorités turques et persanes, et il ne voulait pas que sa fille fût bloquée à Bagdad au milieu de chiites à l'esprit étroit. L'autre itinéraire possible, par le sud et la mer, était plus problématique encore car après le fastidieux voyage il impliquait un trajet supplémentaire à travers le désert d'Arabie, et bien qu'ils fussent techniquement musulmans, c'eût été tenter le sort pour des Guèbres que de venir trop près de la ville sainte de La Mecque, où ils risquaient de se trouver à la merci de pèlerins fanatiques pouvant soupçonner la fiancée d'être une infidèle. D'ailleurs, des rumeurs tout aussi inquiétantes rapportaient que, dans cette région, des tribus sauvages avaient dressé l'étendard de la révolte contre les pachas otto-mans affaiblis. L'autre route terrestre, au nord par Tabrîz et à travers l'Arménie, n'était pas beau-coup plus sûre, cependant. Que fallait-il faire ? Peut-être le mariage devrait-il être célébré à Kermân afin que la jeune épouse voyageât sous la protection d'un mari ?

Quand il hasarda cette suggestion, malgré les crises de mauvaise humeur de son épouse et le risque de perdre une position excellente dans ses négociations avec le Turc, il fut récom-pensé par la prompte réponse de ce dernier. Pour des raisons qu'il ne révélait pas, le vieillard était déterminé à célébrer le mariage à Damas et il fit savoir aussitôt qu'il combinerait ses noces avec son *hadj* et fournirait lui-même à sa fiancée une protection sûre à travers les ter-reurs du Hedjaz. Il promettait de l'escorter en personne, avec pompe et privilèges, à La Mecque et à Médine. Le désert, disait-il, fleurirait où elle passerait. Là, le zoroastrien cessa de tergi-verser et décida de prendre le risque d'envoyer sa fille à Djeddah par la mer.

Etant donné la longueur du voyage, le zoroas-trien était résolu à accompagner sa fille jusqu'à Bandar Abbas. C'est là que, souvent, les bateaux venus de Bouchir s'arrêtaient avant de contour-ner la péninsule arabique, et là qu'il avait l'in-tention de lui faire ses adieux et d'assister à son départ, en compagnie des pèlerins se ren-dant à La Mecque par Mascate et Moka. Il remit à plus tard toutes ses affaires en cours, s'offrit le luxe d'une colère contre sa femme et voya-gea dans le *takhteravan* avec sa fille adorée de

Kermân à Bandar Abbas. Arrivé dans ce port humide, il apprit que les bateaux, cet hiver-là, n'embarquaient les pèlerins qu'à Langheh, et il fut donc obligé de reprendre la route le long de la côte et d'attendre dans ce port de moindre importance la possibilité de partir pour l'Arabie. A chaque pas, il allongeait son voyage ; à chaque étape, il s'inventait une nouvelle excuse pour retarder son retour. Et tout au long du chemin, ses doutes et son sentiment de culpabilité redoublèrent.

La traversée du désert après Djeddah, une fois accompli le voyage par mer, lui offrait bien des raisons de s'inquiéter. Il y avait des brigands le long de cette route, c'était notoire, et abondance de musulmans fanatiques. Bien que le Turc eût promis d'être là pour protéger sa précieuse chérie, le zoroastrien craignait le pire. Pendant qu'ils attendaient le prochain bateau transportant des pèlerins, l'anxiété rongeait ses journées ; ses nuits, dans ce port fétide de Langheh, étaient oppressées et insomniaques. Devait-il l'accompagner plus loin ?

En suite des machinations de sa deuxième épouse, et à sa vive contrariété, il n'avait trouvé au sein de la communauté zoroastrienne nul parent, nul ami digne de confiance qui fût disposé à servir de chaperon à sa fille pendant ce long voyage. La chose à elle seule démontrait la nécessité de la marier avec le Turc, mais son orgueil de père en fut blessé. Les cousins, même ceux de deuxième et de troisième catégorie, ne répondirent pas à son appel, pas plus que ceux des oncles auxquels il se serait fié. Il craignait la traîtrise chez les cavaliers, la perfidie chez les gardes, et l'incompétence pure et simple chez les valets de pied accompagnant le train de mules.

Nul autre que lui ne pouvait se charger de la tâche délicate de protéger la petite fiancée. A nul autre il ne pouvait faire confiance. Mais chez lui la situation de ses affaires devenait critique et exigeait son retour immédiat. Il n'osait pas prendre le risque d'une plus longue absence. Son épouse manifestait déjà un terrible ressentiment. Que devait-il faire ? Etant homme plutôt inefficace et peu doué dans l'art de prendre des décisions, le zoroastrien dépensa une petite fortune en citrons doux pour sa fille tandis qu'il hésitait une fois de plus devant ce dilemme. Et ils manquèrent le bateau.

Sa fille, cependant, n'avait pas la moindre conscience du problème. Tout ce qu'elle voulait, c'étaient des bains. Elle rendit ses servantes folles, durant cette attente, à force d'exiger des bains rituels compliqués. Elle suçait des citrons doux et flottait pendant des heures au milieu des pétales de rose, languissamment allongée sur le dos dans les bains publics de Langheh et prise de fous rires incontrôlables quand sa servante peignait au henné sur ses plantes de pied des spirales et des arabesques. Afin de complaire à ses manies, le zoroastrien fut obligé de payer pour l'usage des appartements privés dans l'établissement de bains pendant sept jours d'affilée. La chose provoqua en ville un scandale dont on se souvint pendant des décennies. Les gens de Langheh en incorporèrent même l'émerveillement dans le dialecte local, et durant des années les filles qui traînaient dans leurs bains se firent traiter de "fiancées en route vers Damas".

Finalement, après qu'ils eurent attendu un autre navire pendant plus d'une semaine, une douteuse solution s'offrit au zoroastrien au cours de sa dernière journée à Langheh. L'hindou de

Bombay qui l'avait si bien escroqué auparavant proposait à nouveau ses services par l'intermédiaire du *kad-khuda* local. Tout suintant d'obséquiosité, se comportant comme si rien dans leurs relations n'avait jamais été vicié, affirmant qu'il avait renoué avec le Turc de Damas des liens commerciaux privilégiés et se présentant comme un changeur qui se trouvait alors, par hasard, en route vers La Mecque, il se proposait comme chaperon pour la fille du zoroastrien et comme espion privé, qui pourrait informer le père anxieux de leur progression à chaque étape du voyage. Il promettait de se consacrer à la sécurité de la petite fiancée, de se sacrifier pour son honneur et de prévenir immédiatement son père s'il se produisait quoi que ce fût d'indésirable. Dans le cas peu probable où la situation deviendrait critique, ronronnait-il, il enverrait aussitôt un message à Kermân et le zoroastrien pourrait sans retard dépêcher des secours. Au minimum. Ou plutôt, au pire. Il parlait un gujarati confidentiel, avec des manières repoussantes de conspirateur, afin qu'aucun des matelots arabes ni des pèlerins perses ne pût le comprendre.

Ce n'était pas une solution bien attrayante et elle n'apportait guère de réconfort au zoroastrien dans son inquiétude. En vérité, elle comportait autant de risques qu'elle se proposait d'en résoudre. Mais des angoisses complexes appellent souvent les élucidations les plus simples. Il se laissa persuader d'accorder sa confiance au bonhomme par le *kad-khuda*, qui affirmait que l'Indien était passé par une sorte de transformation religieuse depuis qu'il l'avait connu. Il soutenait que l'hindou était devenu un saint homme, quasiment. Le zoroastrien était un père épris, l'amour tendait à l'aveugler. Dans sa crainte de n'en pas avoir fait assez pour protéger sa fille, il commit l'erreur d'en faire trop. Il paya au changeur régénéré une somme considérable et, l'âme en peine, confia sa fille à des mains trop lisses et à des vagues trop brutales.

Sa seule consolation, c'était que la fiancée n'avait eu aucune vision de désastre imminent au cours de ce voyage. Au contraire, elle avait paru inconsciente du manque de confort et absurdement joyeuse en compagnie de son père dans le *takhteravan* chaud et poussiéreux ; elle avait ri de l'allure cahotante des mules et du bourdonnement des mouches prises au piège dans les rideaux de soie aux rayures criardes et, une fois à Langheh, elle s'était adonnée avec enthousiasme aux bains rituels et aux citrons doux. A l'étonnement de son père, elle n'avait pas murmuré un mot contre l'Indien. A vrai dire, la nuit qui précéda cette douteuse proposition, elle eut ce qui devait être la dernière de ses visions pour quelque temps. Elle rêva que l'Esprit de Vertu était passé, porteur de bonnes nouvelles et d'un marché très simple.

"Il coupera la langue à tous ceux qui désirent se servir de leurs yeux pour voir la vérité", annonça-t-elle joyeusement le lendemain aux femmes présentes dans les bains publics.

Bien qu'elle affirmât que ce serait là une méthode d'une irréfutable efficacité pour résoudre les conflits, cette offre splendide ne sembla guère attirer d'aspirantes à la vérité parmi les dames au bain. La petite fiancée fut quelque peu attristée qu'elles ne se montrent pas plus désireuses d'en profiter. Ce fut le seul moment du voyage où elle parut abattue et où sa bonne humeur se flétrit.

Plus tard, dans la soirée, lorsqu'elle apprit que l'Indien les accompagnerait, elle redevint joyeuse, néanmoins, et à l'immense soulagement de son père n'opposa aucune objection à cette idée. Elle ne fit pas, cette nuit-là, de rêve prémonitoire de fumier ou autres formes d'excréments, nulle vision d'immersion dans l'eau sale ou de noyade dans la fange ne vint la mettre en garde. Assurément, pensait son pauvre père, si quelque chose de fâcheux devait se produire, elle l'aurait pressenti ? Contrairement à la mère incrédule, le zoroastrien avait dans les visions de sa fille une foi illimitée. Il en avait même fait état dans ses négociations avec le Turc, car il était certain que ce n'était pas une fille ordinaire. Elle avait été touchée, il en était convaincu, par la vérité du feu, et le spirituel avait besoin d'une expression matérielle, bien sûr. Elle n'était qu'en partie humaine ; l'autre partie était de flamme. Et donc de grande valeur.

Mais il semblait que la part flamboyante en elle eût été étouffée pendant ce voyage nuptial. Bien que l'Esprit de Vertu eût offert de troquer la parole contre l'intelligence, la fiancée avait apparemment suivi l'exemple des autres femmes aux bains publics, et choisi de sacrifier ses visions à un flot de bavardage. Pendant sa dernière journée en compagnie de son père, elle se montra frivole et pleine d'enthousiasmes niais, et se conduisit avec l'insondable normalité de n'importe quelle gamine de quatorze ans. Même lorsqu'il lui fit enfin ses adieux à bord du bateau encombré de pèlerins à destination de Djeddah, avec sa suite entière sur un navire frère qui transportait deux fois sa cargaison autorisée, elle ne trembla ni ne pleura, ne haleta pas, ne tomba pas, saisie de palpitations, mais elle lui sourit avec grâce et les joues ornées de fossettes tandis que son père se détournait, le cœur lourd. A vrai dire, elle se révélait d'une incroyable insensibilité, donnant à peine signe d'émotions normales, et moins encore d'une conscience extrasensorielle. Il en fut soulagé, d'un côté. Et cruellement bouleversé et triste, en même temps. La combinaison des deux le protégea de l'une et l'autre extrémité.

Durant le terrible voyage de deux mois qui suivit, alors que les boutres étroits aux voiles incertaines risquaient à tout moment de chavirer, qu'un chargement de pistaches disparaissait dans les profondeurs, que la pénible progression de port en port le long de la côte sud de la péninsule était retardée par des tempêtes et par la menace d'une mutinerie des matelots dont l'eau était devenue saumâtre, la petite fiancée fut si malade que sa servante craignait qu'elle ne perdît toute conscience, mais elle n'eut pas une seule vision. Même lorsqu'elles arrivèrent à Djeddah et n'y trouvèrent pas trace du Turc ni de l'escorte promise pour les accompagner jusqu'à Damas, elle n'en parut pas troublée. La situation était très grave, assez grave, assurément, pour mériter quelque rêve prémonitoire, quelque intuition visionnaire. Mais rien ne venait des régions habituelles. L'Indien envoyait avec ostentation des messages en tous sens, mais aucune réponse n'arriva des familiers de la fiancée. Quand un soulèvement se produisit parmi les pèlerins musulmans dévots en raison du retard causé par l'équipage nuptial, la jeune fille demeura sereine. Finalement, quand l'Indien prétendit que le Turc souhaitait que sa fiancée poursuive sans délai vers La Mecque, elle accepta cette instruction suspecte sans un frémissement. C'était comme si ses anges l'avaient désertée.

Les voyageurs étaient sur le point de partir pour La Mecque quand un fringant détachement de fantassins ottomans apparut à l'horizon, avec une fanfare de trompettes et un enviable contentement de soi. Ils déclarèrent que le Turc avait déjà accompli son *hadj* et que, ayant achevé son pèlerinage pendant que la fiancée était retenue à Langheh, il se trouvait désormais à Médine, où il attendait qu'elle le rejoigne. Ils annoncèrent qu'ils avaient pour instruction de l'escorter jusqu'à Son Eminence en faisant un détour qui, pour des raisons de sécurité, évitait prudemment la ville sainte. Et, à la grande déconfiture de l'Indien en même temps qu'en contradiction totale avec ses prétentions, ils produisirent des documents scellés en vertu desquels elle ne devait sous aucun prétexte pénétrer dans la ville sainte sans la protection de son futur époux en personne.

Si certaines choses s'en trouvèrent clarifiées, d'autres se compliquèrent. Etant donné que la caravane principale était déjà partie pour La Mecque sans eux, l'idée de faire à eux seuls ce dangereux détour inquiétait l'escorte turque et la rendait extrêmement sensible aux suggestions de l'Indien. Les chemins étaient sauvages et périlleux, assurait celui-ci, et à toutes les passes les voyageurs se trouveraient exposés aux représailles des tribus. Certes, il leur fallait protéger l'honneur de la fiancée, mais leur honneur à eux ne devait-il pas être protégé, lui aussi ? Les soldats turcs pensaient que si, et c'est pourquoi à la dernière minute l'Indien leur suggéra de prendre pour eux-mêmes des gardes du corps, qu'il se proposait naturellement de leur trouver. De nouveaux retards en résultèrent.

Mais la petite fiancée gardait le cœur léger, elle était gaie comme un oiseau chanteur et pas troublée le moins du monde par ce contretemps supplémentaire. Elle profita simplement des procrastinations pour s'offrir une deuxième série de bains. On trouvait à Djeddah un choix plus large de bains publics et de bien meilleure qualité qu'à Langheh, et elle prit résidence dans l'un des plus élégants, près d'une des portes de la ville, à Bab el-Mecca. C'était un établissement spacieux et plein de lumière, célèbre à l'époque pour ses faïences indigo. Malgré la consternation de sa servante, elle donna l'ordre de vendre plusieurs des caisses d'abricots confits afin de se payer une petite alcôve privée de marbre blanc particulièrement charmante, où elle s'établit comme chez elle. Là, elle se fit teindre à nouveau les cheveux au henné et épiler soigneusement le corps entier en prévision de sa nuit de noces. Et là, lisse comme un œuf fraîchement pondu, elle discourait chaque jour durant plusieurs heures, dans un arabe pittoresque, au sujet de la propreté, au grand étonnement d'une douzaine de ménagères de Djeddah. C'est alors, également, qu'elle cessa de manger de l'ail et se mit à refuser toute viande. Elle fut prise aussi d'une forte antipathie envers le *qualun*, auquel l'Indien était spécialement attaché. Mais en dépit de son dégoût et de la contrariété croissante de sa servante, jamais elle ne dit un mot contre cet homme odieux ni ne manifesta la moindre appréhension quant à la sincérité de ses motivations ou aux raisons pour lesquelles il provoquait un tel retard.

La servante, pour sa part, avait commencé, tandis que les jours passaient, à laisser paraître des signes de nervosité et elle cachait difficilement la répulsion que lui inspirait l'Indien. Elle l'avait irrité, en retour, en allant trouver le chef de l'escorte turque et en l'exhortant à la hâte. Ses appels furent enfin entendus lorsque les prix de l'Indien se révélèrent trop élevés pour les Turcs. L'économie poussa à l'action, quand les paroles d'une femme n'avaient pu l'obtenir. Une semaine après que la caravane des pèlerins avait quitté Djeddah sans eux, l'équipage nuptial et sa coquette escorte entreprirent un long détour évitant La Mecque, avec l'intention de rejoindre les pèlerins de l'autre côté de la ville sainte. Ils voyagèrent ignominieusement sur les talons d'une petite caravane de commerçants par une piste peu fréquentée au nord-ouest de La Mecque, en s'attendant tout du long à rencontrer des brigands, des voleurs et des tribus sauvages. Et ils n'avaient pas de gardes du corps. Mais à l'égard de ces dispositions aussi, la fiancée resta d'un calme parfait.

On voyageait dans des conditions d'une extrême difficulté par cet itinéraire, et les bains ne furent bientôt plus qu'un mirage dans la mémoire. Il n'y avait pas de khans, pas de caravansérails infestés de puces où passer la nuit sous des arches croulantes construites en carré autour d'un puits central. Pas de chambres aux murs de briques où la suite nuptiale eût pu se réfugier à l'abri des tribus en maraude, les hommes en haut et les bêtes en bas. Ils étaient obligés de camper à ciel ouvert, à la merci des éléments, massés auprès de la caravane des marchands afin de se sentir protégés. Une partie de leurs provisions de combustibles et de nourriture prit mystérieusement le chemin des bagages personnels des chameliers, à l'irritation croissante de l'Indien, et jusqu'aux chameaux devinrent irascibles et grincheux, car les points d'eau étaient rares et éloignés les uns des autres.

Mais la fiancée ne semblait guère s'en soucier. Devant sa sérénité, sa servante était déconcertée. Elle s'était attendue à ce que la jeune fille fît des manières et des chichis à la moindre occasion, elle avait redouté que ses anges n'expriment des exigences impossibles, elle se tenait prête chaque jour à recevoir l'ordre de vider l'eau de toutes les outres pour l'usage personnel de la petite fiancée, mais celle-ci n'avait pas un murmure, pas une plainte. Bien qu'elle ne disposât jamais, pour ses besoins quotidiens, que d'une tasse de liquide tiède, elle n'avait toujours aucune prémonition de désastre. Elle ne fit aucun rêve, ne s'évanouit pas une fois jusqu'à ce qu'ils eussent dépassé le saint des saints ; elle n'eut aucune vision d'aucune sorte avant qu'ils n'eussent rejoint la grande caravane qui voyageait de La Mecque à Médine avec son chargement habituel de pèlerins, un mort et des vivants. Elle ne manifesta nul inconfort physique, nul ravissement mystique avant le quatrième matin de leur voyage, quelques heures après leur départ du caravansérail de Khulays. C'est alors que son cri et son évanouissement consécutif obligèrent la compagnie entière à s'arrêter, cadavre, chameaux et tout le reste. Car c'est alors qu'elle vit tomber l'ange.

Quand sa servante lui eut frictionné les tempes avec du baume à l'eucalyptus et l'eut ranimée en lui faisant respirer de l'arak, la petite fiancée s'agita, délirante et convulsée, dans son *takhteravan* étouffant. Une passion étrange et dévorante semblait avoir pris possession d'elle. Les yeux dilatés, les cheveux en désordre et trempés de sueur, elle était hystérique, en proie à une exaltation sauvage. Rien ne pouvait la calmer. Elle affirmait qu'un ange était tombé du ciel pour lui apporter un message. Elle insistait, le message l'attendait près du puits. Elle disait qu'il était vital qu'elle le lût, vite, maintenant, tout de suite, car l'ange lui avait apporté des nouvelles du sauveur Saoshyant. Et lui l'attendait, il l'attendait, elle, au cœur profond des montagnes glacées qui se dressaient devant eux.

"Il a laissé un message pour moi là où morts et vivants boivent ensemble ! dit-elle en pleurant. Il s'est souvenu de moi dans cette manifestation, sa dernière ! Et je ne suis pas prête !"

Elle exigea que sa servante envoyât immédiatement chercher le message. Si sa chance de lire le message de l'ange lui échappait, criait-elle, sa vie entière serait gâchée. Elle deviendrait folle sur-le-champ. A bout de souffle, épuisée par ses propres cris, elle chuchota à sa servante qu'elle avait vu le visage de l'ange, elle avait vu ses ailes, elles avaient touché son corps, partout. Regarde ! Et, arrachant les boutons de perle de son corsage, elle exposa ses jeunes seins, dressés et roses de désir. Quand la servante tenta d'apaiser son agitation, la petite poussa un nouveau cri et se pâma dans ses bras, tremblante de la tête aux pieds comme une possédée.

Malgré la vigilance dont elle avait fait preuve jusque-là, la pauvre femme n'avait pas prévu pareille crise, à pareil moment et en pareil lieu. Les conducteurs s'impatientaient et les passagers fortunés, dont les chameaux éternuaient et renâclaient au soleil, demandaient à grands cris des explications ; les pèlerins pauvres avaient des difficultés avec leurs ânes, qui brayaient, et le train de mules était désorienté. Il fallait que la caravane avance. Un groupe de valets, à qui avait été confiée la garde d'un cadavre puant que l'on emmenait de La Mecque au cimetière d'al-Baqî' en même temps que ses offrandes destinées aux saints prêtres, se mit à lancer des injures. L'Indien émasculé avait poussé sa monture jusqu'au *takhteravan* et, parlant en gujarati à travers les rideaux, demandait d'une voix enjôleuse si la *khanum* allait bien. Un jeune religieux chiite, qui s'était distingué des autres pèlerins par son arrogance et son fanatisme insupportables, descendit de son chameau et se mit à rôder un peu trop près pour la tranquillité de la servante, en se plaignant de ces femmes qui outrepassaient les limites des convenances. Finalement, le chef de la caravane se fraya avec brusquerie un chemin à travers le cortège nuptial pour demander en bougonnant la raison de cette halte imprévue, et à ce moment la servante, en désespoir de cause, fut obligée enfin de placer sous la langue de la jeune fille une lamelle de coing trempée dans du sirop d'opium, afin de la calmer pour l'heure. Ses hurlements n'étaient que trop cohérents.

Il y avait un puits, en effet, déclara-t-il sans ambages, un puits hors d'usage près d'un oratoire en ruine, plus loin, dans la vallée, rien de plus, mais on pourrait y faire une courte halte afin de satisfaire aux besoins de ces dames. Cette halte ne pourrait être longue, toutefois, car le caravansérail du soir se trouvait encore à quelques heures de marche, et il y avait un risque de tempête de sable. Les vents qui traversaient en sifflant les passes des montagnes que l'on voyait, dressées à l'horizon, pouvaient se révéler traîtres. Les sentiers étaient raides et étroits,

là-haut, et la caravane devrait avancer lentement, une bête à la fois ; il ne serait donc pas
possible de s'attarder longuement. Néanmoins,
il promit qu'ils s'arrêteraient.

Avant de sombrer dans un état de stupeur, la
fiancée exigea de sa servante la promesse d'envoyer quelqu'un en avant, sans attendre. Elle la
supplia d'envoyer quelqu'un chercher le message de l'ange près du puits. Elle lui fit jurer,
sur sa vie, qu'elle le ferait. "Dis-lui que je suis
prête, même si je ne me suis pas encore préparée !" ajouta-t-elle dans un souffle, et sa tête roula
sur les coussins, tel un lys à la tige brisée, tandis
que la caravane se remettait en route, avançant
avec lenteur entre les monticules fumants lais-
sés par les chameaux.

Juste avant midi, la caravane arriva au puits,
à peine un *farsang* plus loin. Il s'avéra que le
puits n'était ni hors d'usage, ni à sec. A la surprise du chef, il y avait, près de l'ancien oratoire,
un nouveau puits qui donnait une eau fraîche et
douce. Tout en scrutant l'horizon d'un regard
anxieux, il ordonna une pause d'une heure. Il
fallait profiter de cette chance inattendue pour
remplir les outres, mais on ne pouvait s'attarder à faire boire les animaux car un nuage de
poussière approchait. Il voulait se hâter de franchir les passes escarpées avant que le jour ne
baisse.

Quand la caravane s'arrêta, la fiancée s'éveilla
des brumes de l'opium ; à la consternation de sa
servante, elle avait gardé, intact, le souvenir de
l'ange. Aucun signe n'indiquait qu'elle se fût
mordu la langue, elle n'avait pas d'écume aux
lèvres, mais la crise était passée sans qu'elle

l'oublie. En vérité, elle était à présent d'une lucidité farouche. Elle n'était plus hystérique, mais impatiente des suites de sa vision. Elle ne doutait pas de l'importance de sa signification, et elle demanda aussitôt si sa servante avait tenu sa promesse et récupéré le message près du puits.

Ce qui arriva ensuite parut inexplicable, bien que la fiancée ne se montrât nullement étonnée. Tout au long de cette journée, chaque fois que la servante allait penser à la mystérieuse prescience manifestée par la jeune fille, elle serait incapable de réprimer un frisson. Il y avait en effet un message pour elle, un message de l'ange, dans une sacoche. Et ce fut l'eunuque qui l'apporta.

En dépit de cet invraisemblable concours de circonstances, la fiancée accepta la sacoche d'une manière qui semblait suggérer que l'Indien avait été mis sur terre pour porter les messages des anges ; il n'existait qu'à cette fin. En lui adressant un imperceptible hochement de tête, elle tendit les bras sans un mot pour recevoir la sacoche tandis que sa servante écartait les rideaux de la litière. C'est à peine si elle lui accorda un regard, tandis qu'elle serrait contre son cœur les rabats de cuir poussiéreux et les lanières cassées. Elle ne gaspilla pas un souffle en remerciements, comme s'il allait de soi qu'un acte comme celui qu'il venait d'accomplir comportait sa propre récompense. Le bonhomme paraissait frappé de mutisme, de toute façon. Après avoir remis la sacoche, il s'éloigna du *takhteravan* en trébuchant et nul ne le revit plus.

Il y avait des douzaines de messages dans la sacoche, tous enveloppés de soie et noués de ficelle. La petite fiancée pressa l'un d'eux contre ses lèvres, dans un marmonnement fiévreux.

Elle arracha le lien avec tant de sauvagerie qu'il coupa ses doigts tendres et que les feuilles de papier, lorsqu'elle les étala sur ses genoux, furent tachées de son sang. Ce petit paquet renfermait des pages et des pages, couvertes des murmures d'une fine calligraphie. Longuement, la jeune fille les caressa, calmée, devenant d'une tranquillité absolue. La rage l'avait quittée. Une paix était descendue sur son esprit, tel un baume.

Elle ordonna à sa servante de la laisser seule et refusa toutes les offres de nourritures, acceptant seulement de boire l'eau du puits. Elle lui ordonna de préparer les bassines de cuivre et de faire chauffer l'eau du puits pour un bain rituel. Elle déclara qu'elle voulait administrer à son corps les procédures les plus complexes d'absolution et de purification. Là. Tout de suite. Au milieu du désert. Et puis elle s'enferma dans son *takhteravan* et lut dans la solitude le message de l'ange.

Les ordres de la fiancée furent exécutés à la lettre. On tira de l'eau du puits et on alluma un feu dans l'oratoire en ruine, à l'abri du vent. Suscitant la surprise et les commentaires de tous, les senteurs parfumées d'un bain nuptial s'élevèrent au milieu du désert. Le miracle humide de la fleur d'oranger enveloppa tout le monde d'un nuage de sacré. C'était un sacrifice odorant de tendresse gaspillée, une cérémonie fragile lancée, légère, dans l'air aride, et qui s'attarda dans les esprits bien plus longtemps que le parfum lui-même dans les ondulations des dunes. Le soulagement qu'il apportait ne serait pas oublié de ceux qui vivraient pour s'en souvenir.

Mais les procédures étaient complexes et ne purent être achevées avant que ne soit donné le signal du départ de la caravane. Alors la fiancée exigea de continuer le rituel, quelles que fussent les circonstances. Elle ordonna à sa servante d'installer les bassines là même, dans le *takhteravan* cahotant, sans rien d'autre qu'un rideau flottant entre sa nudité et le monde. Un retard de plus était inconcevable ; les rites de purification devaient se poursuivre, disait-elle. Les senteurs âcres de l'huile et de l'eau parfumées devinrent si fortes dans le *takhteravan* qu'elles dominèrent la puanteur du cadavre. Et les préparatifs étaient si absorbants que toute autre considération fut totalement oubliée pendant les trois heures qui suivirent. Rien ne pouvait distraire de sa tâche la petite fiancée.

Pas même une tempête de sable.

En effet, la caravane n'avait pas avancé de plus d'un *farsang* lorsqu'une tempête de sable s'abattit sur elle et l'obligea à faire halte pour la troisième fois de la journée. Mais même cette contrariété supplémentaire n'affecta pas la concentration de la jeune fille. Il semblait que jusqu'aux éléments se fussent joints à elle pour arracher à la conscience toutes autres pensées et notions et effacer tous les souvenirs du passé afin de faire place à quelque beauté nouvelle et terrible. Bousculée par la tempête et à peine barricadée contre ses assaults, elle se déshabilla et se lava avec méticulosité dans la pénombre du *takhteravan* qui se balançait et ballottait à la merci du vent, en répandant de l'eau sur les couvertures brodées et les coussins de soie. Et lorsque le bain fut terminé et ses doigts et ses orteils rafraîchis au henné, elle ordonna à sa servante d'enrouler les soies et les satins et de jeter les étoffes et les couvertures de son *takhte-ravan*, de les jeter toutes, avec l'eau, sur le bord du chemin. Car elles étaient désormais salies et gâtées, affirmait-elle, elles étaient mouillées et indignes de sa vocation. Elles étaient teintées par ce qu'elle n'était plus, disait-elle, et ne devaient pas souiller son âme neuve.

Quand la servante fit une brève tentative pour la raisonner, tenta avec douceur de lui rappeler que ces soies et ces satins faisaient partie de sa dot, qu'ils étaient rares et sans prix, que la coutume voulait qu'une femme chérît ces étoffes brodées jusqu'à ce qu'elle pût les passer à sa propre fille, la fiancée pâlit de colère. Elle leva une petite main péremptoire dont les bouts des doigts luisaient comme des flammes, et gifla le visage vérolé de son aînée. D'une voix stridente, elle lui ordonna de tenir sa langue. La servante ne prononça pas une parole de protestation mais s'inclina, pliée en deux de douleur. La gifle avait été légère mais elle semblait l'avoir étourdie, brisée. La petite fiancée la considéra d'un air froid pendant quelques instants, sans le moindre signe de remords.

"Il est temps de changer les coutumes", dit-elle sèchement.

Alors, de sa main flamboyante encore dressée, en une chiquenaude du svelte poignet, elle expédia dans la tempête six mois de labeur et plusieurs centaines de mètres de damas brodé. Elle avait toujours été difficile à discipliner, difficile à maîtriser, mais dans cette tyrannie nouvelle il y avait autre chose que l'adolescence, autre chose qu'un simple entêtement. Même ses anges avaient été doux en comparaison. Ses décisions reposaient sur une certitude terrible, ses ordres sur une conviction effrayante et absolue, et la servante en était agitée de tremblements.

Après avoir jeté au loin les étoffes trempées et les récipients du bain, la fiancée ordonna à l'Abyssinienne de chercher parmi les mules massées les unes contre les autres dans le vent et le sable aveuglants, afin de récupérer les draps des noces dans les ballots empaquetés avec tant de soin. Elle lui ordonna de les étendre dans le *takhteravan* à la place des anciennes étoffes dont elle s'était débarrassée : ces draps de noces filés par les zélés vers à soie nourris aux généreux mûriers de Kermân, draps de noces en soie entrelacés de feuilles de laurier et de cardamome en guise de protection contre les attaques des mites dans les montagnes de Syrie. Alors, dans le *takhteravan* secoué par la tempête hurlante, elle s'allongea sur les draps et procéda à l'onction de ses lieux intimes. Tandis que le vent fouettait de sable la caravane recroquevillée, elle revêtit ses robes et pantalons, couche sur couche, une piécette tintinnabulante après l'autre. Enfin, elle soumit sa longue chevelure emmêlée aux huiles et aux peignes afin qu'elle fût tordue, enroulée et tressée comme il convient à une épousée. Tout en coiffant les mèches somptueuses et en y enfilant des semences de perles, sa servante tremblait si fort et manifestait tant de détresse que la petite fiancée fut obligée, à la fin, de lui prendre les mains entre les siennes en lui murmurant des mots tendres. Elle serra entre ses doigts flamboyants ces doigts minces et froids et les couvrit de baisers jusqu'à ce que la femme s'apaisât.

Elle lui demanda alors de lui pardonner toutes ses tyrannies anciennes et récentes, toutes ses injustices et ses nombreuses cruautés. Ce tour nouveau parut à la pauvre femme plus terrifiant que toutes les crises et toutes les phases antérieures. Dans sa litanie, l'enfant incluait tout, sauf la gifle. A part cette omission notable, elle n'oublia pas une seule action méchante. Avec une mortelle précision, elle énuméra toutes les exigences mesquines et déraisonnables qu'elle avait infligées à sa servante depuis l'âge de neuf ans, elle lui rappela toutes les fois où elle avait tapé du pied et crié sur les perroquets et sorti la carpe du bassin de la cour. Et elle lui demanda pardon pour chacune de ces actions égoïstes. En embrassant les mains étroites et glacées de l'Abyssinienne tremblante, la petite fiancée lui dit que si ses fautes ne lui étaient pas pardonnées, ce serait comme si les bains avaient été vains, comme si les satins souillés avaient déteint sur elle. Et là-dessus elle pencha la tête, honteuse et muette. Sachant que si les larmes brillantes se mettaient à couler, l'antimoine devrait être repeint autour des jolis yeux, la servante lui pardonna, de tout son cœur.

Lorsque la fiancée fut prête, il ne restait qu'une heure avant le coucher du soleil. La tempête commençait enfin à donner quelques signes d'apaisement de sa fureur. La fiancée était assise, sereine, dans le *takhteravan*, avec sa servante tremblante à ses pieds, et le vent hurlait encore autour d'elles. Elle avait les cheveux nattés sur la tête, son corps était parfumé, et elle tenait à la main droite un ballot de soie enveloppant une liasse de papiers. C'était le message de l'ange. Les mots écrits sur le papier portaient le sceau du Promis.

L'ange, expliqua-t-elle à sa servante, avec une patience exquise – car l'autre semblait au bord de l'effondrement nerveux et la jeune fille se sentait obligée de lui parler à présent avec beaucoup de gentillesse et une grande douceur, afin de ne pas perturber davantage son âme troublée –, l'ange, répéta-t-elle, lui avait dit de se préparer à son appel. Il lui avait dit, dans son message, que le monde était entré dans la quatrième époque et que Saoshyant était proche. Il lui envoyait un messager pour la conduire en présence du sauveur, car le combat entre le bien et le mal était enfin terminé. Elle s'appliqua à faire comprendre à la servante que puisqu'il avait fallu neuf millénaires pour arriver à cet instant unique et sacré dans l'histoire, c'était bien la moindre des choses qu'elle se fût entièrement et complètement préparée. Et, son explication achevée, elle donna à sa servante un baiser sur les lèvres, lui glissa au petit doigt une bague de cornaline radieuse comme du thé clair, et fit ses adieux à la femme tremblante. Puis elle lui ordonna de se réjouir, car la seule raison de pleurer encore en ce monde serait que Saoshyant oubliât de l'envoyer chercher.

L'amour de sa servante était absolu. Façonnée dans l'argile d'obéissance, elle se montra fidèle encore à sa maîtresse en ce dernier commandement et, le visage pressé contre le rideau du *takhteravan*, elle fut prise d'un rire hystérique.

Quand les brigands, telle une autre tempête, dévalèrent les pentes du ravin, à l'instant même où l'œil voilé du soleil disparaissait derrière les nuages de sable, la fiancée était prête, par conséquent. Quand ils attaquèrent la caravane, à plusieurs *farsang* au-delà du puits en ruine, dans l'ultime fureur du vent hurlant, elle attendait. Habillée et parfumée, elle se tenait tranquille au cœur de la tempête, et prête. Aussi calme qu'une pêche fraîchement cueillie, elle tourna vers sa servante ses yeux verts soulignés d'antimoine et dit simplement : "Tu vois, il n'a pas oublié !"

Ce que vit la servante dans le crépuscule tombant sous la lune déformée, ce furent des horreurs sans nom. Comme les torches commençaient à flamboyer, elle souleva le rideau de soie sur les mille dents et haches étincelantes d'un millier d'hommes sauvages. Neuf millénaires de combat entre le bien et le mal n'auraient pu contenir l'enfer qu'elle avait sous les yeux. Ce que la servante entendit à travers les gémissements de la tempête de sable, c'étaient les voix des damnés à la fin des temps, et ses propres cris retentirent avec force parmi les autres. Car, suffoquant de peur dans les ténèbres, elle ne put éviter le coup violent porté par un brigand qui chevauchait telle une furie et la fit tomber du *takhteravan*. Mais la petite fiancée ne remarquait rien de tout cela. Elle n'entendait que les Trompettes de la Vertu annonçant l'arrivée du Roi des Rois. Elle ne voyait que les lumières du Grand Rassemblement, et les armées des anges réunies pour danser à ses noces. Et son cœur chantait de joie.

Lorsque à grands cris les brigands entourèrent le *takhteravan*, la servante gisait déjà sous le piétinement des sabots des mules terrorisées, et elle ne vit pas la lueur qui brilla dans les yeux du chef quand il regarda à l'intérieur et vit la petite fiancée qui attendait. Elle ne vit pas ce qui pour elle eût été pire que la mort, le viol de son adorée. Mais elle ne vit pas non plus ce qui, d'étonnement, aurait pu la relever d'entre les morts qui geignaient autour d'elle : elle ne vit pas l'expression de la jeune fille renversée sur les coussins de soie, attendant que viennent à elle la vie et la mort.

En voyant le chef, la fiancée reconnut aussitôt le messager envoyé par l'ange qui était tombé du ciel au-dessus d'elle. Elle sut qu'il était l'envoyé de Saoshyant, le sauveur du monde, et qu'il venait pour la conduire à son seigneur. Dans les yeux brillants du brigand, elle vit son sauveur immobile au cœur le plus profond d'une montagne glacée. Dans ses membres raides, elle vit son sauveur s'avancer sur une voie médiane, en cette manifestation, sa dernière. A sa droite, le Peuple de la Vertu ; à sa gauche, le Peuple du Mensonge – et elle était prête à se jeter à ses pieds. Elle vit devant lui une flamme et sut que c'était Dieu, Ahura Mazdâ, et derrière lui une ombre, et elle sut que c'était Ahriman, et elle aurait voulu être tout ce qui se trouvait entre les deux. Il était un miroir placé devant le soleil, et elle croyait en lui. Il était un cristal placé devant le feu, et elle l'acceptait. Il ne lui demandait rien qu'elle ne désirât sur-le-champ. Il ne lui disait rien qu'elle ne comprît intimement. Pareil à une masse de rubis, tendre et vibrant, elle vit Saoshyant se pencher en avant pour étreindre son âme, et elle sut qu'elle allait mourir pour devenir l'anneau de création sur le doigt d'un de ses simples serviteurs. Quand le chef des brigands écarta les rideaux du *takhteravan*, à la fin du neuvième millénaire, en cette quatrième époque du temps, elle s'offrit à lui de tout son cœur, afin qu'il pût la conduire à son bien-aimé, dans l'instant.

Interdit devant l'expression de son visage et son regard, dont il était destiné à se souvenir toute sa vie, le chef lui trancha la gorge et sortit à reculons du *takhteravan* en proférant un juron grossier. Il saisit une torche qui se consumait sur un monceau d'ânes massacrés et, en quelques secondes, mit le feu au *takhteravan*. Tandis que les flammes léchaient les rideaux et que les outres commençaient à siffler et à cracher de la vapeur, il s'éloigna, les narines brûlées par le parfum d'une honte sans précédent. Mais pas avant d'avoir asséné un coup violent à la tête d'un homme gisant près de là, enveloppé dans son linceul. Par la suite, et non sans surprise, il se rappellerait cet incident peu glorieux où il avait tué un cadavre faute d'avoir pu violer une vierge.

Non loin, une mule chargée éternua, secoua la tête avec un léger tintement de son harnais et coucha les oreilles lorsque la fumée du *takhteravan* de la fiancée l'engloutit. Surprise par les odeurs amères, elle se détourna au moment où le chef des brigands passait en trébuchant. Sans être vue, elle se fraya prudemment un chemin dans l'obscurité des dunes. Et ainsi, par un miracle de parfums martyrisés dans le désert, elle réprima son instinctive envie de braire et échappa à l'éventration.

LE CHEF

Le lendemain, quand le chef des brigands cherche au fond de la ravine le corps brisé du Bédouin, il trouva un monceau de cendres carbonisées et des vestiges d'os brûlés. Indéchiffrable. Et pas la moindre sacoche en vue.

Le Bédouin lui avait toujours paru quelque peu mystérieux : une énigme, une devinette. Le chef n'avait jamais su déchiffrer ce guide qu'il avait là, bien qu'à d'autres égards il se considérât comme un homme qui connaissait la vie. Il connaissait assurément les faiblesses des autres hommes. On lui avait dit un jour qu'il était né sous une bonne étoile, et il avait toujours pensé que c'était vrai, même s'il se flattait de commander aux étoiles plutôt que de s'y conformer. Les femmes le craignaient, les hommes lui obéissaient et son destin était d'être chef. Et cela, à son avis, il le devait à sa propre volonté et à ses efforts, à rien d'autre. Il n'était redevable de rien à personne, car sa vie avait été difficile.

Dans sa jeunesse, il avait été attaché plusieurs années durant au service d'un cheik cruel et un jour, dans un mouvement de colère sauvage, il avait tué un homme et s'était trouvé obligé de fuir pour sauver sa peau. Après cela, il avait décidé que personne ne lui donnerait plus d'ordres. Et il s'était mis à parcourir les passes isolées en quête de revanche sur les riches et les puissants, car il était déterminé à posséder dans le désert son propre territoire où ce serait lui qui donnerait les ordres. Avec le temps, il rassembla autour de lui une bande de voyous téméraires dont le désespoir avait fait des hors-la-loi mais auxquels la fortune n'avait pas accordé comme à lui le goût du pouvoir. Ils furent ses serfs et il devint non seulement son propre maître, mais aussi leur seigneur. Un état de choses gratifiant, mais pas un sujet d'étonnement. Décider de sa vie, c'était bien le moins qu'il en attendait.

Il avait l'esprit vif, une intelligence lucide, un corps puissant et des dents aussi blanches que sa barbe était noire. Bien qu'il eût atteint sa quarantième année, il n'avait pas un cheveu blanc sur le crâne et il avait ramené de toutes ses expéditions une collection de concubines plus belles que toutes celles qu'on pouvait trouver dans les palais des cheiks. Il avait aussi dans sa tribu des hommes vaillants, prêts à mourir sur un mot de lui. Et il y avait à présent des années qu'il pouvait dévaliser les pèlerins en route entre La Mecque et Médine parce qu'il avait pour guide un Bédouin qui connaissait les secrets des dunes. Son Bédouin pouvait le conduire à ses proies avant même que ses rivaux se doutassent de leur existence et le mener hors de danger avant même que ses victimes eussent conscience d'avoir été volées. C'est de là, sans doute, que lui venait la réputation d'être un homme averti. Mais jamais il n'avait pu sonder la nature du Bédouin. Elle restait pour lui un mystère.

Quand, un soir, son guide l'abandonna et disparut dans le désert, le chef ressentit en son cœur une peur qui venait de plus profond que la crainte du danger : il se prit à douter, pour la première fois, de son autorité sur les étoiles. Il avait fait confiance à ce lézard du désert. Il l'avait honoré et se préparait à lui offrir des cadeaux de choix qui eussent irrévocablement lié au sien cet esprit vagabond. L'amertume lui emplissait la bouche et la bile lui montait au gosier lorsqu'il se rappelait qu'il avait été jusqu'à permettre à cet esclave de boire dans sa coupe personnelle, le soir où il s'était enfui. Il avait voulu attacher cet homme à son service pour toujours, mais quelque chose dans le Bédouin se dérobait à lui. Quelque chose en cet homme échappait au contrôle du chef. Ses autres hommes étaient serviles, mais pas celui-là. Le chef ne pouvait pas mettre le doigt sur cette chose, car le gaillard avait les membres en coton et le cœur d'un poulet lorsqu'il s'agissait de combat physique. Il n'avait pas le cran de se battre, aucun goût pour le sang. Il ne savait même pas monter à cheval. Mais il savait courir.

Après la désertion du Bédouin, le chef jura de se venger mais il ne croyait pas vraiment à ses propres serments. Il n'ignorait pas que le Bédouin n'avait jamais été de ses séides ; il n'avait violé aucun pacte. Il avait été leur amulette, leur porte-chance, comme un cadeau. Mais jamais il ne leur avait appartenu. Qu'il les désertât en un moment pareil, juste quand leur était offerte la possibilité d'un riche butin, c'était un mystère qui remplissait le chef d'appréhension.

Ils avaient néanmoins de beaux gains encore en perspective, et les hommes qui lui restaient étaient toujours ses serfs, en dépit de cette perte énigmatique. On attendait une caravane au chargement fabuleux et, bien que les rumeurs fussent contradictoires, le chef ne voulait laisser passer aucune occasion. On parlait d'un convoi nuptial traversant le désert par les pistes de chameliers venant de Djeddah et d'un cadavre en provenance de La Mecque ; il était question aussi d'un marchand, mais personne ne savait avec certitude si ce dernier avait pour but le commerce ou le *hadj*. Nul ne pouvait dire, non plus, quand la caravane devait atteindre la route côtière de Rabigh, car il y avait eu des retards. Mais le chef avait l'œil sur la dot de la fiancée et les trésors accompagnant le mort dans l'au-delà. Et même si le degré de richesse du marchand était inconnu, il était décidé à surprendre la caravane à un moment et en un lieu où il aurait pour lui tous les avantages possibles et où rien ne serait laissé au hasard.

Les brigands avaient comploté avec leur guide bédouin de dresser une embuscade une heure avant le coucher du soleil à quelques *farsang* des montagnes de Dafdaf et de la vallée de Khulays. C'était un endroit parfait, isolé entre deux caravansérails, ou khans, sur la route reliant les deux villes saintes ; il se trouvait au fond d'un passage étroit dans les montagnes, d'où ils auraient un accès direct à leur camp par des sentiers secrets. Il n'y aurait aucune possibilité que des secours arrivent de Khulays et guère plus, à une heure pareille, qu'il en vienne du khan de Towal, le caravansérail en bord de mer où campaient les caravanes, à l'embranchement de la route de Médine. C'était le Bédouin qui avait suggéré le lieu et l'heure de l'embuscade, et le chef ne voyait aucune raison de changer ces plans, même après s'être aperçu de la disparition de son guide.

Afin de surmonter ses doutes et d'offrir l'apparence d'une décision indépendante, il dressa néanmoins des plans immédiats pour la supervision des détails de l'embuscade. Il commanda à certains de ses cavaliers d'aller se poster dans les montagnes de Dafdaf et de l'avertir si des voyageurs arrivaient de Djeddah ou de La Mecque. Le petit caravansérail de Khulays constituait la quatrième étape sur la route venant de La Mecque, et c'est là qu'il envoya ses éclaireurs. Il envoya aussi quelques hommes en avant vers la cinquième halte, à Towal, avec ordre de le prévenir de l'approche de quiconque arriverait de la mer. Lui-même attendrait, leur dit-il, au point prévu pour l'embuscade, dans les passes venteuses des montagnes de Dafdaf, parfaitement maître de la situation. On aurait tout le temps de se venger plus tard. Que le traître soit poursuivi d'abord par ses propres fantasmes, avant de sentir le tranchant du couteau. Le Bédouin n'était qu'un sot, dit-il ; il aurait pu devenir riche grâce à ce raid, s'il était resté avec eux.

Pendant trois jours et trois nuits, lui et ses hommes attendirent le marchand et sa caravane à l'endroit convenu. Pendant trois jours et trois nuits, ils négligèrent de poursuivre le guide qui les avait abandonnés. Mais il ne passa personne d'importance. S'il est vrai que, le troisième soir, ils reçurent des éclaireurs l'information que certains voyageurs étaient arrivés au khan de Khulays, sur la route venant de La Mecque, il était évident, d'après leurs robes blanches, qu'il s'agissait de pèlerins, et ils ne semblaient pas correspondre à la description à laquelle le chef avait été amené à s'attendre. Il n'y avait pas de riche marchand, apparemment, pas le moindre signe d'un train d'ânes de bât les accompagnant, et un seul chameau. La sacoche dont celui-ci était chargé semblait de peu d'intérêt et les voyageurs n'emportaient que le minimum de provisions de route : un peu de charbon de bois, une bouilloire, un sac de dattes et une outre affaissée. Le chef ordonna à ses hommes de les laisser poursuivre en paix leur pèlerinage.

Il s'impatientait, néanmoins, et partit à cheval, cette nuit-là, pour rejoindre ses éclaireurs. Ils se cachèrent à un *farsang* du khan de Khulays. Non pas à l'endroit habituel, celui que leur avait montré le guide bédouin, près de la ruine de l'oratoire d'Abwa' et du nouveau puits, mais sur l'autre bord de la vallée, au pied d'une haute falaise sous les montagnes de Dafdaf. L'ombre y était toujours profonde, dit le chef, et c'était plus sûr.

A l'aube du quatrième jour, il vit les trois voyageurs mettre pied à terre devant la ruine, de l'autre côté de la ravine. Ils étaient certainement partis du caravansérail à la fraîche, avant le lever du jour, et ils semblaient s'apprêter à faire leurs prières du matin auprès du puits. Ils étaient, ainsi qu'on le lui avait rapporté, pauvres et insignifiants. Sans doute le serviteur noir qui accompagnait les pèlerins avec le mulet de bât eût-il pu atteindre un bon prix sur les marchés, mais le chef avait déjà vendu assez d'esclaves cette année-là, et on parlait d'un ralentissement de ce commerce. L'adolescent qui marchait avait les pieds en sang et l'homme monté sur le chameau, vêtu d'une robe de pèlerin, ne valait rien du tout, malgré la couleur verte de son turban qui indiquait l'existence de quelque lien présumé avec le Prophète. En silence, le chef fit signe à ses hommes de ne pas les déranger.

Mais tandis que les pèlerins étaient prosternés en prière, une ombre apparut derrière l'oratoire en ruine. Une ombre maigre et décharnée, déguenillée et noirâtre. Une ombre avec un long bras et des jambes aussi évanescentes qu'un mirage. Elle attrapa la sacoche posée sur le sable à côté des pèlerins prosternés et alors, à la consternation des brigands et à la fascination de leur chef, arriva en courant droit sur eux. C'était le Bédouin ! Il courait vers eux avec la sacoche dans les bras. Ou bien il est idiot, pensa le chef, de risquer sa vie pour un sac de pieuses paperasses. Ou bien il est fidèle, après tout, et il me ramène le butin.

Les brigands murmuraient entre eux avec nervosité. Le Bédouin les rejoindrait dans quelques secondes. Il allait attirer sur eux l'attention des voyageurs ! Le chef leur fit signe de se tenir immobiles entre les ombres du petit matin. Le voleur les avait-il vus ? Mais il les dépassa. Il ne s'arrêta pas. Il parlait tout seul, comme un fou, en phrases incohérentes et balbutiées. Il semblait ne pas avoir remarqué leur présence, et ne se conduisait certes pas comme un faucon dressé revenant vers ses maîtres. Les brigands s'apprêtèrent à l'attaquer. Cette fois encore, le chef leur fit signe de ne pas bouger, malgré l'impatience qui les agitait. Le voleur passa si près d'eux qu'ils purent voir le blanc de ses yeux ; ils l'entendirent haleter.

Le chef observait, pétrifié ; rien ne remuait, que le cercle de ses yeux. Les voyageurs avaient laissé aller le voleur. Manifestement, la prière les intéressait plus que la poursuite. Même le serviteur noir n'avait pas insisté. Sa supposition était exacte, la sacoche était sans valeur. Mais pourquoi son guide l'avait-il déserté pour si peu de chose ? Etait-ce par sottise, ou avec une intention plus scélérate ? On ne pouvait jamais être sûr, avec ce Bédouin subtil.

Ses hommes s'agitaient, sidérés. Pourquoi leur chef laissait-il filer le gaillard ? Pourquoi se comportait-il comme les pèlerins ? Pourquoi ne leur avait-il pas ordonné de se saisir du guide et de tuer ce traître sur-le-champ ? La sacoche était sans valeur ? Et la vengeance, alors ? Ils bouillonnaient, soupçonneux d'une injustice, jaloux d'une préférence, inquiets.

Mais le chef avait la dent longue, il ne voulait pour vengeance rien d'aussi simple qu'un coup de poignard dans le dos. Il observa d'un regard intense le Bédouin qui se sanglait la sacoche sur les épaules. Il l'observa d'un regard implacable lorsqu'il commença à escalader la falaise, les pieds dérapant sur la pente. Cruel, paresseux, un sourire se dessina sur les lèvres du chef tandis qu'il regardait. Le Bédouin grimpait vers le haut, péniblement et lentement. La falaise était quasi verticale. Des pierres se détachaient sous lui. Accroché à la face implacable du rocher, le Bédouin se hissait des pieds et des mains tout en balbutiant, en jurant. La ligne durcit en travers de la mâchoire du chef, ses yeux devinrent fixes, tel un rocher sculpté ; son sourire laissait une cicatrice sur son visage presque aussi sombre et impitoyable que la falaise elle-même. S'il avait aimé un peu, il était capable de haïr bien davantage. "Ainsi, murmura-t-il, les dents serrées, ce petit serpent des sables a essayé de m'avoir, c'est ça ? Il a cru pouvoir échapper à mes mains aussi facilement qu'à celles des pèlerins ? Qu'il pourrisse et soit la proie des vautours aussi longtemps qu'il lui faudra pour comprendre sa folie."

Il cracha vers les rochers un juron silencieux et à ses hommes chuchota des ordres brefs. Il allait suivre le Bédouin en secret, sur ses talons ; il allait escalader la falaise derrière lui, leur dit-il. Qu'ils chevauchent, eux, comme le vent, par les raccourcis des défilés de la montagne et qu'ils contournent cette falaise de Dafdaf, et que toute la bande se rassemble au sommet, aussi silencieuse qu'un vol d'oiseaux de nuit. Quant à lui, si le traître l'entendait à ses trousses, il lui empoignerait les talons et le balancerait du haut des rochers. S'il réussissait à le suivre sans qu'il s'en doutât, ils sauraient où le traître se cachait et pourraient lui trancher la gorge quand il s'y attendrait le moins.

Déconcertés par son air sauvage et désorientés devant ces événements, les brigands n'osèrent lui rappeler ni la caravane, ni le raid. Quand leur chef donnait des ordres, il n'y avait qu'à obéir.

Lorsque le voleur se glissa dans sa grotte, le chef lui avait tendu un piège parfait. Il avait attendu que le Bédouin eût disparu dans la paroi rocheuse et se sentît en sécurité dans sa cachette avant de gagner après lui le sommet de la falaise. Il avait retrouvé ses hommes et les avait amenés là où il savait que se trouvait le repaire du voleur. La vengeance était douce, en vérité, car le fugitif ne pouvait pas sortir sans se faire massacrer et sa seule alternative consistait à mourir de faim dans ce trou, là-dessous. Le chef n'en voyait pas d'autre.

Une créature perfide, ce guide bédouin. Aussi insaisissable qu'un serpent fuyant entre les rochers. A jamais incompréhensible, après tout, rumina le chef. Quand ce personnage énigmatique se jeta avec sa sacoche du haut de la falaise, toutes les possibilités de vengeance s'évanouirent.

Le chef demeura en proie à ses doutes. Pourquoi cet homme avait choisi de se détruire de cette façon et d'emporter avec lui un bout de cuir sans valeur, c'était là un mystère plus profond encore que ne l'avait d'abord été sa désertion. Pourquoi il avait lié sa vie à ce morceau de cuir de cheval rien que pour les balancer, l'une et l'autre, ensemble dans l'abîme, cela passait toute logique, toute raison. Que diable y avait-il dans cette sacoche pour qu'il en fît tant de cas ? Ou bien il avait perdu la tête, ou bien ce sac représentait davantage, tout compte fait, que ce qu'on en pouvait deviner. Le choc donna au chef la nausée, lorsqu'il vit son guide s'écraser, en bas, sur les rochers. Une désagréable amertume lui monta à la bouche lorsqu'il prit conscience de la folie qui avait été la sienne. Cette sacoche devait contenir un trésor !

A cet instant précis, quelque chose attira son attention, un scintillement, au loin, sur l'horizon. Une tache bougeait sur les dunes lointaines. Quelque chose d'oublié arrivait sur la route de La Mecque, au carrefour de celle de Khulays. C'est alors seulement, au moment où il sentait le trésor du Bédouin lui échapper, qu'il se souvint du trésor beaucoup plus considérable qu'il avait espéré. Là se trouvait le butin promis, celui qu'ils avaient attendu ! Là se trouvait l'or capable d'éblouir le soleil. Si on se fiait aux apparences, ils auraient peut-être la chance de trouver un mort dans ce train, et cela signifiait des richesses en suffisance. Et ces litières chatoyantes ne pouvaient être que celles d'une fiancée, et cela signifiait des présents nuptiaux. La caravane !

Si farouche avait été sa soif de vengeance et si profond le doute semé en lui par la désertion de son guide qu'il en avait jusqu'à cet instant complètement oublié la caravane. Elle devait avoir fait halte pour la nuit dans le désert avant d'être arrivée à Khulays, ou bien n'avoir atteint le petit caravansérail qu'après que ses éclaireurs s'étaient abrités au pied des falaises. A présent, elle n'était plus éloignée que d'un demi-*farsang*, si ses yeux ne le trompaient pas. C'était l'instant où ils auraient dû se trouver en bas, ses hommes et lui, tapis, prêts à l'attaque. Il n'y avait pas une seconde à perdre ! Ils risquaient de perdre leur chance pour toujours si on les apercevait sur ce sommet.

Avec une témérité née d'un sentiment d'impuissance qu'il n'avait jamais connu, il ordonna à ses hommes de chevaucher rudement à travers les passes dangereuses des montagnes de Dafdaf et de redescendre au pied de la falaise, sur l'autre rive de la ravine venant du puits. Il n'accorda plus une pensée au Bédouin ni à la sacoche. Il faudrait déclencher l'attaque au puits même, tout de suite, au cas où on les aurait aperçus. Il leur faudrait modifier leurs plans et attaquer sur-le-champ, dit-il, près de la ruine d'Abwa'. Ils n'avaient pas le choix. L'endroit ne convenait pas aussi bien à une embuscade, mais il était trop tard, désormais, pour se conformer au plan initial. Il allait diviser ses forces, et les hommes se lanceraient sur la caravane des deux flancs du *wadi*. Il se risqua à parier que même si on les avait vus, la caravane n'aurait pas le temps de bien préparer sa défense. Mais il avait perdu son meilleur avantage, et les risques étaient grands. Il maudit le manque de jugement dont il avait fait preuve en suivant le Bédouin.

Le temps de contourner les montagnes et de se retrouver au puits dans la vallée de Khulays, il s'attendait à ce que la caravane fût sur eux. A en juger d'après la distance et son allure, elle aurait dû arriver à tout instant. Il partagea la bande en deux, et ils attendirent sur les rives opposées du *wadi*. En silence et le cœur battant, ils observaient l'horizon. Rien ne venait. Ils attendirent encore une demi-heure. Toujours rien.

Cela paraissait inconcevable ! L'avaient-ils manquée ? Les chefs de la caravane les avaient-ils aperçus lorsqu'ils se tenaient en vue sur la haute falaise, et avaient-ils fait un détour afin d'éviter l'oratoire abandonné ? Avaient-ils pris vers le nord, à travers le désert, sur les pistes peu fréquentées qu'empruntaient les chameliers vers Buraykah et Hamama, où il savait que rôdaient souvent les hommes de la tribu des Harb ? Et allait-il, du coup, perdre ce butin au bénéfice de ses rivaux ? De rage contre le Bédouin – que les charognards se repaissent de sa carcasse ! –, le chef grinçait de ses belles dents blanches. Si ses plans aboutissaient à un fiasco, c'était entièrement de la faute de cet individu. Car ils auraient été prêts, tous, et lui-même aurait eu la situation bien en main, sans ce lézard qui les avait attirés loin du lieu de leur embuscade. Etait-il possible qu'ils eussent, pour une sacoche sans valeur, manqué l'occasion de piller une merveille de caravane, chargée de barils d'huile et de sacs de riz, de richesses dignes d'une fiancée et d'assez de trésors pour payer à un cadavre l'accès au paradis ?

Sans perdre un instant de plus, il chargea deux éclaireurs d'aller à nouveau s'assurer de la situation dans les deux directions ; l'un vers La Mecque et l'autre vers Médine. Et une fois encore, il attendit pendant ce qui lui parut une éternité.

Sur la route vers Médine, rapportèrent les éclaireurs hors d'haleine, il n'y avait que les trois voyageurs du matin, à plusieurs *farsang* encore du caravansérail de Towal ; mais sur la route de La Mecque, la caravane était en vue, arrêtée, immobile, au milieu du désert, à guère plus d'un demi-*farsang* du khan de Khulays. Elle avait stoppé net sous le front proéminent des montagnes de Dafdaf et y semblait en panne. Elle n'avait pas bougé de l'endroit où ils l'avaient repérée du haut de la falaise.

Le chef était déconcerté. Pourquoi cet arrêt imprévu ? Pourquoi cette halte entre les caravansérails habituels ? Etait-ce un signe du destin ? Cela entrait-il dans son jeu, ou cela suggérait-il que quelque chose lui avait échappé ? Les yeux étrécis, il observa l'autre côté de la vallée, au bas du roide escarpement de la falaise en surplomb. S'il ne pouvait rien voir de là où il se trouvait, à cause des ombres entre les rochers au pied de la montagne, tout là-haut des vautours planaient en cercles. Il en fut satisfait. C'était de bon augure. Le butin restait à sa portée. Il ordonna à ses hommes d'attendre et scruta l'horizon, vers l'est, avec une excitation croissante. A tout instant, désormais, la proie allait arriver.

Mais au lieu du train de chameaux et d'ânes, au lieu des soldats, des gardes et des pèlerins qu'attendaient les brigands, au lieu de la caravane, un homme seul apparut à l'horizon. De plus près, le chef vit que c'était un homme petit et gros, monté sur une mule. La mule semblait ne porter d'autre bagage, d'autre charge que le poids considérable du cavalier. Celui-ci avait l'air inquiet et regardait sans cesse autour de lui. Il parcourait des yeux la roche rouge de la chaîne de Dafdaf à sa gauche et inspectait à sa droite les dunes blanches et brûlantes de la vallée de Khulays. Il paraissait ne pas savoir où il se rendait.

Le chef l'observait avec méfiance. Le bonhomme approchait du puits ; il semblait nerveux et lançait des regards fréquents aux ombres sous les falaises. Il murmurait tout seul et jurait à haute voix. Il sortit d'une poche une sorte de bouteille, y but au goulot et tourna sa mule en plein vers l'endroit où devait se trouver le corps disloqué du Bédouin.

Le chef et ses hommes remuèrent, mal à l'aise. Où allait-il, celui-là ? Pourquoi se dirigeait-il vers la falaise ? Savait-il quelque chose de cette sacoche ? Ou du Bédouin ? Comme il s'éloignait en clopinant, le chef fit signe à deux des brigands de se saisir de lui. Vivant.

Ils traînèrent vers l'ancien oratoire le bonhomme qui se débattait en pleurant et sa mule, et ils entreprirent de le questionner. Il avait l'air d'un étranger, ni arabe, ni persan, ni chrétien, ni juif, et manifestement il était terrifié. Il roulait des yeux exorbités tout en contemplant le chef, bouche bée ; ses mentons tremblaient tandis qu'il dévisageait un brigand après l'autre ; la salive lui coulait aux lèvres lorsqu'il s'efforçait de parler, car ils l'avaient empoigné et le serraient à la gorge. Il n'était qu'un humble changeur, un pauvre et honnête sunnite de Karachi, hoqueta-t-il, qui revenait de son *hadj* au très saint des saints. Il n'était qu'un homme simple, qui voulait s'incliner devant l'oratoire de Médine. Que Dieu le confonde s'il mentait, il avait en vérité abjuré sa profession afin de se purifier en vue du pèlerinage, et il n'avait rien à leur donner, rien, voyez, à part ces quelques pauvres pièces d'argent…

Le bonhomme puait l'arak et l'hypocrisie. Ils lui lancèrent quelques coups de pied, pour la forme, le dépouillèrent de tous ses vêtements et, à leur grande surprise, s'aperçurent qu'il disait vrai. Ses poches ne contenaient que quelques pièces d'argent et il n'avait sur lui aucun objet de valeur, à part quelques babioles autour du cou et, au bras, un anneau d'or qu'ils arrachèrent sans autre cérémonie. Le chef entendit sans le moindre intérêt sa proposition empressée de fournir la bande en alcool prohibé, qu'il assurait pouvoir se procurer à un prix très avantageux auprès de marchands parsis de sa connaissance. Sur son ventre avachi s'étalait un tatouage représentant maladroitement une rose. Mais il avait déjà été privé des seuls articles dont le chef se fût encore soucié de débarrasser un homme dans son genre.

Le sunnite de Karachi nia avec véhémence avoir entendu parler de, non, ou avoir perdu, non, non, une sacoche. Mais confirma avec ardeur, oui, qu'il avait voyagé, oh, oui, avec la caravane. Mieux, il se montra loquace à ce sujet, et il savait exactement combien de cavaliers, combien d'hommes de pied, combien de soldats, de gardes, de chameaux, de mules, de serviteurs et de servantes arrivaient vers eux sur la route de La Mecque, à un *farsang* à peine de distance. Alors pourquoi les avait-il quittés, pourquoi était-il parti en avant ? A cette question pertinente, il n'avait pas de réponse précise, pas de raison claire, et il marmonna nerveusement et rougit même un peu quand ils insistèrent. Et, certes, ils insistèrent. Mais ils ne purent rien obtenir de lui à ce sujet qu'un petit cri d'impuissance qui culmina en flots de larmes, et quelques accusations incohérentes contre les zoroastriens et les juifs. En revanche, il pouvait leur parler, toutefois, de la richesse de la fiancée. Fabuleuse, souffla-t-il. Et le mort ! Il déploya une grande éloquence à propos du mort. Les gardes qui l'entouraient étaient, dit-il, de farouches hommes du Luristân. Mais la fortune qui l'accompagnait n'était pas moins considérable que celle du convoi nuptial dont l'escorte de soldats turcs décadents ne leur opposerait, il l'assurait, aucune résistance. Il était plus que disposé à raconter au chef tout ce qu'il souhaitait savoir et beaucoup de choses dont il ne se souciait pas et, à l'exception significative des raisons pour lesquelles il avait devancé la caravane, n'avait nul besoin pour parler de menaces de torture. Son arabe était d'aussi piètre qualité que les babioles qu'il portait autour du cou, et il zozotait légèrement. La cause du retard, dit-il, et il se permit ici un ricanement douteux et un clin d'œil averti, la cause du retard était la fiancée, qui était jeune et mûre pour le mariage, cela, il pouvait le garantir. C'était ses désirs à elle, suggéra-t-il d'une voix rauque, qui l'avaient obligé à devancer la caravane. C'était pour satisfaire les passions de cette jeune fille qu'il avait risqué sa vie...

Le chef donna à ses hommes l'ordre de pousser l'odieux personnage contre la margelle de l'ancien puits, dans l'oratoire en ruine, et puis il lui offrit le choix : "Il y a un homme mort au pied de cette falaise, murmura-t-il, le doigt tendu. Tu peux soit le rejoindre maintenant, ou nous laisser te couper la langue afin que tu n'aies pas à le rejoindre plus tard. Qu'est-ce que tu préfères ?"

Les implications étaient évidentes. S'il était susceptible d'avertir la caravane de l'attaque imminente, il mourrait. S'il ne mourrait pas, ce serait parce qu'il aurait la chance d'être muet. Tout pleurant et balbutiant, l'homme de Karachi se soumit à la seconde proposition. Les hommes piétinèrent lourdement ses épaules molles afin de le maintenir à terre, mais ce n'était guère nécessaire car il ne résistait pas. Il se montra même accommodant au point de leur présenter sa langue, avec une complaisance révoltante. La veulerie du bonhomme donna au chef le frisson. Il aiguisa sa dague au bord de pierre du puits abandonné et ils jetèrent la langue dedans.

Ensuite, ils le laissèrent partir librement. Ils lui accordèrent même sa mule, geste qui parut au chef d'une grande magnanimité. Avec pareil trésor à portée de main, quel besoin avaient-ils d'une mule de plus, de toute façon ? Le chef n'aimait pas paraître mesquin, surtout devant ses hommes. C'est pourquoi, une deuxième fois, il résista à l'envie d'envoyer l'un d'entre eux récupérer la sacoche là où elle devait être tombée, au pied de la falaise.

Lorsqu'ils le perdirent de vue, le sunnite de Karachi se dirigeait vers les rochers, de l'autre côté de la vallée de Khulays, où les charognards volaient en cercles de plus en plus bas. Grand bien lui fasse la sacoche, pensa le chef, même si elle contient le plus riche trésor au monde. A quoi bon l'or ou l'argent si on ne peut les négocier ? Quoi qu'il en fût, le chef n'était pas d'humeur pour l'instant à se préoccuper de sacoches. Il se sentait assuré de posséder, quant aux richesses de la caravane, tous les renseignements souhaitables, et il voulait concentrer son attention sur la mise au point de l'embuscade. Il ne ferait pas deux fois la même erreur. Et, d'ailleurs, au sud, un nuage de sable montait à l'horizon. Encore un présage ? Mais celui-ci, il était décidé à le plier à sa volonté.

Le chef était un homme sans dieu, mais il croyait au pouvoir des présages. Issu de la secte wahhabite, il créditait le Prophète de plus d'humanité que de divinité. Le Prophète était un pragmatiste, à son avis, et un meneur d'hommes.

S'il avait appris aux gens à adorer une divine fiction, c'était afin de mieux les gouverner. Mais le chef ne voyait pas de raison, quant à lui, de se laisser gouverner. Il considérait la vénération des dieux comme un signe de faiblesse. En majorité, les gens étaient faibles, rares étaient les forts et ceux qui, comme lui, étaient nés pour commander n'avaient nul besoin de se laisser intimider par des fictions. L'importance du Prophète, estimait-il, résidait dans sa capacité pratique et politique de plier à sa volonté toute-puissante les cœurs de ses disciples et aussi les présages de ce monde.

En ce qui le concernait, lui, le chef, les présages relevaient de la tactique politique. On pouvait s'en servir afin d'assurer son pouvoir sur autrui. C'étaient des outils. Au moyen de ces outils, il interprétait les circonstances et les occasions offertes par la vie, tout à fait comme il commandait aux hommes et dominait les femmes. Ils lui servaient à démontrer son talent à prévoir les jeux du destin. C'était tout. Ou bien l'on jouait en homme, avec les dés en main. Ou bien l'on construisait un dieu fictif censé jouer, et l'on cédait les dés aux autres. Le chef avait le sentiment de détenir la maîtrise du jeu et de contrôler les dés, et jusque-là les circonstances lui avaient donné raison. Ses hommes, qui frissonnaient de ses blasphèmes, en étaient secrètement ravis. Ils craignaient sa force et croyaient en elle. Il le savait, et il les méprisait pour cela. Et puisqu'ils se laissaient intimider par le pouvoir des présages, il interprétait les présages afin de démontrer son pouvoir sur eux.

C'est la raison pour laquelle, lorsqu'il vit le nuage de poussière qui montait du sud, il changea d'avis une troisième fois. Un nuage de poussière limiterait la visibilité et servirait ses intentions, et il pouvait l'interpréter comme un présage démontrant sa maîtrise du destin. Il revint au plan original. Il décida de renvoyer ses hommes en toute hâte vers les rochers du lieu choisi d'abord pour l'embuscade, cinq *farsang* plus loin sur la route de Médine, dans les montagnes de Dafdaf. Avec un nuage de poussière à ses ordres, ses hommes auraient le temps de se cacher à leurs postes et d'être prêts à l'attaque une heure avant le coucher du soleil, qui était le moment où l'on prévoyait l'arrivée de la caravane à Towal. Maintenant qu'ils connaissaient avec certitude le nombre exact de soldats et de gardes, la qualité et la quantité de leurs armes et l'ampleur du butin, ils pouvaient tourner à leur avantage cette circonstance inattendue. Ils pouvaient galoper sur la route et retourner à l'endroit initialement prévu pour l'embuscade bien plus vite que s'ils avaient dû se frayer un chemin par des terrains accidentés à l'écart du trajet de la caravane. Car le nuage de poussière ralentirait l'allure de la caravane et effacerait leurs traces. Ce présage lui offrait un atout.

Alors que le soleil montait dans le ciel et qu'à l'horizon un premier reflet de la caravane en marche se détachait et s'approchait, il donna le signal. Un sifflement strident, et les brigands cachés entre les rochers de part et d'autre du *wadi* se levèrent comme un seul homme, sautèrent en selle et filèrent sur la route en direction de Towal. En quelques secondes, ils eurent disparu dans leur propre nuage de poussière. Tels les vents des montagnes, ils chevauchèrent vers Médine pendant plus d'une heure et arrivèrent à un *farsang* du carrefour côtier de Towal. C'était un lieu d'embuscade classique, dans une passe étroite et élevée de Dafdaf. Quand chacun eut reçu ses instructions, quand chacun fut installé dans sa cachette désignée et sut exactement comment, à quel moment et dans quel ordre il devrait attaquer, le chef eut enfin l'impression qu'il maîtrisait de nouveau la situation. Il ne restait plus rien à faire que d'attendre l'apparition de la caravane.

Et puis, sans sommation, lui sembla-t-il, la tempête de sable s'abattit.

Rien ne se passait comme prévu. De toute sa carrière, jamais le chef n'avait mené une expédition aussi chaotique, aussi mal organisée, aussi vouée à l'échec. Lorsque, des années après, il se rappellerait cette fatale embuscade, il ne douterait pas un instant que les richesses volées valaient bien moins que son honneur perdu ce soir-là. Et lorsqu'il penserait à ses décisions en cette affaire, il ne comprendrait jamais ce qui avait dicté ses choix. Ou qui. Rétrospectivement, ses opérations calculées paraissaient tout à fait irrationnelles. Cette embuscade marquait l'instant où il avait commencé à perdre son pouvoir.

On racontait que plusieurs siècles auparavant, la mère du Prophète était morte là, dans cette vallée, entre ces montagnes, au bord de ce segment de route désolé entre La Mecque et Médine. Elle s'appelait Amanih, et en son honneur on avait construit près du puits, il y avait bien longtemps, l'oratoire d'Abwa'. Celui-ci était resté à l'abandon, cependant, et durant des années n'avait plus été qu'une ruine où peu à peu le puits rempli de poussière s'était asséché. Et puis, récemment, un Turc fervent avait fait le vœu de le reconstruire. C'était un fanatique, disait-on, et il avait interprété comme un manquement grave au respect dû au Prophète la négligence où l'on avait tenu le sanctuaire de sa mère. La construction primitive avait été restaurée, avec des poutres noircies pour éviter qu'elles ne pourrissent, et on avait amené des esclaves de Djibouti afin de remonter les murs. C'est à ce moment-là qu'on avait creusé le nouveau puits à proximité.

Mais les hommes de la tribu des Harb, considérant ce geste de réparation comme une violation de leur indépendance et rendus furieux par le moindre signe d'ingérence ottomane dans cette région, avaient saccagé l'oratoire peu avant notre histoire. Ils avaient incendié le toit, démoli les murs et réduit l'oratoire à l'état de décombres qui avait été le sien, tant pour remettre le Turc à sa place que pour insister sur l'absence de signification des lieux associés au Prophète. Etant en effet, comme la plupart des tribus saoudites, des tenants de la secte fondée par Ibn 'Abd al-Wahhab, ils trouvaient offensante toute affirmation de la divinité du Prophète et considéraient comme une manifestation d'idolâtrie le fait qu'à La Mecque et à Médine les lieux saints fussent préservés et traités comme des objets de culte. Il n'y avait que quelques semaines qu'ils avaient attaqué l'oratoire d'Abwa' et l'avaient laissé de nouveau en ruine. Le désert avait achevé leur œuvre. Et bien qu'il eût ri en découvrant que ses rivaux avaient dépensé sur du bois et des pierres une telle énergie, laquelle eût été mieux employée dans un raid qui leur eût procuré des richesses, le chef des brigands avait, lui aussi, pris part à la démolition de l'édifice Mettant ses pas dans les leurs, il avait pillé ce que le feu n'avait pas totalement détruit.

Le bois était une denrée hors de prix dans le désert et il y avait aussi, sous les décombres, quelques tapis qu'il avait récupérés à son usage.

Encore qu'il ne fût pas l'initiateur de la destruction du sanctuaire dédié à la mère du Prophète, il associerait toujours, par la suite, sa décadence personnelle avec cette démolition, et parlerait de la perte de pouvoir qui lui en était advenue comme de la "vengeance d'Amanih".

Mais qu'il s'agît de la vengeance d'une mère morte depuis longtemps ou des revers d'ironie administrés par son fils qui était peut-être bien, après tout, un messager divin, l'agent de la vengeance était sans nul doute le désert lui-même. Et la tempête de sable en était l'instrument. Elle arriva sur eux avec une fureur qu'aucun homme n'eût pu prévoir. Il y avait souvent des tempêtes de sable dans cette région, car les vents dans le massif de Dafdaf étaient violents et soulevaient de rouges tourbillons avec une fréquence banale. Mais les nuages qu'il avait aperçus à l'horizon alors qu'ils attendaient près du puits étaient accompagnés d'un ciel bleu et clair, sans rien qui indiquât l'imminence d'une tempête de sable. C'eût été suffisant pour tromper les chameliers, mais pas un aigle du désert tel que lui, qui avait toujours su, par le passé, la différence entre tempête et nuage. A moins qu'il ne l'eût sue par le passé que grâce aux avertissements du Bédouin, cet homme capable de lire l'horizon. Cette fois, à son grand désarroi, le chef s'était laissé surprendre. Il avait, ce matin-là, permis à la colère de brouiller son jugement, et à midi il avait succombé à la séduction du contentement de soi. La proximité de la réussite lui avait voilé les yeux. Il avait coupé la langue de l'eunuque avec une dague qui lui avait engourdi l'esprit. Pour ses erreurs, il maudissait à présent le clown de Karachi, et également son guide.

Cela étant, longtemps avant l'arrivée attendue de la caravane au lieu de l'embuscade, le sable fouetté par les vents obscurcit le soleil et le désert lâcha sur les brigands sa hargne vengeresse. Que devait faire leur chef ? Demeurer dans la passe en une expectative sans fin, alors qu'assurément la malheureuse caravane, forcée de faire halte, attendrait en bas, dans la vallée, que la tempête se calmât ? Ou saisir la chance par les cheveux, prendre le risque de retourner sur ses pas pour l'attaquer alors qu'elle était le plus vulnérable ? Un risque qui impliquait sa vulnérabilité, à lui aussi, car marcher en plein cœur d'une tempête hurlante, même s'ils chevauchaient en formation serrée, ainsi que ses hommes y étaient entraînés, flanc contre flanc écumant, bête contre bête, ce n'était pas une mince affaire. Et trouver la caravane dans de telles conditions, même si, groupée en cercle afin de se protéger, elle devait être sans défense, c'était beaucoup demander avec une aussi mauvaise visibilité. Le plus sage eût été d'attendre ; la montagne pouvait se montrer aussi trompeuse que la tempête. C'était ce choix qu'il lisait dans les yeux de ses hommes, tel un appel muet. Car, que ce fût ce soir-là ou le lendemain matin, à un moment ou à un autre la caravane devait passer par là.

Mais le chef commençait à avoir l'impression que cette caravane était ensorcelée. Elle lui avait échappé trop souvent. Trop souvent, il s'était senti certain qu'elle allait arriver, et elle n'était pas venue. Trop souvent, il s'était attendu à son apparition et il avait été berné. Qui savait quels nouveaux retards risquaient de la lui faire filer entre les doigts ? La première fois qu'il l'avait guettée, trois voyageurs étaient apparus, qui avaient été cause de sa première digression fatale, lorsqu'il avait poursuivi le Bédouin jusqu'à son nid d'aigle. La deuxième fois qu'il l'avait guettée, il avait été abusé par l'apparition d'un eunuque qu'il n'avait éprouvé aucun plaisir à priver de sa langue car l'homme avait accepté ses souffrances avec une résignation des plus frustrantes. Pourquoi n'avait-il pas tué cette créature, écrasé sur les rochers sa cervelle ramollie ? Pourquoi l'avait-il laissé échapper, avec cette insaisissable sacoche ? A présent, la caravane se trouvait engloutie dans la tempête de sable. Allait-il permettre qu'elle lui filât entre les doigts une fois encore, ou partirait-il à sa recherche ? Allait-il attendre, avec, lui aussi, une patience d'eunuque, que la fortune vînt à lui, ou irait-il se la faire comme un homme ?

Il décida de revenir sur ses pas. Abandonnant une embuscade parfaite et la sécurité des rochers, le chef ordonna à ses hommes de retourner dans la tempête.

Ce fut comme s'ils plongeaient en enfer. Il était à la fois essentiel et dangereux de rester sur la route des caravanes. Car s'ils s'en écartaient, ils s'égareraient à l'infini et risqueraient à tout instant de dégringoler des hauteurs. S'ils restaient sur la route, avec cette mauvaise visibilité, ils risquaient à tout instant de tomber sur la caravane arrêtée, détruisant ainsi leurs chances de la surprendre. Le chef donna ses ordres avec âpreté. Un guide, relié au reste de la bande par une corde nouée autour de la taille, prendrait seul les devants pour reconnaître la route, et les autres suivraient en formation serrée, en longeant les broussailles au pied de la roche nue, à droite du chemin. Là, ils trébucheraient peut-être sur les pierres, mais ils pourraient au moins se cacher s'ils recevaient du guide une secousse les avertissant d'un danger. Deux secousses les préviendraient que la caravane était en vue et qu'ils pouvaient réduire la distance avant d'attaquer.

Normalement, le chef aurait envoyé le Bédouin en avant et serait resté avec le gros de la bande afin de commander l'attaque. Mais le Bédouin était mort, malédiction sur lui. Sentant l'inquiétude de ses hommes, leur peur étouffée et leur incertitude quant à ce nouveau changement de plan, leurs doutes quant à la sagesse de ce retour en arrière vers la caravane, il prit encore une décision téméraire. Résolu à leur montrer qu'il n'avait pas peur d'affronter le destin, il se noua la corde autour de la taille et prit les devants, comme guide. A la place de celui qu'il avait maudit.

En quelques secondes, il se retrouva seul au milieu de cônes de sable tourbillonnant. Et des siècles s'écoulèrent. Le soleil assombri et voilé ne lui donnait aucune sensation du passage du temps. Tout autour de lui, les particules de sable s'élevaient et se fondaient en vagues gigantesques et le frappaient comme un gong. Il se sentait englouti et vidé, balayé par le sable au-dedans et au-dehors à la fois. Malgré le keffieh enroulé autour de sa tête, le sable lui entrait dans les yeux, dans le nez, dans la gorge, et il étouffait ; il perdit toute notion d'espace et de temps. Tandis qu'il s'efforçait de voir devant lui, son cheval broncha à de multiples reprises contre les rochers au bord du chemin et il dut rectifier sa direction. Tâtonnant comme un aveugle dans les hurlements du vent, il se trouva plusieurs fois au bord d'un précipice. Il ne pouvait progresser que par rapport à lui-même : un point de repère sans valeur. Son esprit s'engourdit, il se rappelait à peine ce qu'il cherchait dans cette éternité de sable.

Soudain, il sentit une secousse. Elle était si forte qu'elle faillit le désarçonner. Dans l'état de confusion et d'égarement qui était le sien, il ne distingua qu'avec peine à ce moment la différence entre ce choc physique infligé à son corps et le souvenir qu'il suscitait de la dégringolade du Bédouin rebondissant sur les rochers déchiquetés au bas de la falaise. Il lui fallut plusieurs secousses pour se rendre compte que ses hommes tiraient sur la corde nouée à sa taille. C'étaient eux qui le tiraient, au lieu qu'il leur envoyât, lui, le signal. Déconcerté, il fit demi-tour et rejoignit à l'aveuglette le groupe des bandits. Ceux-ci se tenaient serrés les uns contre les autres, telle une troupe de fantômes avec leurs têtes emmitouflées dans leurs turbans, en plein sur la route. C'était lui qui s'en était écarté. Ils avaient vu la caravane devant eux et la désignaient en silence, les yeux brillant entre les plis de leurs keffiehs. Il était passé à côté sans même l'apercevoir. Seule la sévérité de la tempête l'avait protégé et avait maintenu la caravane massée en cercle pour résister au vent dans l'ignorance des brigands qui venaient de lui tomber dessus.

C'était encore un présage.

Mais, celui-là, le chef ne s'attarda pas à l'interpréter. Dans cet étourdissement de sable, il ne pouvait évaluer où ils se trouvaient : loin de Khulays, près de Towal, proches d'un secours possible ou exposés à une contre-attaque de la tribu des Harb qui contrôlait la région ? Il fallait agir vite. Et se saisir de tout ce qu'ils pourraient. Rapidement.

A son signal, les brigands fondirent sur les animaux terrifiés avec, selon leur habitude, des hurlements destinés à faire peur aux pèlerins, et en brandissant leurs baïonnettes ou leurs épées nues afin de tuer ou d'étourdir tous ceux ou ce qu'ils pourraient rencontrer. Ils eurent un accrochage avec l'escorte armée qui entourait la litière de la fiancée, et malgré le sable qui tourbillonnait encore et bien qu'ils fussent à cheval, tous les soldats moururent dans l'heure et la plupart des Turcs tournèrent les talons et s'enfuirent. Les chameliers leur opposèrent plus de résistance, mais le goût du sang et l'apaisement des sables conféraient aux coups des brigands un enthousiasme impitoyable. Le chef avait bien entraîné ses hommes. Et l'excitation du raid avait commencé à racheter les heures passées dans l'incertitude et la tension. Enfin, le tranchant de la lame pouvait oblitérer leur sentiment d'impuissance.

Lorsqu'il eut vu, regroupés tous ensemble, les chameaux et les mules chargés des trésors de la dot, le chef sentit renaître en lui son assurance habituelle, neutralisant les doutes qui l'avaient harcelé tout le jour. Ses hommes se saisirent aussi de plusieurs des chevaux, des pur-sang arabes entravés avec les animaux de bât, et ne tuèrent que les mules et les chameaux en surnombre ; ils mirent le feu aux litières et aux chariots. Ceux des pèlerins et des voyageurs qui restaient furent mis à mort sans cérémonies d'un simple coup de lame. Si certains s'échappèrent dans la tempête finissante, il n'y avait parmi eux personne d'importance, en ce qui concernait la fortune. Toutes les femmes se laissèrent rassembler presque sans résistance, et le chef éprouva une satisfaction considérable à entendre leurs cris. On les emmènerait à son camp dans les collines où, plus tard, les brigands se les partageraient.

Mais il s'était réservé la fiancée, son privilège. La tempête s'était réduite à un gémissement et le plus dur de la bataille était passé lorsque le chef s'approcha de la somptueuse litière, avec ses rideaux de soie déchirés et ses clochettes tintinnabulantes. Ses hommes avaient reçu l'ordre de s'assurer des trésors accompagnant le mort. Le soir était tombé sur cette journée funeste et une lune maladive se levait sur la scène de dévastation, signe qu'il avait enfin arraché le contrôle aux mains du destin. Les plaintes des mourants montaient dans le crépuscule, quelques-unes des autres litières brûlaient déjà, et les brigands empaquetaient le plus gros des richesses. C'était ce moment, dans un raid, qu'il préférait entre tous : ses hommes à ses ordres, les cris des femmes à ses oreilles, l'odeur de l'incendie dans l'air, et une vierge à violer. Il était de nouveau le maître !

Il sentait le désir enfler en lui. Comment pouvait-il avoir imaginé, quelques heures auparavant, que sa chance avait tourné ? Comment pouvait-il avoir douté de sa bonne fortune ? Qu'il avait donc eu raison d'attaquer la caravane au lieu d'attendre, impuissant, qu'elle arrivât entre ses mains ! De cette façon, il avait montré à ses hommes quel genre de chef il était. Il leur avait montré comment il pouvait dévier en sa faveur le cours des événements. Ah, mais ! il était au sommet de son pouvoir ! Tout en tâtonnant de ses doigts sanglants pour se libérer, il écarta d'un geste brutal les rideaux de la litière nuptiale et grimpa à l'intérieur.

La vision qu'il découvrit là, à la lumière rougeoyante des feux et des flammes jaillies des torches, n'était pas celle qu'il avait imaginée. Il y avait bien une jeune fille, oui. Mais elle l'attendait. Elle n'avait pas peur, elle n'était pas tapie, épouvantée, dans un angle de la litière, elle ne criait ni ne gémissait, ni n'implorait sa pitié avec des yeux terrorisés. Elle l'attendait avec une expression éblouie, l'air de le reconnaître. Elle le connaissait !

Pendant un instant, le chef se sentit hésiter, perplexe. Qu'était-ce là – une prostituée ? se demanda-t-il. Assurément, ce n'était pas une vierge fiancée ! La fantastique extravagance de ses vêtements lui rappelait les nippes garnies de pacotille des bordels qu'il avait fréquentés dans les recoins louches de Djeddah. Où diable l'avait-il rencontrée, pour qu'elle le reconnût ici ? Et comment diable… ? Comme il restait immobile, décontenancé, elle lui tendit les bras. "Tu n'as pas oublié ?" chuchota-t-elle, dans un arabe guindé. Et elle sourit.

Il était consterné. Etait-ce une sorcière ? Il était certain de n'avoir jamais encore aperçu cette créature qui le saluait à présent comme un amant trop longtemps disparu ! Il ne savait pas comment violer une femme dans de telles conditions. Même si elles n'étaient plus techniquement vierges, les femmes dont il tirait jouissance étaient d'ordinaire terrifiées, hystériques, et il fallait pour les soumettre la crainte de sa dague. Voilà des viols qui étaient satisfaisants. Par la suite, s'il les gardait, ces femmes se fondaient en une sorte de docilité muette et craintive qu'il lui fallait fouetter de temps à autre au même degré d'épouvante afin d'y retrouver son plaisir.

Mais celle-ci ? Quelle espèce de folle présomptueuse était-ce là ? Ses yeux étaient agrandis par davantage que l'antimoine, les mains tcintées de henné qu'elle tendait vers lui tremblaient d'autre chose que de peur. En cet intemporel instant de stupéfaction, dépouillé de ses intentions et momentanément incertain de ses motivations, il remarqua à la lumière dansante du feu une bulle minuscule, unique, qui se formait puis éclatait sur la lèvre inférieure de la fille. Miracle d'ardeur. Pareil désir était-il humainement possible ? Elle semblait fondre d'amour. Ou n'était-ce qu'une ruse ? La petite sorcière dissimulait-elle un couteau dans les plis soyeux de ses robes ? Ne le provoquait-elle que parce qu'elle pensait l'emporter sur lui ? Le cœur battant, il se pencha en avant, l'arme dégainée, et alors, au moment où il la saisissait, il sentit le parfum murmurant de son corps.

Sa dague s'accrocha lorsqu'il se pencha plus près d'elle pour l'égorger, et s'emmêla désagréablement dans les perles qui lui ornaient le cou ; celles-ci se répandirent, telles des semences rouge sang, sur les vêtements de soie. Horrifié, il ne put toucher à une seule des pièces d'argent cousues à ses jupons bruissants et sortit de la litière à reculons, en maudissant sa mauvaise étoile.

Les brigands étaient encore occupés à tourmenter le dernier des valets lorsque le chef arriva en proie à une rage furibonde et dispersa le jeu. C'était le jeu auquel ils jouaient d'ordinaire, et l'une des rares distractions que leur chef leur accordait. Ils ne comprirent pas pourquoi il trancha sans autre cérémonie la gorge du pauvre gars et leur ordonna de reprendre aussitôt le chemin de leur camp. Il était d'une humeur massacrante. Il aboyait ses ordres à gauche et à droite, et il exigea de voir le trésor accompagnant le mort qui avait voyagé avec la caravane. Il ne se trouvait pas, apparemment, avec l'ensemble des richesses appartenant à la fiancée.

Une certaine confusion régnait. Où était le cadavre ? Mais quand les brigands se mirent à sa recherche, ils ne le trouvèrent nulle part. Ni cadavre, ni cadeaux destinés à lui acheter le ciel. Ni train de mules, ni or appartenant au défunt. Dans l'anarchie de la tempête de sable, on avait oublié les plans d'attaque préparés avec tant de soin, et personne ne s'était aperçu de l'absence du cadavre. Les gardes du train de mules s'étaient-ils échappés avec le butin ? Impossible. Tout ce qui avait quatre pattes ou deux jambes, toutes les bêtes et tous les hommes avaient été mis à mort sans délai. Il ne restait rien qu'une mule solitaire plantée, immobile, sous la lune, chargée d'une sacoche qui pendait d'un côté.

Le chef sentit que quelque chose lui avait de nouveau glissé entre les doigts. Il avait perdu la moitié de la valeur du raid. Debout, tenant son sabre encore tout dégouttant de sang, il parcourut lentement des yeux le cercle des brigands autour de lui, hanté par l'absence du Bédouin. Soudain, il saisit l'un de ses hommes par les cheveux et le contraignit à s'agenouiller à ses pieds, le visage contre celui du valet qu'il venait de tuer. Et à lui aussi, il trancha la gorge d'un coup net. Cette fois, au moins, il n'y avait rien pour accrocher la lame et se répandre à ses pieds comme une moisson ardente. "Que nul n'oublie ceci !" dit-il d'une voix sifflante.

Lui se souvint. Rentré au camp et couché dans sa tente à attendre l'aube, il se souvint tout à coup. Il avait été incapable, ce soir-là, de profiter de ses femmes ; ni de ses concubines habituelles, ni de la chair nouvelle qu'ils avaient ramenée, poussant des cris de cochons qu'on égorge. Et il s'était agité sur sa couche, ne trouvant pas le sommeil. C'est alors qu'il se souvint de la mule solitaire abandonnée au clair de lune. N'avait-il pas déjà vu cette sacoche quelque part ? Et cette mule ? Où avait-il vu cette mule ?

Il se souvint. N'était-ce pas la mule de l'eunuque ? N'était-ce pas la sacoche volée par le Bédouin ? La probabilité de cette conjonction lui parut si lointaine et la coïncidence si troublante que le sommeil fut banni cette nuit-là et pour bien des nuits encore. La mystérieuse disparition du défunt était troublante, elle aussi, et d'autant plus qu'il se souvenait d'avoir asséné un coup mortel, au sortir de la litière nuptiale embrasée, à un homme enveloppé d'un linceul. Pouvait-on tuer un cadavre ? Etait-ce là ce qu'il avait sottement tenté de faire ? Peu à peu, la conviction d'avoir laissé passer une occasion, d'avoir perdu le contrôle, de s'être trouvé, ou plutôt perdu, dans la situation des dés lancés, dans un jeu qu'il ne comprenait pas, au lieu d'être, ainsi qu'il l'avait toujours affirmé, le maître du jeu – cette conviction gênante, peu à peu, le rongeait. Elle le rongeait.

Il n'y avait rien d'autre à faire que de se lever tôt le lendemain matin, avant ses hommes, d'enfourcher son cheval et de retourner dans la vallée de Khulays, tout seul. Il chemina, pensif, par le massif montagneux de Dafdaf, jusqu'au puits et ensuite, traversant le *wadi*, vers les rochers et les pierres au pied de la falaise. Il voulait chercher cette infernale sacoche qui était à l'origine de tous ses ennuis. Et il ne la trouva pas.

Ce qu'il vit, longtemps avant d'être arrivé, c'est une colonne de fumée qui s'élevait dans le ciel matinal. Ce qu'il trouva, c'est un amas de cendres carbonisées et une poignée d'ossements calcinés là où s'était trouvé le corps du Bédouin. C'était curieux. Tout à côté, à demi enfoui dans le sable, il trouva également un papier plié, couvert d'une écriture délicate. Il ne distinguait qu'à peine les lettres, si fines, mais il eut l'impression d'y sentir un parfum.

Le chef révérait l'écriture, bien qu'il ne sût pas lire. Il avait appris que l'écriture signifiait le savoir, et que le savoir conférait le pouvoir. Il n'était pas illettré dans le langage du pouvoir. Il pouvait le lire dans les yeux des hommes et dans les corps des femmes. Toute sa vie, il l'avait manipulé et, à présent, était-ce lui qui était manipulé ?

Il resta quelque temps debout près du petit tas carbonisé, plongé dans une rêverie profonde. Quelque chose dans tout cela — une bulle de désir éclatée sur la lèvre de la vie, une explosion de perles et de grenades à la gorge de la mort —, quelque chose dans ces événements étranges lui parlait de sa propre impuissance. Il n'avait été qu'un instrument, et non celui qui le manie. Il avait rencontré un signe qu'il ne pouvait interpréter. Il s'en souviendrait toujours, car il n'avait pas le pouvoir de l'oublier. Il perdit toute notion du temps tandis qu'il méditait ainsi et ce fut les doigts tremblants qu'il replia la feuille de papier, avec respect, et la glissa sous sa chemise. Il ne retourna pas tout de suite au camp, mais resta un long moment assis auprès du puits, à côté de l'oratoire en ruine, sur l'autre rive du *wadi*, en luttant contre une absurde envie de pleurer. Car il lui semblait qu'une trace de parfum s'attardait dans l'air autour de lui. Plus tard, il cousit le texte odorant dans une poche de soie et le porta à son cou comme une amulette. Il allait le porter contre sa peau pendant dix-neuf années encore. Il ne savait pas lire, mais il en savait le message.

Peu après la "vengeance d'Amanih", il abdiqua. Il était dégoûté du commandement et de la soif du pouvoir. Avant que les brigands, ses camarades, pussent surmonter leur surprise et l'assassiner, il se retira dans un pays trop lointain pour qu'ils le suivissent. Là, il acheta une parcelle de terre et cultiva des figues et des abricots, qu'il sucrait et vendait aux adorateurs du feu et à leur communauté sœur de commerçants parsis, de l'autre côté de la frontière.

Après cela, pendant des années, chaque fois qu'une chose arriverait pour raviver le souvenir de son impuissance, chaque fois qu'une chose arriverait pour lui rappeler son insuffisance, chaque fois que, dans la confusion de son âme, il se surprendrait à repenser aux myriades de mystères qui lui échappaient, aux nombreuses énigmes qu'il ne pourrait jamais comprendre, il palperait la poche de soie à son cou et son regard deviendrait voilé et lointain. Les mots non lus enfermés là-dedans lui parlaient, en une calligraphie chuchotante qui touchait les vrilles de son cœur et l'étreignait et lui murmurait des mots de profonde tendresse. Ils lui parlaient en volutes de parfum, en spirales de boucles colorées au henné et en soieries subtilement tenaces qui ne le lâchaient pas. Avec un amour infini, ils lui murmuraient de se rappeler que dans toute la création, sans limite de temps ni d'espace, des millions d'êtres avaient, comme lui, exhibé brièvement leurs pouvoirs. Avec une tendre compassion, ils lui rappelaient que tous ces millions innombrables avaient, comme lui, sans exception, été totalement oubliés, eux et leurs pauvres appétits et pouvoirs. Et avec une ardeur exquise, ils lui murmuraient de se souvenir à jamais que tous ses pareils, tous ces millions, et cette création tout entière, c'était moins, bien moins que ce qui peut exister dans l'œil d'une fourmi morte, en comparaison du Tout qu'il ne pourrait jamais nommer, du Tout qu'il ne connaîtrait jamais.

LE CHANGEUR

Le changeur avait vécu bien des vies. Lorsqu'il atteignit la quarantaine, il avait déjà été le petit chien d'une *memsahib*, un oiseau de proie, un scorpion du désert et une mouche. Mais il n'avait pas encore été un homme.

Il avait été enfermé dans ce cycle de *samsâra*, ou renaissances, aussi loin que remontaient ses souvenirs. Cela avait commencé lorsqu'il était très jeune, car sa mère devenue veuve à la mort de son père avait été contrainte à se soumettre au sati, le mettant ainsi à même de comprendre à un âge peu avancé qu'il existe quantité de façons de mourir, y compris éventuellement l'apparence de la vie. Les cendres de sa mère furent jetées dans le Gange avant qu'il fût en âge de comprendre la différence entre ciel et paradis, et il se retrouva à la merci de ses oncles maternels, qui n'éprouvaient guère de complaisance envers ce fils unique d'une sœur dont le mari défunt et sa famille appartenaient à une caste inférieure. Les oncles étaient savetiers et quelque peu avares de nature. Ils furent vite excédés par le gamin pleurnicheur qui ne manifestait aucune aptitude à leur profession et hurlait si fort lorsqu'il se donnait des coups de marteau sur les doigts que les clients en étaient dissuadés d'entrer dans la boutique. En termes dépourvus d'ambiguïté, ils lui déclarèrent qu'aussi longtemps

113

qu'il ne gagnerait pas raisonnablement sa vie et ne se serait pas fait un nom, ils ne l'aideraient pas à se trouver une femme, et que s'il ne trouvait pas de femme, il ne pourrait pas se voir accepté dans la famille. Et, de plus, s'il souillait le nom de la famille, celle-ci le renierait, car elle appartenait à une caste supérieure à celle des tanneurs, lesquels étaient des intouchables. Là-dessus ils envoyèrent l'orphelin se débrouiller seul dans la vie.

Voilà donc jusqu'où allaient les capacités de raisonnement déductif de ses oncles, ainsi que leurs conseils moraux, et cela incita le jeune garçon à envisager, avec beaucoup de logique, la nécessité de changer de nom. Il se fit pilleur de poubelles et apprit à tricher pour survivre. Car il ne tarda pas à comprendre que les voies que le *Gîtâ* l'exhortait à suivre – sagesse et amour, savoir et dévotion, *jñana* et *bhakti* – menaient à la perdition. La perdition ne l'intéressait pas, ce qui l'intéressait vivement, c'était de savoir d'où viendrait son prochain repas. Là se trouvait la seule certitude dans son existence fort incertaine.

Son premier emploi sérieux, et la vie qui en fut la conséquence, lui fut trouvé grâce à l'un des oncles qui, dans un ultime geste de charité, l'introduisit à l'East India Company, à Calcutta, l'oncle ayant eu l'honneur de réparer une paire de bottes appartenant à un *sahib* anglais qui y travaillait. Le gamin avait donc été affecté comme boy au bureau d'un fonctionnaire des douanes britanniques dans cet établissement. Il avait eu là pour tâches distinguées de balayer le plancher, d'actionner le panka durant les chauds, si chauds après-midi et de passer avec amour un chiffon humide sur les bords du bureau encombré de paperasse. Il ne devait pas la passer sur le bureau, cette loque grisâtre et mouillée à l'odeur assez vile, car cela eût risqué de déranger les papiers du *sahib*. Mais il pouvait frotter les bords. Il frottait donc les bords du bureau, les bords du fauteuil, les bords des fenêtres poussiéreuses et de la porte – et, quand le *sahib* ne regardait pas, les bords de son nez.

Pourtant, le *sahib* regardait. Il regardait souvent l'adolescent aux yeux protubérants, aux lèvres plutôt épaisses et aux végétations hypertrophiées. Lequel de ces attributs méritait la distinction d'être observé avec tant d'attention, ce n'est pas évident, mais un soir, pendant la mousson, ce gentleman responsable du département des Impôts indirects et du Contrôle des taxes pour la très respectée East India Company, logée dans de prestigieux immeubles au cœur du plus beau quartier de Calcutta, s'attarda dans ses bureaux un peu plus longtemps que d'ordinaire et profita de l'occasion et du crépuscule glauque pour passer sur les fesses tremblantes du garçon une main expérimentale.

La main avait été rougie par le soleil, elle était rude et sèche, mais l'Anglais était encore jeune et avait devant lui une carrière prometteuse. Peu après, à la suite d'une promotion, il quitta les bureaux des douanes à Calcutta afin d'occuper le poste plus prestigieux de simple attaché à l'ambassade britannique, à Constantinople. Et il décida d'emmener avec lui le jeune Indien et ses végétations.

Comme il n'y avait guère d'autres possibilités, les oncles accordèrent leur consentement et organisèrent même une fête d'adieux à ce neveu prometteur, brève fanfare honorifique après laquelle il partit, laissant la famille nourrir l'espoir d'un beau mariage à son retour. Ce devait être le premier de ses voyages, sinon, certes, le dernier. Lorsqu'il franchit le Bosphore, il savait déjà que son retour à Calcutta dans l'avenir était aussi douteux qu'y avait été son passé.

Dans cette nouvelle incarnation, Ashwin, ainsi qu'on l'appelait à présent, fut élevé au rang de boy de maison, chargé de nettoyer les flaques et autres saletés dues au petit chien de la *memsahib*. Que ce fût parce que l'animal mourut peu après, dans des circonstances assez mystérieuses, ou parce qu'il lui fallait désormais rivaliser, pour les attentions de son maître, avec un jeune Turc aux joues roses, le tour prometteur qu'avait pris sa bonne fortune ne dura guère. Il fut soudain renvoyé après qu'un peu d'argent eut disparu des tiroirs de la *memsahib* et que, dans l'armoire à vêtements de cette dame, la lingerie intime eut été découverte dans un désordre lamentable. Le Turc aux joues roses affirma avec véhémence tout ignorer de ce vol, et bien qu'il s'avérât qu'il portait une quantité suspecte de dentelles sous son pantalon de soie bordeaux, on étouffa l'affaire et l'Indien se retrouva jeté à la rue sans cérémonies.

Durant ce premier hiver de sa vie, il erra dans Constantinople, perdu, sans le sou et gelé. Il en retira la conviction définitive qu'il préférait mourir de chaud plutôt que de froid et que, quelles que fussent les autres saisons qu'il lui faudrait vivre encore, aucune ne devrait être l'hiver. Constantinople était une ville cruelle qui modifiait son visage chaque nuit afin d'interdire à ses habitants la satisfaction de penser qu'ils y vivaient. Routes et venelles changeaient de place, des immeubles mouraient pour renaître ailleurs, et rien à Constantinople n'était jamais ce que cela avait été la veille. C'était une de ces villes qui s'enracinent et vivent dans leurs habitants au lieu du contraire, en lançant dans les esprits de labyrinthiques allées. Jusqu'au jour où une ville de cette sorte décide d'absorber un homme dans ses entrailles sinueuses, jusqu'au jour où elle est disposée à prendre et à réchauffer son corps, à le mâcher et à le digérer et à transformer enfin son esprit en déchet, la vie de cet homme est en danger.

Constantinople n'aima pas le goût du jeune hindou de Calcutta et le recracha. Il aurait pu mourir de faim un jour d'hiver qu'il était appuyé, défaillant et les lèvres bleuies, contre le mur éclaboussé d'urine des bains publics, sans le regard appréciateur d'un passant turc et sa propre décision rapide, à la demande de son nom, de se métamorphoser en un jeune sunnite de Karachi, avide d'un emploi. Il devint donc Abdullah, et entra au service du Turc.

Le Turc était, pour sa part, un sunnite dévot, et un homme fortuné. Comme il n'était plus jeune et qu'il avait ses appétits, Abdullah put faire progresser sa chance rapidement, car il était devenu expert en l'art de plaire. Mais à un coût funeste. A son grand désarroi et à sa durable déconfiture, il devint apparent que sa sécurité à Constantinople nécessitait une certaine abdication d'orgueil viril. S'il souhaitait être bien nourri, il devait se laisser émasculer, car le Turc ne faisait confiance à aucune de ses femmes. S'il souhaitait avoir accès aux appartements privés du Turc, se vautrer sur les coussins du Turc, manger les mets délicieux du Turc, fumer son narguilé et passer tout l'hiver au chaud, il lui fallait abandonner tout espoir de retourner au sein de sa famille et de s'y voir proposer un choix de fiancées hindoues tintinnabulantes. Le

Turc accordait moins de prix à ses regrets qu'à sa propre sécurité.

Cette quatrième incarnation fut donc, davantage que le précédent épisode chez les Anglais, la période de sa vie pendant laquelle l'Indien peaufina sa philosophie du doute. Là, dans les harems du Turc où il devenait indolent et sournois, où il était en permanence choyé et suralimenté, où il adopta la rose incarnate du tatouage et d'autres titillations, il commença peu à peu à caresser l'idée d'une fortune indépendante, et se mit à zozoter afin de dissimuler son caractère de moins en moins scrupuleux. C'est là, où il apprenait l'art de flatter et de tromper, qu'il commença à combiner la façon d'échapper au Turc tout en continuant à l'exploiter, d'agir avec traîtrise tout en gardant l'apparence d'un ami.

Et par une belle journée de printemps, la chance lui sourit. Un négociant en fruits secs, qui était en relation commerciale avec le Turc, arriva de Karachi avec sa fille. Le Turc, à la vue de la fille, offrit au négociant un marché que celui-ci ne put qu'accepter, en posant toutefois comme condition de dernière minute que le mariage fût célébré à Karachi. Certains disaient que tel était le désir de la mère de la jeune fille ; d'autres qu'on pouvait y reconnaître la ruse du père, qui souhaitait conclure un marché plus avantageux. Rares furent ceux qui suggérèrent que l'idée venait peut-être de l'eunuque. Quoi qu'il en fût, bien que l'on portât au crédit du négociant en fruits secs les conditions du mariage, et que l'on attribuât leur acceptation par le Turc à son appétit illimité, la situation devait se révéler dissuasive pour les deux parties et d'un bénéfice considérable pour l'Indien. Avec une grande cordialité, le commerçant de Karachi distribua ses fruits secs en guise de cadeau d'adieux aux épouses du Turc, remballa sa fille et partit. Mais à peine avaient-ils quitté Constantinople que le marché fut remis sur la table des tractations et que le mariage fut repoussé à une date indéfinie.

Le Turc devint de plus en plus sombre au fur et à mesure que les perspectives de consommation s'amenuisaient dans des lointains imprécis. Il se montra très sensible à la suggestion que l'Indien pourrait lui servir efficacement d'intermédiaire afin d'accélérer la préparation du mariage. Ce jeune homme doucereux lui affirma qu'il possédait des relations précieuses dans le milieu des commerçants de Karachi et qu'il lui serait naturellement possible de bien mieux protéger les intérêts du Turc s'il se trouvait sur place. Sur quoi il se vit paré de beaux atours, généreusement pourvu de fonds et envoyé en tant qu'émissaire au négociant en fruits secs afin de reprendre les tractations dont sa fille était l'objet. Il réussit à arracher au Turc les pleins pouvoirs notariaux pour agir en son nom et réjouit le vieillard en lui promettant qu'il allait lui obtenir non seulement une épouse, mais aussi une série de marchés intéressants avec des commerçants de la ville.

Quand il arriva à Karachi, cependant, l'Indien fit étalage de sa richesse comme si elle lui appartenait et entra dans la ville non en émissaire mais en négociant prospère et à son propre compte. Et ensuite, sous couleur d'une faveur particulière au négociant en fruits secs et pour un salaire modeste, tous frais payés bien entendu, il proposa d'agir comme intermédiaire au service de ce dernier et de tenter d'obtenir du Turc des conditions plus intéressantes pour la dot de la fiancée. Lorsqu'il revint à Constantinople quelques mois plus tard, ses explications comprenaient un certain nombre d'accords commerciaux mais le Turc s'aperçut, non sans désappointement, que les fruits étaient plus secs qu'auparavant et que les discussions au sujet de la dot exigeaient qu'y fussent consacrés davantage encore de temps et d'argent. C'est ainsi que, les mois se succédant et les retards s'accumulant, l'Indien devint un habitué de la route des pèlerinages et assuma sa cinquième vie, celle d'oiseau de proie.

A présent que, sous prétexte de leur rendre de précieux services, il vivait de l'avidité et des besoins des autres, il décida d'élever son statut en se donnant un nouveau nom. Celui de Muhsin Aqa lui parut plus approprié à sa situation d'intermédiaire et de courtier en mariages, et déguisa sous des dehors de respectabilité les doutes qu'il éprouvait à son propre égard. L'affaire de Karachi ne prit fin que lorsque le négociant en fruits secs se mit à considérer ce gentleman bien capitonné comme un meilleur parti pour sa fille. Alors, tout en assurant de sa loyauté le Turc qui s'était retiré dans sa propriété de Damas, l'Indien inversa le jeu et servit d'entremetteur entre la jeune fille et d'autres prétendants, en même temps qu'il détournait l'attention du Turc de Karachi à Kermân.

En effet, il s'était aperçu récemment qu'il pouvait jouer de la nervosité d'un certain marchand de la communauté zoroastrienne de cette région qui avait, lui aussi, besoin d'un mari pour sa fille. L'homme était un zoroastrien qui se dissimulait sous des dehors sociaux de piété musulmane, mais depuis que la notoriété avait terni la valeur de sa fille, il fallait lui trouver acquéreur à plus grande distance. Le Turc fut enchanté du taux d'échange proposé, et ravi par les descriptions que lui fit l'Indien de la jeune fille. Il se montra particulièrement séduit par la miniature minuscule qu'on lui présenta, couchée dans un écrin de porphyre, et par les visions prophétiques de l'enfant à propos de son mariage, à en croire les serments de l'eunuque.

Bien qu'il eût progressivement épuisé la bienveillance que lui témoignaient les commerçants de Karachi et perdu la confiance de la communauté zoroastrienne de Kermân, l'Indien parvint pendant des années à sauvegarder ses relations avec le Turc. A force de mentir et de manipuler ceux qu'il prétendait servir, il se constitua une fortune suffisante pour se lancer à son propre compte dans une entreprise d'escroquerie, de change et de vente d'alcools prohibés le long de la route qu'empruntaient les pèlerins se rendant à La Mecque.

Telle avait donc été sa sixième incarnation, le scorpion du désert qui concluait des marchés louches avec des pèlerins désespérés et les soulageait de leurs biens et de leur or alors qu'ils se trouvaient loin de chez eux et sans défense. A ce stade de son existence, à cet *ashrama* de sa vie, son nom changeait avec une fluidité équivalente à celle avec laquelle l'argent lui passait par les mains. Pour les sunnites, il était Muhsin Aqa, pour les chiites il était Haji Abdullah, pour les hindous – qui étaient rares et dispersés dans ces régions – il retournait à ses origines sous le nom d'Ashwin Munje, et se prétendait lié avec certains brahmanes de Bombay et de Calcutta. Il développa aussi le don des langues, afin de mettre en valeur ses douteuses activités. En vérité, les privations endurées pendant une période de sa vie se trouvaient largement compensées par les gains réalisés dans l'autre. Sa langue devint son plus grand atout. Il parlait l'ourdou, le hindi, l'arabe, le persan, le gujarati et le turc, ainsi qu'un anglais sommaire datant de l'époque des *sahib*. En toutes circonstances, sa langue était toujours à la hauteur de la situation, qu'il s'agit d'enjôler, de trouver des combines, de finasser ou de tout autre mode de flagornerie. Elle le servait bien, et parfois sauvegardait son amour-propre. Mais elle ne lui avait pas encore sauvé la vie.

Une fois, néanmoins, sa langue avait mis sa vie en grand danger. Cela se passa pendant qu'il était oiseau de proie, alors que les affaires entre le Turc et le négociant en fruits secs commençaient à tourner à l'aigre. Sa notoriété à Karachi imposait à l'Indien la nécessité de diriger ailleurs ses regards, mais il n'avait pas encore trouvé bon accueil à Kermân. Il ne pouvait pas non plus, ainsi qu'il l'avait prévu, se rendre à Constantinople, car le Turc était alors occupé près de Damas par l'achat de terres et de domaines. Il se retrouva donc, au retour de Djeddah, dans l'impossibilité d'aller de l'avant comme de revenir sur ses pas. Un soir que, se sentant particulièrement démoralisé et mécontent de lui, il s'était arrêté dans une auberge au bord de la route, il se mit à bavarder à bâtons rompus avec un jeune Bédouin qui avait surgi Dieu savait d'où pendant la nuit de la nouvelle lune.

Le garçon avait les yeux profondément enfoncés et une ossature délicate ; bien qu'ils eussent fumé ensemble un *qualun*, il s'était montré incorruptible. Dommage. Ce n'était qu'un pauvre berger, un simple vagabond, ou pire, mais l'Indien se surprit soudain à lui confier ses doutes. Tard dans la nuit, alors que les autres pèlerins ronflaient dans l'auberge, il marcha avec le jeune Bédouin dans le désert et se mit à parler comme il n'avait encore jamais parlé. Que ce fût parce que le désert paraissait d'une si étrange pureté sous les étoiles, ou à cause de l'arak dont il avait sans doute un peu abusé, il l'ignorait, mais il se mit à raconter son histoire à ce gamin : il lui raconta toutes ses hypocrisies, ses mensonges, ses subterfuges et ses infidélités ; il lui raconta qu'il était en réalité un hindou de Calcutta qui se faisait passer pour un sunnite de Karachi ; qu'il avait été châtré par un Turc et qu'il faisait désormais son beurre en trafiquant avec les pèlerins.

Le garçon l'écoutait en silence. "Vous ne croyez donc pas au Prophète ? demanda-t-il.

— Quel prophète ? ricana l'Indien. Il y a des centaines de prophètes.

— Mais vous faites semblant de croire, ici, devant ces pèlerins, vous vous faites passer pour un pèlerin ?

— Oui, je fais semblant, répondit l'Indien d'un ton morne. Je fais semblant, je fais semblant, et je suis écœuré de faire semblant. Dieu veuille que je cesse de le faire !

— Mais vous ne croyez pas en Dieu, observa le garçon.

— Il y a des centaines de dieux, répliqua tristement l'Indien. Et je crois en tous, je suppose. Vishnu, Shiva, Indra, Kâlî. Je crois en eux tous."

Et il se mit à pleurer. Peut-être s'attendrissait-il sur lui-même ; peut-être versait-il des larmes de soulagement, car c'était la première fois de sa vie qu'il avait dit la vérité sans espérer gagner quelque chose en échange. C'était la première fois qu'il avait exprimé ses doutes et, par conséquent, mis sa vie en danger. L'instant d'après, il regrettait sa loquacité et se serait volontiers mordu la langue pour sa sottise. Et si ce jeune Bédouin n'était pas digne de confiance ? Mais le gamin le regardait avec un tel mélange de dégoût et de pitié que, de toute évidence, il souhaitait ne plus avoir à faire à lui. Un peu plus tard, il disparut dans les ténèbres d'où il était sorti, laissant l'Indien cuver son arak et sa mélancolie, hanté à jamais par un fantôme : quelqu'un, quelque part dans ce désert qu'est le monde, connaissait sa duplicité.

L'Indien ne revit jamais le Bédouin avant de le trouver mort, sur le dos, près du puits asséché au fond de la vallée. Avec une sacoche près de lui. Et à ce moment-là, il n'avait plus de langue.

Ce furent de curieuses circonstances que celles qui conduisirent le changeur à entreprendre ce fatal voyage de Djeddah à La Mecque, au cours duquel il perdit sa langue. Privé du patronage du vieux Turc, il avait passé plusieurs années à aller et venir avec agitation entre Damas et Zâhedan, quand il se retrouva dans le petit port de Langheh, entre Bouchir et Bandar Abbas. Les affaires n'allaient pas fort, et il avait décidé de tenter sa chance auprès du *kad-khuda* de l'endroit, lequel venait d'être installé dans ses fonctions à la tête de la cité et ne le connaissait pas encore. Il comptait lui proposer de le fournir secrètement en arak en échange du monopole des transactions monétaires avec les pèlerins. Et là, dans la cour devant sa maison, il fit une rencontre étrange.

C'était un Indien, un "saint homme", vêtu d'un simple bout d'étoffe, avec un turban vert sur la tête et tenant un bâton à la main. Il avait apparemment entrepris de rentrer chez lui à pied. Il était vieux et décharné, avec des côtes désagréablement saillantes. Il venait de parler avec le *kadkhuda* et sortait à peine de sa maison, avec dans les yeux une lueur farouche qui déconcerta le changeur. Celui-ci fut plus déconcerté encore lorsque le "saint homme" lui demanda quels parents il avait à Calcutta et scruta son visage d'un regard intense sous ses sourcils broussailleux, pendant que d'une voix mal assurée il parlait de Karachi. Le changeur n'avait pas l'habitude de rencontrer ses compatriotes.

Le "saint homme" lui déclara sans ambages qu'il revenait de Chìrâz et s'en retournait en Inde, et lui demanda s'il souhaitait savoir pourquoi. C'était une question bizarre, et prononcée avec une conviction qui rendait toute réponse inconsistante. Comme ce n'était manifestement pas un commerçant, et comme Chìrâz n'était pas un lieu de pèlerinage, le changeur s'interrogeait en vain sur le sens de cette question quand, sans préambule ni excuse, son interlocuteur lui annonça soudain qu'il arrivait de Chìrâz parce que le dernier avatar y était apparu et que l'âge nouveau de Krta Yuga avait commencé.

Devant l'absence de logique de cette affirmation, le changeur fixa un moment sans le voir l'homme aux yeux illuminés qui lui faisait face. Quel avatar ? Avait-il à faire à un fou millénariste ? Il y en avait beaucoup en ce temps-là parmi les musulmans qu'il connaissait, mais c'était la première fois qu'il rencontrait un évangéliste des Ecritures védiques. Le "saint homme" sourit. "N'es-tu pas toi-même une preuve que la fin de Kali Yuga est imminente ? demanda-t-il. En effet, les Véda ne nous enseignent-ils pas que, quand le temps sera venu, «des gens à l'esprit vil effectueront les transactions commerciales et les marchands seront malhonnêtes» ?"

Le changeur était stupéfait. Etait-ce la folie ou une faculté moins innocente qui permettait au "saint homme" de fonder sa logique sur l'insulte ? Il se mit à douter de ses motivations, mais en dépit de son cynisme, le respect profondément enraciné que sa défunte mère lui avait inculqué à l'égard de ceux qui se tournent vers le *Sanatana Dharma*, les lois universelles, lui fit ravaler ses paroles. Fou ou non, c'était avant tout un "saint homme". Un long éloignement des Ecritures de son ancienne religion les avait rendues étranges et peu familières aux yeux du changeur ; il ne se rappelait que très vaguement que Kali Yuga était le présent âge de fer et de ténèbres, et que Krta Yuga devait être le nouvel âge d'or de la paix et des lumières. Mais même si, dès sa jeunesse, il s'était intéressé davantage au profit qu'aux prophéties, il respectait encore, quels qu'ils fussent, ceux qui recherchaient les voies du *jñana*, ou lumière. On devait honorer un "saint homme", même s'il paraissait un peu fou, même s'il vous regardait trop intensément et de trop près, et même s'il sentait l'ail.

"Tu es la preuve vivante, répéta le vieillard à voix basse. Car n'est-il pas dit que quand la religion védique et le *dharma* des livres de la loi ne seront plus observés, le Kali Yuga touchera à sa fin ? Quand les gens seront ignorants de la religion, quand des hommes comme toi, «corrompus par les incroyants, cesseront d'adorer Vishnu», alors, nous dit-on, «le bienheureux seigneur Vasudeva sera incarné, ici, dans l'univers», et un âge nouveau commencera !" Et il contemplait devant lui, sans ciller, les traits bouleversés d'une dégradation morale cosmique.

A présent le changeur se sentait si mal à l'aise qu'il tenta de prendre ses distances par rapport à cet interlocuteur obstiné, mais l'homme à demi nu se contenta de le suivre pendant qu'il s'éloignait. Il se pencha en avant et lui souffla au visage : "Je te le dis, il est venu !"

Un fou, sans le moindre doute. Peut-être n'était-ce pas plus mal. Eût-il été sain d'esprit, le changeur aurait dû s'inquiéter à l'idée qu'il pût retrouver sa famille et provoquer un scandale à Calcutta. Il se détourna rapidement et sortit de la cour. Après autant d'ail et de folie, il ne se sentait vraiment plus en appétit d'essayer de conclure un marché avec le *kad-khuda*. Troublé, il dirigea ses pas vers les quais malodorants afin de se distraire un peu grâce au spectacle des nouveaux venus en ville et des voyageurs qui attendaient d'embarquer sur les bateaux en partance vers l'Arabie.

Et là, il eut la stupéfaction de faire une deuxième rencontre inattendue. Il reconnut le marchand parsi qu'il avait escroqué à Kermân quelques années auparavant. L'homme accompagnait sa fille et son convoi nuptial. D'un simple coup d'œil, l'Indien jaugea la valeur de celui-ci. Etait-il possible que son patron, ce vieux bouc, eût fini par céder à propos de la dot ? Et sans faire appel à ses services ? Etait-il imaginable qu'ils fussent arrivés à un accord qui privait l'intermédiaire de sa part du marché ? Ou le mariage de la jeune folle avait-il été conclu avec un autre que le Turc ? Que faisaient-ils là, à se faire passer pour des musulmans parmi les autres pèlerins en route vers l'Arabie, alors qu'ils étaient zoroastriens ? Il y avait là crème, graisse et huile à récupérer ! Et il n'allait pas se les laisser glisser entre les doigts.

Il s'attarda un moment, dissimulé derrière les bateaux de pêche nauséabonds, près de l'ancienne écluse. Comment pouvait-il se présenter cette fois sans introduction appropriée ? Sa dernière rencontre avec le Parsi n'avait pas été très heureuse, c'était le moins qu'on pût en dire, et l'Indien ne se rappelait que trop bien le penchant qu'avait la fille pour les rêves et présages qui faisaient toujours échouer ses plans les mieux combinés. Tout en s'efforçant d'éviter d'être vu, il chercha quelle pouvait être la meilleure façon de procéder. C'était la première fois depuis bien des années qu'il avait besoin des services d'un intermédiaire, d'un tiers neutre qui se fît son avocat. Et il arrêta le projet de retourner chez le *kad-khuda* et de lui demander d'intervenir. L'homme ne le connaissait pas encore, et s'il parvenait à lui extorquer cette faveur en échange d'un peu d'arak, il lui serait possible de se réinventer rapidement. Et de trouver le moyen de garnir sa propre bourse sous couvert de venir en aide à autrui. Ayant retrouvé son enthousiasme, il repartit du quai vers la maison du *kad-khuda*.

Mais il n'alla pas loin. Il s'aperçut avec consternation qu'il avait été suivi par le "saint homme" accompagné du *kad-khuda* en personne. Pis encore, ils approchaient du quai. Ils se dirigeaient en droite ligne vers le groupe des Parsis. Confondu, le changeur vit le zoroastrien saluer le "saint homme" avec un profond respect mêlé d'une certaine familiarité, comme s'il s'agissait d'un vieil ami. Et puis, sous ses yeux ahuris, le "saint homme" présenta le zoroastrien au *kad-khuda*. Tous ses espoirs partirent en fumée. Il se sentit sombrer dans les tristes relents d'ail et de poisson pourri. Pourquoi son karma se tournait-il ainsi contre lui ? Il avait perdu sa chance.

Mais le pire restait à venir. Quelques instants plus tard, il vit le "saint homme" le montrer du doigt – il ne pouvait plus s'échapper. Il était démasqué par ce fou millénariste ! Il lui fallait se préparer à la honte et à l'humiliation d'une dénonciation publique. Le marchand parsi y veillerait certainement, et son opinion détruirait toute chance qu'il pouvait encore avoir de conclure un marché avec le *kad-khuda*. L'Indien fut pris d'une forte envie de se faire tout petit et de filer du quai. Mais à cet instant précis, alors que les trois hommes approchaient et que le Parsi le regardait avec l'air d'être en train de le reconnaître, le "saint homme" prit soudain les choses en main.

"Permettez-moi de vous présenter un compatriote, dit-il et, se tournant avec courtoisie vers le marchand parsi qui se trouvait à côté de lui, il ajouta : Un gentleman que vous avez déjà rencontré, je crois. Mais il est aussi mon ami, maintenant, et je réponds de lui." Et puis, après avoir un bref instant posé sur le *kad-khuda* ses yeux ardents, il conclut : "Vous pouvez sûrement vous fier à lui. Ne nous est-il pas dit, en effet, que quand viendra l'âge de Krta Yuga, «les esprits seront éveillés et deviendront purs comme du cristal» ? Cet homme sera votre preuve vivante." Sur cette ultime et énigmatique déclaration, il serra ses paumes l'une contre l'autre, regarda fixement les trois hommes, l'un après l'autre, et puis salua chacun d'eux avec révérence.

C'est ainsi que le changeur eut l'intercesseur auquel il s'attendait le moins. A cause d'un "saint homme" fou, le marchand parsi accepta à contrecœur de reprendre l'Indien à son service comme espion. A cause de cette curieuse rencontre, le changeur s'embarqua dans ce qui devait être sa septième vie et sa carrière la plus récente, celle d'une mouche. Lorsqu'il monta à bord du bateau pour Djeddah, le maigre et vieux "saint homme" resta debout sur le quai à le fixer de son regard intense pendant un temps infini.

Au début, la situation se présentait sous un jour on ne peut plus favorable. A bord du bateau, le changeur eut tout le temps de réfléchir à la stratégie à appliquer, et lorsqu'ils arrivèrent à Djeddah, on eût pu croire que la dot allait lui tomber toute mûre entre les mains. Le Turc qui devait en principe envoyer son escorte afin d'accompagner la fiancée jusqu'à Damas n'était pas encore arrivé. On évoquait même la possibilité que lui-même et son escorte eussent été massacrés en chemin, car de nombreuses rumeurs rapportaient que le sauvage cheik de la tribu des Harb, qui revendiquait son indépendance, avait attaqué des officiels ottomans dans cette région. Mais il y avait aussi des chances que l'escorte turque arrivât simplement en retard. Si on pouvait quitter Djeddah rapidement, on l'éviterait.

Le changeur savait qu'il devait agir vite. Il entreprit de négocier avec les conducteurs de la caravane l'autorisation de poursuivre en direction de La Mecque en compagnie des autres pèlerins. Une fois en route, il avait l'intention de lâcher avec à-propos quelques allusions aux tendances zoroastriennes de la fiancée et de son entourage et puis de tirer parti des conséquences de la publicité donnée à cette information. Rien ne pouvait être plus simple que de se débarrasser de non-musulmans sur le territoire sacré du Hedjaz sans se salir les mains. D'une petite échauffourée déclenchée au nom de l'orthodoxie religieuse pouvaient résulter quelques gorges tranchées et une richesse considérable.

Mais le moment approprié s'en vint et s'en fut plusieurs fois sans qu'il pût en profiter, et il avait peine à rester patient face aux conducteurs de la caravane, lesquels se montraient beaucoup plus gourmands qu'il ne l'avait prévu. A son intense frustration, au moment précis où les accords étaient enfin conclus et où le départ semblait imminent, l'arrivée de l'escorte turque contrecarra les projets de l'Indien. Elle apportait une lettre signée par le Turc, qui prescrivait que la fiancée devait à tout prix éviter la ville sainte et s'engager immédiatement dans un long périple autour de La Mecque par la route commerciale d'Osfan. Quand l'Indien protesta contre les inconvénients de cette piste chamelière peu fréquentée et proposa la solution plus raisonnable qui consistait à continuer avec les pèlerins jusqu'à Hedda avant de couper au plus court, en évitant la ville sainte, par la route d'El-Jamum, les caravaniers haussèrent leurs prix et il fallut reprendre les discussions. Bien que la couardise de l'escorte turque le servît (ces soldats avaient une peur mortelle de traverser seuls le désert), leur maladresse dans les négociations constitua une pierre d'achoppement et le moment approprié s'enfuit une fois de plus quand un matin, au réveil, l'Indien s'aperçut que la caravane des pèlerins avait fini par partir avant l'aube, sans eux.

Son irritation était intense. Il avait perdu l'occasion parfaite d'exciter le fanatisme religieux des pèlerins à l'encontre de l'équipage nuptial, même s'il se demandait, rétrospectivement, si le plus fanatique d'entre eux, un chiite dévot à bout de nerfs, n'avait pas été en réalité responsable du départ précipité de la caravane. Ce jeune homme s'était en effet montré horrifié d'apprendre que son *hadj* risquait d'être souillé par la présence de femmes parsis. Il ne restait plus à l'Indien d'autre solution que de tenter de rattraper une caravane de pèlerins, celle-là ou une autre, de l'autre côté de la ville sainte, à El-Jamum ou à Osfan, et d'affronter seuls la première traversée du désert.

C'était à ses yeux la façon la moins tentante de se débarrasser de la fiancée. Voyager en compagnie d'une escorte de soldats turcs en uniforme dans une région bouillonnante de haine à leur égard, ce n'était pas l'idée qu'il se faisait d'une occasion appropriée pour éliminer les zoroastriens. Les rebelles farouches qui attendaient dans les dunes ne feraient malheureusement pas la différence entre ces gens-là et lui, pas plus qu'ils ne seraient disposés à partager le butin. Il aurait bien du mal à sauver sa peau en pareilles circonstances, et la dot tomberait dans d'autres mains que les siennes.

Dans le but de se rassurer tout autant que d'y gagner quelque argent, il proposa de trouver des gardes du corps pour les Turcs, qui souhaitaient être protégés de la tribu menaçante. Ses prix étaient plusieurs fois plus élevés que ceux que demandaient les gardes du corps en question, une bande de gueux pathétiques ramassés dans les rues de Djeddah et armés, pour l'occasion, de gourdins et de dagues d'emprunt. Mais quels que fussent les efforts déployés par l'Indien pour exploiter les Turcs, ceux-ci se montrèrent finalement plus parcimonieux que pusillanimes. Après deux semaines encore de retard, lorsqu'une petite caravane commerciale quitta Djeddah en direction d'Osfan par Bariman, en coupant par la route du désert, ils décidèrent de partir avec elle. Et sans les gardes du corps.

L'Indien avait la certitude qu'ils avaient pris cette décision à cause des interventions de l'esclave falacha de la jeune fiancée. Ni la couleur de la peau de cette femme ni sa religion ne lui inspiraient confiance. Il était sûr qu'elle avait tiré parti des angoisses des soldats, en leur disant que la colère démesurée du Turc était plus redoutable que la fureur des Harb, que l'impatience du Turc était plus assurée que le risque d'être attaqués. Elle avait une façon de s'y prendre qui vous remplissait d'inquiétude. Et elle devait avoir tiré parti des craintes des Turcs. L'Indien se retrouva donc à attendre ce qu'il appelait le moment propice tout au long de la route commerciale ennuyeuse et peu fréquentée entre Djeddah et Osfan, trois journées de voyage au cours desquelles il n'y eut pas le moindre soupçon du prétexte qu'il espérait. Ni de la menace qu'il craignait.

Enfin, pendant la quatrième étape du voyage depuis leur départ de Djeddah, quelques heures après le lever du soleil, le moment arriva. La veille, l'Indien et l'escorte turque s'étaient, pour des raisons tout à fait différentes, félicités de retrouver la caravane des pèlerins au caravansérail d'Osfan. Les Turcs négocièrent cette fois sans difficulté avec les caravaniers un accord permettant au train nuptial de continuer sous leur protection supplémentaire, et l'Indien remarqua avec satisfaction que, par un coup de chance, le religieux chiite fanatique se trouvait encore au nombre des pèlerins voyageurs. Il se mit à lancer des allusions et des insinuations suggestives, et comme la présence de l'esclave falacha semblait inspirer au jeune homme une répugnance particulière, l'Indien en profita pour aviver les scrupules du religieux et semer le doute dans son esprit.

Il se sentait troublé, pour sa part, par l'adjonction d'un derviche à la caravane. Ce personnage s'était manifestement joint aux pèlerins à La Mecque et son *hadj* paraissait avoir aggravé plutôt que clarifié le pot-pourri de mysticisme soufi qu'il avait en tête. C'était une vivante parodie de superstitions. L'Indien trouvait particulièrement irritante son habitude de psalmodier des chants où il était question de goules et de djinns, chants qui provoquaient la fréquente hilarité des pèlerins et déjouaient ses efforts personnels en vue de jouer sur leurs sensibilités plus orthodoxes. Mais lorsque la caravane fut obligée de s'arrêter en route entre La Mecque et Médine, juste après le quatrième caravansérail de Khulays, il se rendit compte qu'aucune de ses insinuations ni aucun des sous-entendus du derviche n'aurait pu atteindre à la moitié du caractère provocateur des hurlements issus du *takhteravan* nuptial.

L'hystérie de la fiancée faisait exactement son jeu. Qu'aurait-il pu souhaiter de mieux ? La caravane entière contrainte à s'arrêter à cause d'une femme ! Le moment était venu de dénoncer les infidèles. C'était l'occasion ou jamais de pousser le jeune religieux à l'action. Il faisait une chaleur accablante. Les conducteurs de la caravane paraissaient irrités de cette halte imprévue. La puanteur du cadavre qui voyageait de La Mecque à Médine était insupportable, et tous les pèlerins se plaignaient. Il suffirait de peu de chose pour orienter le blâme dans le sens de ses intérêts et alors, grâce à des arrangements rapides et quelques pots-de-vin judicieux, il ne doutait pas de pouvoir accaparer une grande partie des trésors de la dot, et le Turc n'avait aucune raison de jamais savoir qu'il était impliqué. Car il avait menti, bien entendu, en prétendant avoir encore la confiance de son ancien commanditaire.

La caravane était en émoi. Tout le monde criait et se plaignait. Les gardes entourant le cadavre, qui semblaient susceptibles de réagir à la moindre provocation, exigeaient des explications. Tous les pèlerins manifestaient leur contrariété, à l'exception d'un vieillard édenté et ratatiné qui s'était attaché à l'Indien au caravansérail d'Osfan. Ce vieux pèlerin parlait une sorte de persan fêlé que personne ne comprenait et semblait avoir adopté le changeur pour des raisons d'interprétation ; rien ne parvenait à exciter en lui la moindre irritation, pas même les mouches. Ses habitudes étranges et ses origines incertaines avaient inspiré un flot d'accusations au derviche, lequel affirmait que c'était un djinn déguisé. Cette allégation exacerbait certains soupçons des pèlerins, car nul n'était certain de la foi du vieillard. Il avait, disait-on, voyagé pendant plusieurs années sur la route de la soie, ce qui ne lui avait laissé que la peau et les os. Mais l'Indien avait réussi à détourner les suggestions absurdes du derviche, à répondre aux questions des pèlerins et à protéger ce bonhomme inoffensif car, pour des raisons bien à lui, il préférait diriger l'antagonisme général vers l'entourage de la fiancée. A présent, enfin, le moment était venu.

Il sortit sa bouteille d'arak en se félicitant de sa patience, car il était beaucoup plus satisfaisant de voir la fiancée zoroastrienne et sa suite rouées de coups et mises à mort sans intervention de sa part. A ce moment, il remarqua que la Falacha l'appelait. Elle était descendue du *takhteravan* et se dirigeait vers lui. Un honneur sans précédent, se dit-il, narquois. Il savait qu'elle le haïssait. Entre eux, suspicion et rivalité étaient mutuelles. Il s'était senti frustré tout le temps qu'elle était là, à garder la fille avec une vigilance d'oiseau de proie. Elle avait été responsable de son irritation à Djeddah et avait même eu l'impertinence de lui adresser des ultimatums. Elle avait osé menacer l'escorte turque de scandale s'ils ne quittaient pas Djeddah rapidement. Et maintenant, il avait la certitude qu'elle allait de nouveau essayer de contrecarrer ses projets. Bien qu'elle ne fût qu'une esclave affranchie, cette femme possédait des pouvoirs considérables. Sorcière ! pensa-t-il. A quoi joues-tu, cette fois ?

Il regarda derrière lui si le religieux aux nerfs fragiles se trouvait assez proche d'eux pour entendre leur conversation. Il souhaitait provoquer l'anxiété de ce jeune dévot à l'haleine aussi fétide que le cadavre. Par le passé, il avait toujours craint qu'un beau jour sa propre duplicité ne fût découverte par quelqu'un comme ce jeune homme aux mains pâles et agitées, à la barbe de trois jours. Il était à présent aussi impatient d'éveiller l'attention des fanatiques qu'il avait été autrefois désireux d'éviter de se faire massacrer par eux, et il se réjouissait que le derviche, avec ses absurdités superstitieuses à propos de goules, ne se trouvât pas dans les parages pour distraire son homme.

Lorsque la Falacha se mit à parler, lorsqu'elle commença à lui expliquer qu'il devait partir en avant pour aller récupérer quelque chose quelque part, le changeur la pria de se répéter, à portée de voix du religieux. Et dans les étranges

instructions qu'elle lui donnait il flaira des soupçons plus nauséabonds qu'un cadavre ou que
l'haleine d'un dévot.

Il plissa les yeux, sachant fort bien ce qu'elle
lui désignait de son doigt noir, mince comme un
os. Il y avait là un ancien puits dans un oratoire
en ruine, à peine un *farsang* plus loin, une heure
de marche pour la lente caravane. L'endroit s'appelait Abwa'. Un homme à cheval, ou même à
dos de mule, pouvait l'atteindre en une demi-
heure. Il tremblotait au loin, tel un mirage. Le
changeur était passé par là lors de voyages anté-
rieurs. C'était une vieille tombe, un lieu habité,
aurait dit le derviche, par des fantômes et des
djinns ; il ne s'y était jamais attardé dans le
passé et se souciait moins encore de le faire
cette fois. Pourquoi l'envoyait-elle là, la sorcière
africaine ? Que savait-elle de cet endroit ? S'était-
elle arrangée pour qu'il y soit assassiné ?

Il s'agissait d'une fantaisie, manifestement.
Jetant un regard oblique entre les replis brodés
de ses voiles, il vit dans les yeux de l'Ethiopienne
quelque chose qui le déconcerta. Il comprit que
la fiancée avait échappé à son contrôle. Bien,
pensa-t-il. Alors la petite folle est ingouvernable,
même par toi, maintenant ? Eh bien, si je te
rends un service, il faudra que tu m'en rendes
un, *khanum*. Mais ce qu'il dit parut assez accommodant. En jetant un coup d'œil derrière lui, il
soupira avec déférence et haussa ses épaules
dodues, donnant à croire à cette femme qu'il
était le serviteur de sa maîtresse et ferait tout ce
qu'on exigerait de lui. Il l'assura, étant entendu
du religieux, qu'il ferait tout son possible pour
combler ses vœux. Il s'appliquerait, dit-il d'une
voix plaintive, à satisfaire ses désirs.

Lorsque la femme s'éloigna, il ne fut pas difficile d'exciter le jeune homme : il était déjà

furieux. De quel droit ces infidèles s'arrêteraient-elles au puits sacré d'Abwa' ? L'Indien reconnut de tout cœur que cette demande était à tout le moins blasphématoire. "Comment osent-elles profaner la tombe de la mère du Prophète ?" interrogea l'autre. L'Indien souligna de quel poids lui pesaient ses obligations envers ces infidèles à chaque étape de cette route sacrée, et combien il souhaitait qu'une main plus pure et plus vertueuse que la sienne accomplît contre elles la vengeance voulue par Dieu, il en était certain. En effet (et ici il chuchota dans l'oreille du jeune homme un certain nombre d'obscénités concernant les relations de l'esclave et de la fiancée, sans oublier les perversions pratiquées par les autres zoroastriennes au service de la jeune fille, propos qui eurent pour résultat que le malheureux rougit jusqu'à la racine des cheveux et se détourna avec véhémence pour cracher sur le sable brûlant), en effet, geignait l'Indien, elles méritaient assurément cette vengeance !

Après quoi, il partit vers le puits sur sa mule réticente. Il comptait faire honneur à sa bouteille d'arak et se reposer dans l'ombre fraîche de la falaise de l'autre côté de la vallée jusqu'à l'arrivée de la caravane. Ensuite, il pourrait présenter ses excuses ou toucher sa récompense, mais il n'allait certes pas s'imposer d'autres peines. Idéalement, quand il rejoindrait la caravane, la colère du religieux aurait déjà éclaté et provoqué la violence des pèlerins, et il ne lui resterait guère qu'à aspirer les sucs. Ce n'était pas pour rien que le changeur était une mouche. Il savait comment irriter et mettre en fureur tout en se tenant à l'écart ; il savait comment se nourrir des vivants et des morts. Pendant qu'on réglait le sort de la fiancée et de son entourage, il n'avait aucune intention de traîner près d'un puits désaffecté en compagnie des djinns et des goules.

Bien que les discussions avec les caravaniers fussent encore en pleine effervescence quand il s'éloigna, et que le jeune fanatique formulât à grands cris ses accusations contre le groupe des zoroastriens, le vieux pèlerin ratatiné, qui s'était tenu en dehors de tout cela, remarqua le départ du changeur. Il courut quelque temps derrière la mule de l'eunuque en agitant les bras et en l'appelant d'une étrange voix aiguë. C'était curieux. Le changeur se retourna et lui fit un signe du bras, lui aussi, en agitant la tête, en souriant et en l'assurant qu'il ne s'en allait pas pour toujours, mais le vieux bonhomme ne renonçait pas. Son comportement paraissait d'autant plus surprenant qu'il s'était si rarement montré agité auparavant. Il demeura longtemps sur le chemin, dans la chaleur écrasante, à gesticuler et à crier d'une voix aiguë de fausset, tel un oiseau. C'était comme s'il avait tenté de dire quelque chose à l'eunuque. Ou de l'avertir. Le son menaçant de ses cris intenses et flûtés ricocha entre les dunes et donna à l'Indien un léger frisson sous le soleil. Il se mit à imaginer les djinns et les goules.

Quand les brigands s'emparèrent du changeur et le traînèrent tout hurlant devant leur chef, ses pires craintes se trouvèrent confirmées. Ces goules-là étaient bien réelles, avec des mains et des pieds violents. Des djinns résolus. Et il savait que la situation était plus concrète que tout ce qu'aurait pu évoquer le verbiage du derviche. Fugitivement, dans l'intensité de sa souffrance – car les brigands lui tenaient avec brutalité les bras rabattus derrière le dos et leurs coups de pied avaient chassé l'air de ses poumons –, il imagina même que cette maudite Falacha avait conspiré avec le derviche afin de susciter les démons qui l'attaquaient. Dans sa terreur, il se sentait convaincu que la sorcière africaine avait prévu tout cela, qu'elle avait su que ces brutes attendaient de l'étrangler pour ses méfaits, qu'elle l'avait envoyé à sa perte. Comment savait-elle ? Qui lui avait dit ? Il alla jusqu'à imaginer qu'elle avait pris pour amant un Bédouin, ce jeune gars à qui il avait confessé ses crimes. Son imagination délirait ; ses pensées tourbillonnaient.

Mais lorsque ces hommes se mirent à l'interroger et que – craignant pour sa vie – il fut obligé pour leur répondre de remettre de l'ordre dans ses idées, il se rendit compte qu'il s'agissait de brigands du désert, rien de plus. De vulgaires, de méchants voleurs. Ce n'étaient même pas les Harb, avec la rage politique au cœur, seulement des bandits mus par une aveugle voracité.

Il avait déjà été détroussé ; il avait été attaqué par des bandits auparavant, mais il s'était toujours débrouillé pour se tirer d'affaire à l'aide de petits cadeaux et d'offres de ristournes, de promesses et de vagues menaces. Même dans ses plus vives inquiétudes quant à la possibilité d'être attaqué par la tribu des Harb sur la route déserte de Djeddah, il n'avait rien imaginé de pareil à ceci. Car il se retrouvait complètement seul, maintenant que la terreur avait fini par frapper ; et il n'avait rien, non plus, à négocier, à part sa langue fourbe et ses mots creux. Il n'avait plus personne à trahir, personne derrière qui se cacher, aucun doute sur lequel bâtir. La certitude qui le menaçait le laissait sans souffle.

Il essaya tous ses vieux stratagèmes, proposa toutes ses vieilles astuces, usa de tous ses vieux charmes pour se protéger sous couvert de se rendre utile. Mais après les questions, après les réponses, après que les caractéristiques de la caravane furent établies, après que le nombre de gardes et la valeur relative des richesses de la dot furent évalués, il se rendit compte avec une terreur grandissante que ses vieux stratagèmes ne joueraient plus. Avec une panique croissante, il vit qu'une autre vie touchait à sa fin. Les brigands l'avaient pressuré à fond et ce n'était pas de l'arak qu'ils voulaient. Ils lui avaient arraché tout ce qui avait de la valeur à leurs yeux, et ils n'avaient plus besoin de lui.

La soif du sang se lisait dans leurs yeux, la cruauté dans leurs sourires. C'étaient des sauvages, pas des hommes. Des animaux. Ils ne reculeraient devant rien. S'il arrivait à la fin de cette vie, y en aurait-il une autre pour lui ? Le "saint homme" avait eu raison d'annoncer l'avènement de l'âge de Kali, quand les contrées seraient dévastées par les voleurs et les vagabonds. C'était bien le Kali Yuga, en vérité ! L'Indien se sentait au bord de la ruine et de la mort certaine. Tout était terminé ! Il était si certain qu'ils allaient le tuer, si certain qu'ils allaient l'éviscérer sous ses propres yeux que lorsque le chef lui offrit le choix de renoncer soit à sa langue, soit à sa vie, cela parut pure miséricorde.

C'est donc ainsi que sa langue lui sauva la vie, à l'orée de sa huitième incarnation.

*

La sacoche fut la première chose sur laquelle il trébucha lorsqu'il s'éloigna des brigands, tout chancelant, vers la falaise de l'autre côté de la vallée. Sa dernière pensée cohérente, alors qu'il cheminait dans la chaleur du plein midi, avait été pour l'ombre fraîche de cette falaise, et à présent il n'avait plus de pensée cohérente. Il se laissa donc porter par celle-là, comme par la mule patiente. Tout son être était concentré en une bouche hurlant d'atroce douleur. Le soleil frappait les rocs d'une lumière en fusion, le sable montait et descendait, telle une mer embrasée. Le "saint homme" qui était resté planté sur le quai, à Langheh, à le regarder partir, avait-il vu son voyage à Djeddah à travers cette mer de feu ?

C'est alors qu'il aperçut la sacoche. Elle avait éclaté et une partie de son contenu s'était éparpillé entre les pierres. Il la fixa sans comprendre. Le sang lui dégoulinait sur la poitrine et il se sentait pris de vertige. Incapable de se baisser, il se laissa glisser en bas de la mule et s'assit brusquement sur un rocher, tel un sac crevé. A demi étourdi, il se pencha en avant avec prudence et toucha l'un des paquets qui se trouvaient à sa portée. La ficelle s'était dénouée et les feuilles de papier se déroulèrent entre ses mains sanglantes. Les paupières inondées de sueur et la bouche formant un O hideux, il attira le rouleau sur ses genoux et se mit à lire. C'était de l'arabe, une calligraphie d'un raffinement exquis.

"Le jour de la Résurrection", lut-il. Et il s'arrêta. Les mots avaient déclenché un bruit perçant qui ébranla une bande de charognards posés sur les rochers un peu plus loin. Ils s'envolèrent avec des clameurs et des croassements, flèches noires qui tournoyaient au-dessus de lui. L'Indien reprit. "Le jour de la Résurrection est un jour où le soleil se lève et se couche de même qu'en n'importe quel jour." Ce fut comme un coup de tonnerre dans le ciel bleu limpide. "Combien de fois l'aube de ce Jour n'est-elle pas apparue, sans que les habitants du pays se doutent de l'événement ?" Entre les mouches et les ombres des oiseaux, la tête lui tournait. "S'ils l'avaient entendu dire, poursuivit-il, ils ne l'auraient pas cru, et on ne leur a donc rien dit !"

La logique était d'une perfection circulaire qui défiait toute contestation. Qui lui avait fait cela ? Qui lui assénait de si perfides certitudes en ce jour qui avait commencé, ainsi qu'il convenait, comme n'importe quel jour ? Il se mit à geindre, tel un enfant perdu, à gémir de douleur, à se tourner de gauche à droite, à regarder derrière lui et tout autour de lui, tandis que les oiseaux redescendaient lentement se poser. Il était seul sous le ciel implacable. Où pouvait-il aller ? Vite ! Il ne savait pas où il voulait aller, mais il devait filer quelque part, vite. Et se cacher.

Et c'est alors qu'il remarqua un nuage noir en suspens au-dessus d'une chose informe entre les rochers. Des mouches. Et beaucoup bourdonnaient déjà autour de lui, attirées par le sang.

L'Indien reconnut aussitôt le Bédouin. Il y avait dix années, au moins, qu'il avait vu ce visage, à présent renversé sur un cou brisé, les yeux ensanglantés grands ouverts, mais il l'aurait reconnu n'importe où. Le gamin dans le désert, la nuit de la nouvelle lune ! L'unique être humain auquel il eût confié son histoire d'insincérité et de subterfuges ! L'unique âme humaine qui connût son secret. Et – l'Indien en eut soudain la certitude – son unique ami véritable. Il s'agenouilla, saignant d'abondance, en pressant contre son front trempé le papier qu'il venait de lire. Il s'affaissa entre les pierres, indifférent maintenant à sa propre souffrance, à côté du corps où les mouches bourdonnaient furieusement. Il pencha la tête, seul sous la haute falaise et les cieux sans visage où les charognards volaient d'un vol lourd, et il se mit à pleurer, à gros sanglots déchirants, comme si son cœur se brisait. Son ami était mort ! Et plus jamais il ne parlerait à âme qui vive.

Le temps se figea pour l'Indien. Combien de temps il passa là, agenouillé, il l'ignora. Tout le flot de la futilité de sa vie le submergea, son lamentable enfermement dans le cycle des renaissances du *samsâra*, dans la prison du malheur, du *duhkha* et de la souffrance en ce monde. Ah ! s'échapper ! Atteindre à la libération, au *moksha*, et passer au-delà des doutes de l'existence matérielle. Etre délivré de ces renaissances toujours plus déplaisantes et ineptes. Il ne supportait plus ces résurrections sans fin. Vishnu, seigneur du sacrifice, pria-t-il en son cœur, délivre-moi ! Râma, Krishna, Bouddha, aidez-moi ! Pourquoi les avatars d'autrefois ne venaient-ils pas à son aide ? Pourquoi ne prononçaient-ils pas les paroles libératrices ?

Mais pourquoi l'auraient-ils fait ? Et comment ? Avait-il jamais prêté l'oreille à leurs paroles ? Même quand le "saint homme" lui avait annoncé l'avènement de Krta Yuga et la proximité de Kalki, le dernier avatar, il n'avait pas écouté. Et alors il se rappela les mots qu'il venait de lire : "S'ils l'avaient entendu dire ils ne l'auraient pas cru, et on ne leur a donc rien dit !"

Alors qu'il se remémorait ces mots, des sons lointains de cris et d'appels de chameliers lui parvinrent à travers la vallée. La caravane était arrivée au puits. L'événement avait un caractère inéluctable qui faisait écho à l'effroyable logique qu'il avait commencé à reconnaître autour de lui. Puisqu'il n'avait pas écouté les paroles des avatars, peut-être devait-il à présent se tenir prêt à entendre ce que signifiaient leurs actes. Ils avaient disposé tous les rochers, chacun à sa place. Le corps du Bédouin était tombé là où il devait le trouver. On l'avait envoyé chercher un message et le message était là, devant lui. La caravane était arrivée, il devait donc livrer la sacoche. En tout cela, la lucidité battait dans sa tête comme les pulsations d'une plaie ouverte. Il comprenait que le moment était venu, ce moment qu'il avait attendu, durant tant de jours, durant si longtemps, durant sa vie entière.

L'Indien savait qu'il devait jouer son rôle, sans quoi il ne serait jamais libéré de l'obligation de jouer un rôle. S'il voulait mériter les paroles de délivrance, il devait les mettre en action afin de pouvoir les entendre lorsqu'elles seraient prononcées. Il se remit sur ses pieds tant bien que mal et commença à récupérer les rouleaux éparpillés entre les rochers et à en bourrer la sacoche. Les mouches s'agglutinaient autour des yeux du jeune mort, et il les écarta de ses mains en colère. Il lui fallait apporter la sacoche à l'esclave et revenir aussitôt afin de tenir les mouches à distance. Les vautours aussi s'assemblaient, leurs vilains cous tendus tandis qu'il les chassait avec une rage grandissante. Il lui fallait livrer ce message des dieux et des anges, et revenir brûler le corps sur un bûcher funéraire convenable afin que celui-là, au moins, soit délivré. Il lui fallait faire tout cela afin de libérer le Bédouin du cycle du *samsâra*. Pour la première fois au cours de ses nombreuses vies, il n'éprouvait aucun doute, mais puisque la foi reste sans valeur aussi longtemps qu'elle n'est pas exprimée par des actes, il enfourcha sa mule et la poussa fort à travers la vallée.

Plus tard, alors qu'il revenait en trébuchant vers le mort avec un sac de charbon de bois sur le dos, il entendit à nouveau les cris des chameliers et les claquements de fouets des conducteurs de mules. Le temps qu'il s'en retourne de sa mission, la caravane avait quitté le puits et s'était remise en route. Sous les yeux du pèlerin étonné, il avait volé des charbons préparés pour le bain de la fiancée, et ces vieux yeux s'étaient élargis au-delà des limites des rides qui les entouraient. Il avait rempli sa bouteille avec de l'eau du puits récemment creusé là, vaguement surpris de la voir couler avec abondance. Il avait aussi dérobé un briquet aux bagages de l'esclave, dans le train nuptial. Le vieillard l'avait vu faire tout cela et s'était approché de lui en murmurant des syllabes d'incertitude. Mais il avait écarté le bonhomme, en silence. Et quand le pèlerin avait recommencé à pousser ces mêmes cris aigus, il avait rapidement placé les rênes de la mule entre ses mains ridées, afin de l'apaiser, car il ne voulait pas attirer l'attention. Il savait qu'il n'aurait plus besoin de la mule.

La seule personne qui l'avait vu livrer la sacoche, outre le vieux pèlerin aux yeux ridés venu Dieu savait d'où, c'était l'esclave falacha qui le méprisait. Mais la rencontre avait été brève. Et il avait réussi à éviter le religieux.

Manifestement, les tentatives de celui-ci pour exciter la colère publique contre les zoroastriens avaient été détournées par des problèmes plus pressants. Le scandale idéologique avait cédé le pas à l'indignation olfactive. D'ailleurs, les préparatifs odorants du bain de la fiancée avaient apporté un soulagement momentané, et ce n'était donc plus le moment d'adresser des reproches aux zoroastriens. Le cadavre empestait si fort qu'une bagarre avait éclaté entre ses gardes et les chefs de la caravane à propos de l'endroit où il convenait de transporter ce fardeau nauséabond, et cette question l'avait emporté sur toutes les autres. Tout le monde réclamait que les gardes demeurassent à la queue du train. Mais eux protestaient que c'était dangereux et que s'ils restaient en arrière des autres, ils seraient plus exposés aux brigands. L'Indien pensa aux brigands, là-bas, devant, et passa en hâte, la tête inclinée sous le sac de charbon, à côté des valets de pied vociférants et des gardes gesticulants. Un grand poids lui était tombé des épaules.

Il avait décidé de ne pas poursuivre le voyage avec la caravane. Finis, les faux-semblants. Il n'avait plus qu'une idée en tête : réaliser une bonne action et accomplir un geste de dévotion et d'amour en édifiant un bûcher funéraire et en y brûlant le corps du Bédouin. S'il pouvait faire cela, peut-être le seigneur Vishnu le prendrait-il en pitié. S'il pouvait tenir cette promesse, peut-être serait-il, lui aussi, libéré par la mort. Pendant que la caravane se traînait avec lenteur au long de la vallée et disparaissait entre les dunes, il s'affaira fiévreusement à empiler les charbons autour du corps, au pied de la falaise. Sa tâche l'absorbait à tel point qu'il ne remarqua la tempête de sable que lorsqu'elle fut sur lui.

La tempête arriva comme un baume puissant sur l'âme meurtrie de l'Indien. Elle arriva comme une vague purificatrice qui l'emporta et le balaya et le purgea de part en part. Elle arriva comme pour confirmer sa libération, comme l'assurance venue du seigneur Vishnu, le flamboyant, de la purification de ses vies antérieures. Le vent chassa toutes les mouches et tous les charognards. Il souleva le sable tel un linceul autour des os brisés et de la masse sombre du sang coagulé. Il dissipa tous ses doutes par son irrespect universel envers l'évidence. Il pardonna.

L'Indien trouva refuge contre la face de la falaise, près du corps, jusqu'à ce que le vent s'apaisât. Fermant ses yeux en larmes et sa bouche en sang, il se cacha la tête entre les bras contre le roc bienveillant, et se sentit béni. Il ne remuait plus ses lèvres noircies mais écoutait, guettant les paroles libératrices.

Lorsque la tempête se calma, il ne saignait plus. Il but un peu de l'eau qu'il avait rapportée du puits et, en dépit de la douleur, il se lava la bouche. Ensuite, comme le soleil se couchait, il alluma le feu.

Le corps du Bédouin brûla lentement toute la nuit et l'Indien le veilla, accroupi près de lui et se balançant doucement sur place. Il avait la tête bourrée de bruits et de syllabes. Cela lui battait aux oreilles : les cris brutaux des vautours et le froissement du scorpion mortel, le bourdonnement des mouches et des jappements de chiots. Il lui fallait les écouter, tous. Et parfois leur clameur était si forte qu'il hurlait. Il braillait des sons inarticulés et leurs échos lui revenaient des rochers noirs indistincts, telles des voix de djinns et de goules. Et lorsque enfin, dans les dernières heures avant l'aube, toutes les syllabes, tous les bruits furent éteints, il entendit en lui un autre murmure.

"Lorsque le bienheureux seigneur Vasudeva s'incarnera, ici, dans l'univers sous la forme de Kalki, les esprits seront éveillés et deviendront purs comme du cristal."

Il reconnut aussitôt la voix du "saint homme", mais le son naissait au-dedans de lui. Etait-il devenu fou, lui aussi ? Il envisagea cette possibilité avec calme, avec une résignation tranquille. Un eunuque privé de sa langue, en plein milieu du désert. C'était plus que probable. S'il n'était pas déjà fou, sans doute était-il en train de le devenir. En vérité, c'était peut-être cela, son chemin. La folie. Sinon, où devait-il aller ? Et, sinon, que devait-il faire ? Et pourquoi ?

A ce pourquoi, il se rappela que le "saint homme" avait dit aussi : "Tu es la preuve vivante !" Ses derniers doutes s'évanouirent. Il comprit qu'il devait être la preuve vivante de ce que, grâce à la *bhakti* ou dévotion, un homme pouvait trouver en cette vie son chemin vers le nirvana. Il devait vivre de manière à démontrer cette pureté de cristal. Il était certain qu'il n'y avait pas d'autre réponse à ce pourquoi. Et si c'était là ce que les gens sains d'esprit nommaient folie, peu lui importait ; car agir autrement, là serait la folie véritable. Sa vie démontrerait qu'ici se trouvait la pure raison.

Le soleil se leva ce jour-là comme il se lève tous les autres jours, mais l'Indien qui était né hindou savait que ce jour était celui de sa résurrection. Il retourna dès lors sur ses pas et, pour la première fois depuis toutes ces années, à Calcutta. Répudiant les craintes que lui inspiraient ses ennemis et sa famille, la honte de ses impostures, il s'efforça de trouver le sens du mot "retour" et entreprit le long voyage vers chez lui. Il allait à pied, un bâton à la main. Quand, en chemin, quelqu'un disait de lui qu'il était un "saint homme", il secouait la tête avec un rire silencieux et montrait du doigt le tatouage fané d'une rose sur son ventre désormais rabougri.

Depuis qu'il avait perdu la parole, il cherchait à se libérer par les actes.

Ce ne fut pas facile. Lui arriva-t-il parfois de succomber à l'envie de voler, selon son habitude, ou de dramatiser sa misère abjecte afin de faire sensation, selon son instinct, fut-il dans son mutisme tenté d'ouvrir grande la bouche afin de choquer ou de provoquer la charité, tentation qui dut lui être quotidienne, nul ne le sait. Il est probable qu'il fit toutes ces choses ; il est possible qu'il n'en fît aucune. Qui peut être sûr de quoi que ce soit ? Les habitudes ont la vie dure et il n'était, après tout, qu'un être humain. Mais s'il avait pu croire à plus qu'à ses doutes le temps d'accomplir une seule action, alors une chose est sûre : cette vie fut la dernière de ses vies en ce monde contingent. Il mourut en homme.

L'ESCLAVE

L'esclave était une juive d'Abyssinie, une Falacha, qu'on avait vendue aux Arabes alors qu'elle n'était encore qu'une enfant. Elle n'avait ri que deux fois au cours de son existence. La première fois, lorsqu'elle avait perdu sa virginité ; la dernière, lorsqu'elle avait perdu son bébé. Elevée dans les harems d'un cheik cruel, elle avait été violée très jeune, avant d'être expédiée sur l'autre rive du Golfe, à peine adolescente, en échange de droits de fret. Le cheik avait été assassiné peu après. Plus tard, on la vendit à un zoroastrien converti qui habitait dans les provinces orientales de la Perse. Et l'épouse de celui-ci mourut peu après. Peut-être le rire de la jeune fille portait-il malheur.

Elle était devenue, à vingt ans, une jeune femme mince et élancée lorsqu'elle fut contrainte, à l'encontre de ses convictions religieuses, de se soumettre aux attentions du zoroastrien. Elle avait d'étranges habitudes, telles que de ne jamais manger en compagnie des autres membres de la maisonnée, et d'insister pour préparer elle-même sa nourriture, à part. Il y avait aussi, chaque mois, certains jours où elle se réfugiait, au-dessus des écuries, dans une petite pièce où l'on accédait par une échelle branlante, et ces jours-là, malgré les menaces de punition, elle refusait calmement d'accomplir ses besognes habituelles. Elle avait la peau sombre et douce, de grands yeux en amande, des membres anguleux, et son visage en forme de cœur était d'une grande beauté avant que la variole ne la défigure lors de la grande épidémie. On l'appelait Sheba, mais ce n'était pas son vrai nom.

Les préjugés de race et de religion se combinaient, au Moyen-Orient, pour faire des juifs un peuple dont le rire était souvent dangereux. Il y avait des siècles que l'Abyssinie procurait des esclaves aux Arabes et aux Persans, mais peu de ces filles et fils de Cham étaient des Falachas. La plupart étaient des chrétiens coptes, il y avait beaucoup de musulmans, sunnites et chiites, et les juifs étaient rares au nombre de ces serviteurs à la peau noire. Ils avaient des manières trop hautaines pour que leur service fût satisfaisant, comme si leurs liens ancestraux avec Salomon étaient encore trop sensibles, comme si leur possible conversion parmi les oppresseurs égyptiens ravivait encore un souvenir trop cuisant. Et bien que la coutume, chez les Arabes et les Persans, fût de traiter les esclaves en membres de la famille et de les affranchir au bout de quelque temps, on accordait rarement à un Falacha la confiance dont témoignait ce privilège et ils étaient souvent persécutés par des humiliations incessantes, dont beaucoup imposées par eux-mêmes.

La femme que l'on appelait Sheba ne faisait pas exception. Elle était née avec, aux chevilles, les fers de la loi de Moïse autant que ceux de l'esclavage ; elle portait sur son long cou noir le joug pesant de la superstition autant que celui des préjugés. Mais à tout ce qu'elle avait hérité de ses ancêtres, elle ajoutait une intelligence bien à elle, sombre et pensive, nourrie de fatalisme et de dévotion affamée ; l'anatomie négative de ses sévères convictions gnostiques était issue d'une capacité de se punir par l'obéissance. De là venait l'amertume de son rire.

Lorsque son bébé mourut de la variole qui avait emporté aussi sa maîtresse, Sheba l'esclave rit pendant trois jours et trois nuits. On entendit son rire terrible dans la petite pièce au-dessus des écuries où elle s'était mise en quarantaine. Elle savait que Dieu l'avait punie. Elle savait qu'en se soumettant aux étreintes tremblantes, aux lèvres moites de son maître, tout déchiré entre remords et désir, elle avait commis un péché grave. Le fait qu'elle n'eût pas eu le choix en cette affaire la faisait rire d'autant plus. De même que l'ironie de ses motivations, car elle avait enfreint l'un des commandements divins afin d'avoir un enfant. La perte de l'enfant constituait donc le châtiment parfait.

Mais si la faute d'où résultait sa souillure pouvait en quelque sorte lui être imputée, elle calculait aussi que l'infidélité de son maître l'avait dans une certaine mesure exonérée. Car pour sa part, elle n'avait rien ressenti envers le zoroastrien. Donc, raisonnait-elle, puisque ses motifs n'étaient pas strictement adultères, elle avait réchappé à l'épidémie, bien qu'elle y eût perdu sa beauté. En fonction de la même logique, elle croyait que malgré la mort de son bébé, on l'avait dédommagée de cette perte en lui confiant l'enfant zoroastrienne à élever comme sa propre fille. La Falacha avait, en effet, sa théologie personnelle. Elle adorait l'enfant et la protégeait farouchement, telle une mère panthère. Et avec le même manque d'humour annihilant.

Cela ne signifiait rien pour elle, par conséquent, d'être esclave ou libre. Lorsque son maître lui accorda ce privilège, après avoir profité de sa condition antérieure, la Falacha haussa ses fines épaules et ajusta son voile afin qu'il ne vît pas l'expression de son visage enlaidi. C'était une expression énigmatique et qui l'aurait troublé, moins à cause des marques laissées par la maladie que parce qu'elle lui disait qu'il n'avait rien à lui donner qu'elle n'eût plus volontiers rendu à sa fille. Ni rien à lui prendre qui eût compté, du moment qu'elle avait toujours sa fille. S'il avait eu assez d'imagination ou d'intelligence pour soupçonner ce que signifiait ce haussement d'épaules, il aurait même pu en craindre les implications pour l'enfant. Mais il demeura miséricordieusement dépourvu d'imagination comme d'intelligence, et rien n'empêcha la juive de se faire l'esclave de son idolâtrie.

C'est ainsi que le zoroastrien ne tenta pas de la dissuader lorsqu'elle décida de rester au service de sa fille après son mariage. En vérité, ce fut pour lui un soulagement secret, car depuis bien des années la présence de l'esclave posait un problème dans sa maisonnée et une ombre sur son cœur. Elle était encore ravissante, avec son corps mince et souple et ses pieds cambrés, mais son beau visage était criblé de cratères et son bébé était mort de la variole. Elle lui rappelait sans cesse, et en même temps, pertes douloureuses et gains interdits. A présent, bien qu'il dût envoyer sa fille au loin, il espérait être libéré aussi de sa mauvaise conscience. D'ailleurs, il avait pris une nouvelle épouse aux parents encore plus riches, et bien que les grossesses de celle-ci n'eussent encore eu pour résultat que des malaises matinaux, il était homme à mâcher longuement sa nourriture, à extraire de ses choix tous leurs sucs. Ses appétits le poussaient à l'optimisme ou, du moins, à cette variété d'optimisme qui, lorsqu'on y atteint, résiste aux réévaluations et se maintient sans exiger d'effort mental ni de dépense spirituelle. Car il n'était en faveur d'aucune dépense excessive. Sauf lorsqu'il s'agissait de sa fille.

Les interminables négociations en vue du mariage de celle-ci intensifièrent l'obsession de l'esclave à son égard et, si possible, la rendirent plus possessive et plus jalouse encore. Pendant les mois précédant leur départ, elle refusa de laisser polluer l'esprit de la jeune fille par les sages-femmes terre-à-terre et les vieilles salaces qui d'ordinaire préparaient les fiancées à leur nuit de noces. Elle revendiqua ce droit pour elle-même et apporta à cette mission une combinaison de sévérité judaïque et d'ascétisme superstitieux qui l'imprégna d'un profond sérieux. Elle s'efforça de faire sentir à la jeune fille le caractère sacré du sujet. Comme elle eût accompli un devoir religieux, elle lui enseigna comment se servir de linges pour étancher son sang mensuel et comment reconnaître ses cycles en fonction de la lune. C'est d'une voix étouffée par le respect, comme en présence de mystères insondables, qu'elle lui expliqua ce que son époux attendrait d'elle dans le lit conjugal. Mais tout cela ne servit qu'à rendre plus léger que jamais le cœur de la petite fiancée.

Son humeur capricieuse semblait échapper à toute influence. Elle avait des espérances surprenantes, auxquelles on ne pouvait rien objecter, et des ardeurs embarrassantes. Quant à ses crises et ses transes, aucune épilepsie n'eût pu être plus lucide, aucune folie plus attachante. Chez les Falachas, on excisait le sexe des filles à l'orée de la puberté dans le but d'éviter de tels dérangements, mais bien qu'elle eût personnellement subi cette brutalité parmi d'autres et souffert en conséquence, depuis de longues années, de douleurs qui lui déchiraient le ventre, l'esclave eût préféré mourir plutôt que de mutiler l'enfant chérie afin de la rendre plus soumise à un mari. Elle eût préféré mourir, également, plutôt que d'affaiblir l'intensité des rêves et des visions de l'adolescente. Le côté sombre de ces anges trouvait sa contrepartie dans ses propres superstitions.

Et ses superstitions étaient légion. Elle était prise au piège dans des antithèses de sa fabrication, des certitudes contradictoires qui s'annulaient réciproquement, telle une fièvre accompagnée de frissons. Tout au long des interminables préparatifs du mariage, l'esclave se sentit obsédée par l'idée qu'ils pouvaient être aussi préparatifs de mort. Bien qu'elle fût autorisée à accompagner la petite fiancée et à rester auprès d'elle dans sa nouvelle existence au milieu des monts de Syrie, elle craignait une séparation fatale. Ce départ, songeait-elle, serait peut-être sans retour. Ce retour n'impliquait pas de résurrection. Ces fluctuations gagnèrent en intensité au point que l'esclave se sentait malade d'appréhension. Lorsque enfin, à Langheh, elle s'embarqua sur le boutre fragile et surchargé de pèlerins, et tourna son visage vers la côte d'Arabie, où avait commencé son propre malheur, elle commença à soupçonner que la fièvre et les frissons n'étaient pas imaginaires. Un mal enflait en elle, telle une grossesse monstrueuse. Il s'était installé dans cette partie de son corps qu'elle avait si longtemps reniée et s'était mis à la ronger avec des dents de rat. Son fatalisme chuchotait que quelque bête hideuse menaçait de naître en elle.

Au début, elle attribua son malaise à la raréfaction des visions de la fiancée depuis quelques

semaines. Depuis que la jeune fille se sentait, à
l'occasion de ce voyage, le seul objet des attentions de son père, son imagination était devenue d'une stérilité insupportable. Il n'y avait
plus de rêves, et sans rêves la Falacha se retrouvait abandonnée à ses cauchemars. Mais, peu à
peu, comme passaient les semaines, elle dut
admettre que son inconfort pouvait provenir
d'autres causes. Les voyages en mer comportaient
pour elle des associations pénibles ; ils encoura-
geaient les souvenirs. Ils lui rappelaient la sensation persistante de la main de sa mère arrachée
à la sienne, les premières horreurs du harem.
Ces eaux saumâtres lui rappelaient les eaux si
pures des torrents de montagne, en Abyssinie.
La première fois qu'elle les avait traversées, elle
avait essayé de se jeter dans les vagues apaisées
et avait déversé dans la mer toutes les larmes de
ses yeux. La brûlure du sel rouvrait les anciennes
blessures et les voix rudes des matelots, les
ordres cinglants du capitaine, la vision, dans le
port de Moka, d'un grand homme sombre, non
entravé, un Abyssinien, lui aussi, dont les yeux
inquisiteurs plongèrent entre les plis de son
voile, la remplirent de souvenirs qui lui faisaient
mal au cœur ainsi que d'une inquiétude croissante. Massawa, Djibouti et Assab se trouvaient
juste sur l'autre rive du fatal détroit de Bab el-
Mandeb, dont les eaux avaient été témoins des
débuts calamiteux de sa servitude.

Mais les habitudes sont plus profondes même
que ces eaux-là. Elle s'endurcit afin de résister
aux rats. Elle se concentrait sur les palmes à l'aide
desquelles elle éventait l'atmosphère languide
et imprégnée de sel afin de soulager la fiancée
de sa mauvaise humeur. Elle fixait son attention
sur les citrons doux qu'elle épluchait pour la

jeune fille atteinte du mal de mer et pressait contre ses narines la vapeur légère de l'acide contenu dans leurs écorces afin de prévenir les nausées. Elle se sentait soulagée que le temps fût devenu mauvais, car ses obligations étaient constantes, elle n'avait pas le temps de se rappeler quand elle s'était trouvée auparavant sur un bateau pareil à celui-ci, ni d'où elle venait, ni où elle allait.

Mais même après l'arrivée au port, les rats n'arrêtèrent pas de ronger. C'était elle à présent, à terre, que balançaient les vagues des nausées. Peut-être était-ce dû à l'atmosphère suffocante de Djeddah. L'humidité stagnait dans le port ; pèlerins, ordures, mouches et voleurs y pullulaient ; l'air y était empuanti par des cadavres de chiens et des relents de mauvaise cuisine et de pourriture. Lorsqu'elle pénétrait dans le bazar et parcourait les rues étroites et les passages sinueux afin de subvenir aux besoins ou aux caprices de sa jeune maîtresse, elle tombait sur de grands Africains arpentant la pénombre tels des rois en exil. Ils étaient trop nombreux ; l'Abyssinie était trop proche. Les voir lui faisait mal, et pourtant elle y aspirait ; leurs traits étaient familiers, leurs yeux hantés si beaux. Un jour elle rencontra le même esclave qui l'avait regardée avec tant d'insistance à Moka, avec une perle à l'oreille, et ce qu'elle vit reflété dans ses yeux la troubla plus encore que les autres. Si elle avait su comment l'appeler, elle aurait pu nommer cela la connaissance de la liberté, mais elle fuit devant ce regard car il lui rappelait quelque chose qu'elle ne souhaitait pas admettre.

Peut-être ses nausées étaient-elles dues à l'anxiété, car malgré sa promesse de venir accomplir son *hadj*, le Turc manqua à sa parole. Il ne se trouvait pas à Djeddah pour les accueillir. L'Indien insistait pour conclure d'autres arrangements permettant au convoi nuptial de poursuivre jusqu'à La Mecque, ce dont résultèrent des changements de projets et des négociations coûteuses. Peut-être, en vérité, ses nausées étaient-elles dues à la présence suffocante de cet Indien, car depuis qu'à Langheh celui-ci s'était infiltré dans les bonnes grâces de son sot de maître, il avait inventé chaque jour de nouveaux mensonges. Il semblait décidé à mettre leurs vies en danger. De tout son cœur, elle se méfiait de lui, mais elle n'était qu'une femme à l'ombre de sa servitude, et on ne lui demandait pas son avis. Quand les soldats du Turc arrivèrent enfin à la onzième heure pour les escorter vers Médine en contournant la ville sainte, elle se réjouit de l'échec des combines de l'Indien car ni la fiancée ni aucun de ceux qui l'accompagnaient n'étaient musulmans et, selon la légende, ils auraient tous été pétrifiés s'ils avaient posé le pied à l'intérieur du *haram*. Elle était certaine que l'Indien complotait leur mort.

Les Turcs de l'escorte paraissaient cependant plus névrosés que les femmes de la suite nuptiale, et ils n'offraient qu'une piètre protection. La Falacha savait que si les sauvages tribus arabes les attaquaient, ainsi qu'on racontait partout qu'elles le faisaient, les soldats turcs sauveraient d'abord leurs propres peaux et abandonneraient tous les autres à la merci des bandits. Sans doute parce qu'elle se sentait malade de tension nerveuse, elle finit par demander une audience au capitaine de l'escorte. Elle choisit un moment où l'Indien était occupé ailleurs et où narguilé et café avaient mis le mercenaire en bonne humeur. Cachée sous ses voiles, elle s'approcha du capitaine vautré parmi ses hommes. Elle resta là, tête inclinée, à attendre qu'il la remarque, en passant d'un pied sur l'autre afin de surmonter les vagues de la maladie qui l'assaillait. Quand les commentaires paillards des soldats éveillèrent l'attention de leur chef et qu'il lui demanda enfin ce qu'elle voulait, elle le pria de se rappeler que son employeur, le Turc, avait déjà attendu trop longtemps sa fiancée à La Mecque pour qu'on le fît attendre encore à Médine. Il y eut de grands éclats de rire, tandis qu'il la chassait d'un geste, mais l'argument porta et elle obtint ce qu'elle attendait.

Lorsque, ayant traversé le désert sains et saufs, ils finirent par arriver au caravansérail d'Osfan, les nausées de l'esclave furent aggravées par la puanteur du cadavre qui se joignit à eux sur la route de Médine. Au troisième caravansérail après La Mecque, ils rencontrèrent la caravane des pèlerins et apprirent que le corps en putréfaction d'un marchand chiite décédé pendant son *hadj* serait désormais leur compagnon de voyage. Ils avaient de la chance, en pareilles circonstances, de ne pas avoir la compagnie de plus d'un mort, car cette route était fréquentée par de nombreux pèlerins en état de décrépitude, désireux d'être enterrés dans la ville sainte de Médine. Le fait que ce mort-ci eût été un homme fortuné ne représentait pas un avantage, car la décomposition ne respecte pas la richesse. Ecœurante et douceâtre, la pestilence était insupportable et allait empirer de jour en jour jusqu'à Médine. Et, de toute façon, pouvait-on se fier au Turc, serait-il là à les attendre lorsqu'ils y arriveraient ? Envahie peu à peu par l'inquiétude et par la maladie, elle ne dormait plus la nuit, mais restait allongée aux pieds de l'adolescente, telle une panthère aux aguets.

Si farouche qu'elle fût, elle ne put néanmoins protéger la jeune fille de son ange, ni elle-même des rats. Le quatrième jour après leur départ de Djeddah, quand la petite fiancée poussa un cri perçant et s'évanouit en disant qu'un ange était tombé du ciel devant eux, Sheba l'esclave abyssinienne sentit au creux de son corps un indicible élancement, et sut qu'il était mortel. Il n'y avait qu'une chose à faire, et c'est ce qu'elle fit. Elle glissa un éclat de sirop d'opium sous la langue de la jeune fille et un autre dans sa propre bouche. Et pour la première fois depuis des années, elle sourit.

*

Les chameliers juraient, les ânes assoiffés brayaient, le cadavre empestait plus que jamais, et l'esclave, qui émergeait voilée du *takhteravan*, dut se couvrir la bouche d'une seconde étoffe pour repousser son envie de vomir. Elle saignait abondamment, comme si une digue s'était brisée en elle, mais elle fit appel à toute son énergie afin de chercher le message de l'ange.

Où cherchait-on les messages des anges au milieu du désert ? Elle frissonna en voyant le jeune religieux s'approcher du *takhteravan* ; il semblait la surveiller sans cesse, et ce n'était certes pas un ange. C'était un étudiant chiite, disait-on, et d'un extrême puritanisme. Il se trouvait à Djeddah quand ils y avaient débarqué, et puis parmi les pèlerins dans la caravane qu'ils avaient rejointe sur la route de Médine. Dès leur première rencontre, il avait manifesté son intolérance envers les femmes du train nuptial et, loin d'avoir apaisé son fanatisme, son *hadj* paraissait l'avoir intensifié. L'une des servantes zoroastriennes de la fiancée, une fille aux formes généreuses, aux joues roses et à l'œil baladeur, raconta qu'il avait menacé de la lapider parce qu'elle était passée près de lui pendant sa prière de midi. S'il avait vraiment été en train de prier, protestait-elle avec chaleur, comment l'eût-il remarquée ? Cette altercation avait déclenché un état de guerre entre le jeune mollah et les femmes qui accompagnaient la fiancée. L'esclave avait conseillé aux servantes de garder le silence et le voile, car elle craignait, si le religieux se sentait provoqué, qu'elles ne se retrouvent égorgées. Mais le voyage était long, la chaleur lourde et ces gamines écervelées stimulées par le plaisir d'attirer l'attention ; l'idée que ce jeune homme nerveux et scrofuleux s'approchât de leurs gorges pour quelque raison que ce fût leur donnait le fou rire lorsqu'elles se trouvaient près de lui, et les incitait à parler plus haut que jamais.

Elle avait beau, quant à elle, maintenir une distance discrète et ignorer les interjections du religieux, celui-ci manifestait toutefois à l'égard de l'esclave falacha une irritation inhabituelle et paraissait éprouver envers elle une antipathie particulière. A présent, sitôt qu'il la vit émerger d'entre les rideaux, il s'approcha de nouveau. Rabaissant son voile devant son visage, elle hésita, la tête penchée, dans la chaleur.

"Et pourquoi faut-il que nous soyons soumis à vos caprices ? lança-t-il âprement. Pourquoi, femmes, avez-vous arrêté la caravane, en nous forçant à nous plier à vos exigences ?"

Elle ne répondit pas mais se détourna aussi vite qu'elle put, marchant avec délicatesse entre les îlots de crottin. Dans cette incapacité à réagir, elle trouvait une sensation de liberté qui était réconfortante. Elle savait que tout ce qu'elle pourrait dire tomberait mal et qu'il n'y avait donc rien à dire. Le vent du désert plaquait son voile contre son corps maigre. Elle espéra qu'on ne verrait pas qu'elle saignait, car le ravage provoqué par les rats se révélait impossible à contenir. Là aussi, elle se sentait en quelque sorte libérée ; là aussi, il n'y avait rien à faire, et tout ce qu'elle pourrait tenter serait vain. Ce n'était pas la première fois de sa vie qu'elle éprouvait cette délirante et paradoxale impression de liberté qui accompagne l'impossibilité de choisir. Elle la reconnaissait. C'était dangereux. Cela avait annoncé, autrefois, ses crises de rire dément. Avec une périlleuse insouciance, elle fit signe au changeur indien, qui passait près de là sur sa mule, et sollicita son aide. Il avait sans doute écouté. Tant mieux. Puisque telle était la fantaisie de sa petite, que l'eunuque s'en aille chercher les messages des anges dans la folie du plein midi.

"S'il vous plaît, Muhsin Aqa, dit-elle, je vous en prie, partez en avant et attendez-nous au-delà du puits, là-bas. Vous y trouverez quelqu'un."

L'Indien loucha vers elle avec déférence et se frotta le nez. Il avait de ces gestes vulgaires. "Volontiers, *khanum*, murmura-t-il, onctueux. Mais pourquoi, très respectée *khanum*, envoyer ce serviteur à un puits asséché ? Il y en a d'autres – et il se lécha les lèvres de façon odieuse – qui offriraient plus de soulagement. Ce sanctuaire est abandonné depuis des années.

— Il y a un message pour vous là-bas, répondit-elle d'une voix brève. Attendez que

nous arrivions, et donnez le message à ma maîtresse." C'était une demande absurde et elle le
savait ; elle se mordit les lèvres afin d'arrêter
le dangereux clapotis de légèreté qui menaçait
de s'en écouler. Elle espérait en secret qu'il
y avait vraiment un ange vengeur attendant
l'eunuque dans l'ombre du puits. Elle pria pour
que ses flammes destructrices réduisent ce huileux bonhomme à un tas de cendres avant l'arrivée de la caravane. Qu'il pourrisse et ne revienne
jamais ! Que l'ange l'abatte ! Ce serait le mieux.
Le pire serait que l'Indien refusât tout simplement d'y aller, ou se contentât de faire semblant,
ou qu'à l'arrivée là-bas de la caravane, il y soit en
train d'attendre, avantageux et les mains vides,
pour se venger. Et puis elle se souvint des réalités attendues et plongea la main sous sa ceinture. Ignorant le regard brûlant que le religieux
posait sur elle, elle apprécia entre les plis de son
voile l'avidité de l'Indien et sortit rapidement
de sa ceinture une paume garnie d'argent.

"Prends ceci et fais ce que ma maîtresse
demande, si tu sais où est ton intérêt", souffla-
t-elle, en lançant les pièces dans sa main en
sueur. Mais elle n'avait pas été assez rapide
pour le mollah. Il avait ramassé une poignée
de sable brûlant afin de la lui jeter.

"Putain ! criait-il d'une voix rauque. Prostituée
du démon ! Tu paies un eunuque pour ton
plaisir ?" Le sable lui vola au visage, le prit à la
gorge, et la toux le plia en deux.

Comme elle retournait en hâte vers le *takhteravan*, l'esclave se rendit compte qu'elle sou-
riait de nouveau. Les sens miséricordieusement
engourdis par le narcotique, les jambes inondées
de sang, elle se demandait un peu comment il se
faisait qu'elle partageât si bien l'opinion de ce

religieux mal embouché à propos de l'esprit émasculé qu'elle venait d'envoyer en mission auprès d'un ange.

Lorsque l'Indien réapparut, environ deux heures plus tard, elle était si affaiblie par la perte de sang et hébétée par la drogue qu'elle ne saisit qu'avec difficulté ce qu'il disait. Chassant non sans peine la léthargie due à l'opium, elle écarta le rideau flottant. Elle avait été réveillée par une violente secousse infligée au *takhteravan* et un grand bruit de l'autre côté. Les chameliers se disputaient avec leurs bêtes grincheuses, le chef de la caravane criait des instructions que personne n'écoutait, elle ne savait pas où elle était ni pourquoi on s'arrêtait. Apparemment, la caravane était arrivée au puits. Peut-être le changeur l'informait-il de ce qu'elle allait apprendre plus tard avec une certaine surprise : qu'il y avait près de l'oratoire en ruine une eau insoupçonnée. Peut-être ne disait-il rien du tout. Elle n'en garda pas le souvenir. Ce n'est que lorsqu'il lui lança la sacoche qu'elle comprit, avec un coup au cœur, que par un miracle quelconque il avait bel et bien rencontré un ange et ramené une terrible confirmation de sa sainte présence.

Où avait-il trouvé une sacoche au milieu du désert ? Et que lui était-il arrivé pour qu'il transpirât si fort et fût devenu si pâle, et ses vêtements si en désordre ? Qu'était donc cette tache sombre sur sa poitrine et sur son ventre ? Avait-il la bouche pleine de sang ? L'homme ne disait rien, mais il la regardait soudain avec si peu de duplicité que les sens de l'esclave furent aussitôt débarrassés des derniers voiles de sa torpeur et qu'elle tira sur elle une couverture, honteuse des taches qu'elle avait, elle aussi, sur ses vêtements. Après lui avoir donné la sacoche sans un mot, il se détourna et partit avant qu'elle pût rien dire. Elle ne le revit jamais.

Elle contemplait avec stupéfaction la sacoche poussiéreuse, aux fermoirs et courroies déchirés, que sa jeune maîtresse lui avait prise des mains et étreignait à présent entre ses bras minces. Etait-ce vraiment le message d'un ange ? Aussi inconcevable que cela parût, cela en avait l'air. L'ange avait bel et bien envoyé un message. Plusieurs messages. La sacoche en était pleine. Et leur teneur semblait terrible, car le calme qui avait envahi la jeune fille sitôt qu'elle en avait commencé la lecture déconcertait l'esclave plus encore que ne l'avaient fait auparavant ses crises d'hystérie. Et aussi son silence.

Etant fille d'un homme riche, la petite fiancée avait appris les rudiments de la lecture et de l'écriture afin, comme l'affirmait le dicton populaire, de ne pas avoir besoin d'intermédiaires pour communiquer avec ses amants. La petite était cabotine, toutefois. Chaque poème, chaque chanson qu'elle lisait, elle en faisait profiter son esclave ; chaque mot qu'elle écrivait, elle le lisait à haute voix. Quant à elle, l'Africaine se méfiait de ces marques magiques, craignait ce papier porteur de voix humaines. Mais du moment que sa chérie prononçait les mots, elle se sentait en sécurité ; du moment que l'enfant transformait en musique les marques tracées sur le papier, l'esclave était contente. Cette fois, pour la première fois, elle se trouvait exclue. Le message de l'ange avait posé entre elles une barrière d'écrit.

Quand la jeune fille exigea de rester seule pour lire dans la chaleur étouffante de son *takhtera-van*, l'esclave, craignant qu'elle n'ouvrît tous les rouleaux, tira derrière elle en sortant les courroies de la sacoche et la traîna dehors, au soleil, avec sa charge mortelle. Cela avait l'air d'une sacoche assez ordinaire, mais elle ne s'y fia pas. Les paquets qu'elle contenait étaient nombreux, de tailles et de formes diverses ; tous étaient emballés de soie, noués de ficelle, et également capables de s'interposer entre elle et l'enfant. Elle n'éprouvait aucun désir de les ouvrir. A vrai dire, ils lui inspiraient une forte répulsion ainsi que la tentation de s'en débarrasser. Seule sa profonde soumission l'en empêcha, car si la fiancée avait demandé à voir le reste, elle aurait dû les lui présenter tous. Mais la jeune fille ne sembla pas remarquer que la sacoche avait disparu et demeura absorbée dans sa solitude pendant l'heure qui suivit.

La Falacha ne savait que faire de cette sacoche. La tête lui tournait d'avoir perdu tant de sang, et son corps se brisait. Elle entendait des cris indistincts. La plupart des voyageurs et des pèlerins s'étaient rassemblés autour du chef de la caravane, à la tête de celle-ci, où ils paraissaient lancés dans un échange de vociférations, et il ne restait donc auprès d'elle que peu de gens et surtout des animaux. Avec soulagement, elle constata que le religieux ne se trouvait nulle part en vue. A côté du puits se tenait une mule qu'elle reconnut vaguement pour celle du changeur. Elle semblait avoir été confiée à un pauvre vieux qui tenait ses rênes pendant qu'elle buvait l'eau du puits. L'esclave envia l'animal. Elle se dit qu'elle pourrait peut-être sangler la sacoche sur son flanc et la laisser à l'Indien. Qu'il prenne en charge le malencontreux objet qu'il avait trouvé Dieu savait où. Elle ne s'en sentait pas capable. Mais comme elle s'avançait en trébuchant sous le poids de son fardeau, elle s'évanouit à demi. Et tomba.

Le vieux pèlerin s'agenouilla près d'elle en émettant de curieux petits bruits, clappements et chantonnements. Il avait les yeux pleins de bienveillance et posa une main ridée sur le ventre de la femme. Elle tressaillit. Alors, toujours clappant et chantonnant, il déplaça sa main, la lui posa sur la tête. C'était une main légère, paternelle. Elle fut prise d'une absurde envie de pleurer. Mais quelque chose lavait le goût des larmes dans sa bouche et elle se rendit compte qu'elle était en train de boire l'eau d'une tasse qu'il lui tenait aux lèvres. L'eau était douce et fraîche. Elle remarqua qu'il tentait de lui dire quelque chose dans une langue étrangère et avait sorti de sous ses robes une étrange petite boule noire qu'il lui présentait sur la paume de sa main. Il lui montra par gestes qu'elle devait la rompre avec ses doigts et mettre cette pâte dans sa bouche. Elle obéit, étonnée, soulevant sans honte son voile devant lui. Ils étaient dissimulés par la mule, et il n'y avait personne à proximité. La pâte n'avait aucun goût. Tout en la mâchonnant sous sa langue, elle laissa le vieillard lui en placer le reste dans la bouche. Tandis qu'elle avalait l'étrange substance, il émettait de légers bruits d'encouragement, ténus et flûtés, tels des cris d'oiseau. Elle se sentait trop faible pour s'interroger sur ce qu'elle faisait et pensa comme à travers une brume que c'était peut-être une sorte de guérisseur, ce vieux pèlerin tout rabougri, un chaman ou un sorcier, peut-être. Personne ne savait d'où il venait, mais certains murmuraient qu'il n'était pas musulman.

Elle resta tranquille, avec la sacoche à côté d'elle, près du vieux pèlerin, sur le sable. Elle resta tranquille, assise à l'ombre de la mule, adossée à la pierre fraîche du puits, pendant que la pâte finissait de se dissoudre sur sa langue. Le temps lui semblait suspendu. Elle avait l'impression que cette boule noire cimentait la brèche béante en elle. Au moins pour quelque temps. Ses forces lui revenaient. Le vieillard l'avait-il guérie ? Etait-ce possible ? Elle lui marmonna ses remerciements, en amharique. Il ne comprit pas mais hocha la tête en souriant avec sérénité. Il lui offrit une deuxième boule de pâte, qu'elle refusa. Sa maîtrise d'elle-même était suffisamment restaurée pour la mettre en garde contre les lacs de l'endettement. Elle devait quelque chose à cet homme.

Avec impétuosité, car elle ne savait que trop bien que rien n'est gratuit, elle lui donna la sacoche. Elle ramassa le lourd fardeau et le lui tendit. Lorsqu'il se recula en secouant la tête, elle se fit insistante. "Vous devez la prendre, dit-elle, je vous en prie !" Et elle se remit debout, à grand effort. "Vous devez la garder", insista-t-elle en amharique. Et afin de lui prouver sa détermination, elle plaça la sacoche sur le dos de la mule du changeur, dont le vieillard tenait les rênes entre ses mains.

Dès lors, elle n'eut plus un instant à elle. Elle n'eut plus le loisir de penser. Il lui fallut travailler et oublier. Ce fut une bénédiction. Pour un temps, la brèche était colmatée et elle avait la force de retourner à sa tâche. Car la fiancée l'appelait.

Saisie d'une nouvelle lubie, la jeune fille voulait revêtir ses vêtements de noce au milieu de ce désert. Aussitôt lu le message de l'ange, elle exigea que son esclave fît chauffer de l'eau, qu'elle préparât un bain. Refusant toute nourriture, elle demanda seulement à boire des quantités d'eau du puits, en recommandant que pour chaque coupe qu'elle buvait on en ajoutât neuf à l'eau destinée à son bain. Rien de ce que put dire l'Abyssinienne n'eut le moindre effet. Ni tendre admonestation, ni sage conseil, ni cajolerie, ni supplication : l'enfant restait intraitable. Bien sûr, elle avait toujours eu un faible pour les bains et au cours de ce voyage, sans doute à cause des odeurs répugnantes et de la chaleur oppressante, cette disposition avait tourné à l'obsession. Sa délicatesse posait problème. Elle était même devenue végétarienne et refusait de manger du poisson séché ou toute chose sentant fortement l'huile ou l'ail. Et ce n'était pas n'importe quel bain qu'elle exigeait, maintenant, tout de suite, en plein désert. C'était un bain de purification dans les formes, avec tous les rituels et cérémonies censés l'accompagner. L'idée ne semblait pas l'effleurer que pareille cérémonie était quasi impossible à accomplir dans les circonstances présentes. Et moins encore dans une situation qui se détériorait à tel point.

Compte tenu du sens exacerbé qu'elle avait de l'impur, il était d'autant plus remarquable que la jeune fille ne semblât même pas remarquer les abondants saignements de l'esclave. Elle paraissait aveugle à tout sauf à ses préparatifs pour l'ange. Elle ne remarquait rien, ne voyait rien autour d'elle, n'entendait rien de ce qu'on lui disait, ne s'aperçut pas un instant du tumulte qui les entoura pendant le restant de ce jour terrible. Quand elle parlait, ce n'était que pour répéter qu'il fallait faire vite, vite, afin qu'elle fût baignée, vêtue et prête pour l'ange. Ce fut la seule fois en toutes ces années où l'esclave perdit patience avec elle.

"Il n'y a pas d'ange", cria-t-elle, à la limite de l'endurance.

Mais la fiancée l'ignora et continua à se faire les ongles à l'aide d'un petit couteau qu'elle avait toujours sur elle et dont le manche d'argent gravé était orné d'une pierre semi-précieuse. "Il a des yeux d'améthyste !" dit-elle.

Craignant le pire, la pauvre femme fixa le couteau avec horreur. Elle pensa que son enfant chérie était folle, après tout, et se dit que si elle avait perdu l'esprit, c'était par sa faute, à elle. Si elle n'avait pas envoyé l'Indien dans le désert, il ne serait pas revenu avec cette maudite sacoche. Si elle avait été moins faible, elle aurait pu mieux protéger la jeune fille de l'épilepsie, de l'opium et de l'ange. Quelle que fût la terrible catastrophe qui n'allait pas manquer de se produire, elle en serait sûrement responsable. Alors, pour expier le mortel méfait, elle redoubla d'ardeur au travail.

Un bain de purification rituelle au milieu du désert n'est pas chose facile à organiser d'un instant à l'autre. Le seul avantage qu'offraient ce lieu et ce moment précis était l'abondance de l'eau du nouveau puits. On vida les outres suspendues sous le *takhteravan* et on les remplit aussitôt, car la jeune fille refusa l'ancienne eau de son bain ; il lui fallait de l'eau fraîche et neuve. L'esclave abyssinienne se chargea d'une grande partie des travaux lourds, elle fouilla les ruines en quête de vieux brins de paille et souffla sur les braises qui rougeoyaient sous les bassines de cuivre. Et puis l'on s'aperçut qu'un sac de charbon de bois avait disparu du convoi de mules ; il avait été volé. L'escorte armée turque porta immédiatement la question devant le chef de la caravane et exigea dédommagement. Les gardes du cadavre furent soupçonnés et accusés, car ils s'étaient déjà fait parmi les pèlerins une réputation de voleurs. Ensuite, de querelle en querelle, une énorme bagarre naquit à propos de l'emplacement exact où le corps devait voyager dans la caravane. Comme si les pèlerins n'avaient eu rien de mieux à faire.

Il y avait moins de cadavres que d'habitude sur cette route de Nedjef et de Karbalâ, où la circulation des morts parmi les pèlerins chiites était souvent encombrée et toujours considérée comme allant de soi. Ce cadavre-ci était celui d'un très riche pèlerin, un marchand persan de Bouchir qui était mort, disait-on, alors même qu'il accomplissait le tour de la Ka'ba sacrée. Une telle fin était ardemment désirée, bien entendu, par ceux qui entreprenaient leur "dernier pèlerinage" au soir de leur vie. Certains allaient jusqu'à devenir des *mojaver* afin de bénéficier du droit d'être enterrés à Médine dans le célèbre cimetière d'al-Baqî'. Mais le vieux marchand de Bouchir n'avait manifestement aucune intention de mourir car il se rendait à Damas afin d'y conclure des affaires. C'était avec l'intention de faire du commerce qu'il voyageait, accompagné d'un convoi de mules chargées de cotonnades et d'indigo. Méritait-il, dans ces conditions, le privilège d'être enterré à al-Baqî' ?

Les aspects théologique, politique et économique de la question provoquaient de vives différences d'opinions et suscitaient des théories contradictoires parmi les pèlerins. La seule considération qui les mît d'accord, c'était qu'il fallait maintenir le corps aussi loin que possible à l'arrière de la caravane, car sa puanteur était intolérable. Les valets de pied qui gardaient la fortune du mort, et qui, sans aucun doute, avaient l'œil sur leur profit financier personnel dans l'aventure, refusaient néanmoins de voyager à distance derrière les autres, pour des raisons de sécurité, disaient-ils. Ce refus déclencha un tumulte de protestations s'élevant de toutes parts. L'esclave, qui s'efforçait de faire chauffer l'eau avec un combustible insuffisant, dut à plusieurs reprises appeler à l'aide les trois femmes du train nuptial, qui s'étaient laissé attirer à regarder le spectacle et à écouter la bagarre. Ces écervelées de zoroastriennes ne paraissaient pas avoir la moindre idée de la nature inappropriée ni des dangers de leur implication dans ce débat, fût-ce en tant que spectatrices.

Eût-elle été moins débordée, l'esclave aurait pu se demander ce qu'était devenu l'Indien car, dans des circonstances normales, il aurait traîné aux environs, telle une mouche au-dessus d'une assiette de sorbets et de baklavas. Il aurait profité du désordre comme source d'avantages pour lui-même et comme prétexte pour fomenter des ennuis à l'entourage de la fiancée. Elle supposa qu'il se trouvait au centre de la querelle à propos du cadavre ; la richesse du mort était considérable, après tout. Nombreux étaient ceux qui estimaient que la qualité de son indigo à elle seule lui garantirait un accès facile au paradis, et que sa quantité valait plus que de simples prières.

Où que pût être l'Indien, les cris qu'elle adressait aux autres femmes attirèrent sur l'esclave l'attention du jeune mollah revêche. Comme attiré par l'odeur du sang, il arriva de nouveau, la peau livide sous sa barbe rêche, les yeux rivés sur les chevilles nues de la femme accroupie près du puits abandonné, en train de souffler sur les braises sous les casseroles de cuivre. Lorsqu'il s'approcha, elle versait de l'essence de fleur d'oranger dans l'eau chaude et le parfum entêtant et frais bannissait la pestilence du cadavre imprégnant la chaleur lourde autour d'eux. Elle se sentit la tête moins lourde. Elle remarqua qu'il grattait avec fureur ses mains couvertes de croûtes.

"Vanité des femmes, souffla-t-il, qui caressez vos corps lascifs à l'aide d'eaux, d'huiles, de parfums et de baumes afin de les préparer à piéger l'âme confiante de l'homme !"

Elle eut un rire bref et rude. Et il recula en trébuchant, horrifié.

L'eau était à peine chaude lorsque la caravane se remit en marche. L'esclave dut installer les bassines d'eau chaude et froide dans le *takhteravan* branlant où l'eau, les huiles et les parfums se répandaient partout, et elle dut concentrer toute son énergie à frotter le corps de la jeune fille avec une étoffe rugueuse et ses pieds à la pierre ponce tandis qu'elles étaient ballottées en tous sens. Elle se sentait saisie de vertiges. La mystérieuse pâte noire qui avait réparé ses digues brisées, rongées par les dents de rats innombrables, était puissante mais pas invincible. Combien durerait son effet ?

Elle ignorait combien de temps s'était écoulé mais se rendait compte seulement que la fiancée n'en était qu'à la moitié de son bain lorsqu'une autre crise surgit. D'autres appels des chameliers, d'autres cris des gardes. On avait perdu le mort, disaient-ils. On l'avait abandonné au puits. L'Abyssinienne n'avait même pas remarqué que l'odeur écœurante ne les accompagnait plus, car le *takhteravan* était saturé de baumes parfumés et elle travaillait avec obstination.

A présent, en entendant qu'on avait perdu le corps, elle eut à nouveau envie de rire, d'un rire fou et irrespectueux.

A vrai dire, une sorte de mutinerie s'était élevée dans la caravane. Les gardes firent faire demi-tour à leurs bêtes et s'apprêtèrent à revenir sur leurs pas pour récupérer le corps. Ils refusaient d'envoyer un homme seul, affirmant que ce serait trop dangereux. Ils insistaient au contraire pour y aller tous ensemble, en emportant les biens du défunt qu'ils prétendaient ne pas pouvoir confier au chef de la caravane. Celui-ci les injuria vertement et refusa toute responsabilité quant aux conséquences : une tempête de sable se préparait et leur sécurité était leur problème. Tout le monde se mit à crier des instructions diverses et à exprimer des opinions contradictoires, et au milieu de ce chaos le religieux décida que le moment était venu de lancer l'appel à la prière. Il avait une voix grêle et nasale qui montait et descendait avec un désespoir croissant sur ce fond de querelles. L'esclave commençait à se demander si les démons du rire ne menaçaient pas de l'attaquer. Pourrait-elle leur résister ?

Ils n'attaquèrent pas tout de suite. Ils envoyèrent d'abord leurs émissaires de sable. Peu après la mutinerie des gardes, la tempête engloutit la caravane. Elle pénétra par toutes les fentes, par toutes les crevasses humaines et se fraya un chemin au cœur de chaque faiblesse individuelle, de chaque défaut secret. Les pèlerins étaient forcés de se plier à un semblant d'unité, à présent, ils n'avaient pas le choix. Même si ce n'était que sous la contrainte des circonstances, il leur fallait agir d'un seul vouloir. Chacun devait obéir au chef de la caravane et toutes les bêtes avec leurs fardeaux, tous les hommes et leurs biens matériels se rassemblèrent en cercle. L'escorte armée formait une barrière protectrice autour du *takhteravan* nuptial. Mais pour l'esclave, il ne pouvait y avoir de protection contre la tornade et la dissolution qui faisaient rage en elle, aucun frein au rire terrible qui montait, montait. La brève résistance accordée par la boule de pâte du vieux pèlerin s'effritait rapidement.

A l'acmé de la tempête, la fiancée ramassa toutes les soieries trempées, salies et abîmées par son bain et ordonna à son esclave de les jeter au-dehors. "Jette-les, c'est tout", fit-elle d'une voix stridente, en lui fourrant dans les bras les étoffes sans prix. Des satins précieux que l'on avait passé des mois à broder de fruits et de fleurs, des coussins ravissants ornés de perles et tressés d'or par d'innombrables couturières qui s'étaient usé les doigts jusqu'à l'os, tous imprégnés désormais de savon et d'eau, tous tachés d'huiles et de parfums, bons à être lancés dans les vents déchaînés. La Falacha retint les coûteux tissus pendant un bref instant de résistance. Elle était issue d'un peuple de tisserands, de fileuses, de fabricants d'étoffes ; jeter tout cet effort humain dans le sable et le vent lui paraissait une sorte de blasphème. Mais la jeune fille ne souffrait nulle contradiction. Sa fureur soudaine brisa en l'esclave les dernières barrières de résistance et, bien que pliée en deux par la douleur, elle obéit. Adossée au *takhteravan* dans la tempête hurlante, elle contempla avec un émerveillement consterné les soieries aussitôt emportées, telles des goules en fuite, et expédiées, tourbillonnantes, messages de l'enfer vers le monde extérieur. Des messages des anges parvenaient à sa petite, mais lorsque l'Abyssinienne envoyait les réponses, voilà quels démons surgissaient de l'enfer qu'elle portait en elle ! La douleur lui coupait le souffle, à présent, elle pouvait à peine respirer.

Pendant deux heures, le vent dansa autour d'elles, montant en crescendos de plus en plus sauvages. Pendant deux longues heures elles furent entourées par les cris de fantômes désolés, les hurlements d'âmes privées du secours des sacrements. L'esclave sut que ceux-ci étaient vomis par les puits de Tophet au-dedans d'elle, et devint aussi froide que glace. Assise comme une princesse au cœur immobile de la tourmente, son enfant chérie se soumettait avec calme au rituel compliqué requis par sa chevelure. L'esclave sentait à peine ses doigts, à présent, ils étaient transis. Car après qu'elle avait retracé sur les paumes et sur les plantes de pied de la petite fiancée tous les délicats dessins au henné, celle-ci n'avait pas voulu de l'habituel huilage et nattage de sa chevelure, mais avait exigé le cérémonial complet d'une coiffure nuptiale. Maintenant. A l'instant. Sans délai.

Quels étranges préparatifs de noce ! Quelle belle mariée la petite fiancée était devenue ! Lorsque la fureur de la tempête commença à retomber, elle était tout à fait prête. Pétrifiée, l'esclave la contemplait comme de très loin, et elle savait qu'elle était parfaite. Les démons du rire pouvaient désormais se déchaîner, pensa-t-elle ; ils ne pourraient plus ternir cette beauté.

Quand les démons attaquèrent, cela vint de l'intérieur. Les vannes cédèrent ; la digue fut brisée, irrémédiablement. L'Abyssinienne entendit le tonnerre produit par les sabots des démons et l'affreux bruit sourd des chameaux tombant à genoux, les voix sauvages des démons poussant leurs cris de guerre, les hurlements des mules frappées à mort. Elle vit les flammes gloutonnes des torches et entendit les ânes se cabrer et braire de douleur sous les coups de lance des démons. Le sang coulait à flots, et elle se mit à rire, à rire, et à rire encore, jusqu'à perdre connaissance.

Sheba l'esclave ne mourut pas pendant le raid, ni à cause de la brutalité des bandits ; la blessure qu'ils lui avaient infligée n'était rien en comparaison de celle dont elle souffrait depuis des années. Lorsqu'elle reprit conscience et connut que c'était son propre sang qui avait imprégné le sable au-dessous d'elle, elle sut aussi, avec un détachement clinique, qu'elle n'avait pas été violée. Elle sut que les rats étaient nés, toutefois, et qu'elle était en train de mourir. Et elle s'aperçut qu'il y avait là un homme qui mourrait bientôt s'il ne buvait pas.

C'était le religieux, le mollah. Il gisait à quelque distance, délirant de soif, entortillé dans un linceul sanglant comme s'il se débattait contre l'ensevelissement. Son turban était tombé, exposant des cheveux noirs blanchis par le sable, et sa tête saignait. Il était tellement jeune. La lune était jeune, elle aussi, et scintillait doucement sur les touffes d'herbe sauvage entre les dunes. Une mule d'âge indéterminé se tenait près de là dans les ténèbres mouchetées. Une âcre odeur de brûlé flottait dans l'air et Sheba l'esclave se sentait immensément vieille.

Le jeune homme implorait à boire. Avec une peine infinie, avec sa dernière once d'énergie et d'obéissance innée, elle détacha l'une des outres fumantes pendues sous le *takhteravan* qui finissait de se consumer et l'approcha des lèvres parcheminées de l'assoiffé. Elle lui souleva la tête avec beaucoup de difficulté et lui donna de l'eau.

"Bois", ordonna-t-elle. Sa compassion était rude. Elle prit garde de ne le laisser boire qu'un peu à la fois. Quand il avait des haut-le-cœur, elle écartait l'outre et attendait. En pareil cas, il faut réduire son désir à de minuscules goulées, sans quoi le corps se révolte contre cela même dont il a besoin. Il y avait longtemps qu'elle l'avait appris, quand elle était jeune, quand elle avait vu les conséquences d'une grande soif, quand elle s'était enivrée d'amour et avait bu à s'en rendre folle. Elle était vieille, désormais, le temps était venu d'utiliser sa sagesse. Il but à petites gorgées l'eau d'une écœurante tiédeur qu'elle lui portait aux lèvres et, à un moment donné, dans son délire, il lui baisa les mains. Elle n'avait plus l'énergie de s'en étonner.

Il s'endormit alors, ronfla même. Allongée près de lui, elle se demanda pourquoi elle n'était pas encore morte. Ce devait être un démon vengeur, conclut-elle, qui en avait décidé ainsi. Ce devait être le fatal démon des damnés qui avait entrouvert les portes du Schéol et invité les esprits du désespoir et du rire à habiter la terre, et qui l'avait maintenue en vie juste assez longtemps pour sauver de la mort un homme qui la haïssait, alors qu'elle avait été incapable de secourir la jeune fille qu'elle aimait. Ce devait être un démon ténébreux et terrible dont le fléau s'était abattu sur elle en châtiment d'un mal innommé qu'elle ignorait avoir commis. Qu'avait-elle fait ? Quelle mauvaise action méritait une telle punition ? Elle en chercha le nom dans le labyrinthe complexe de sa théologie personnelle. Mais elle ne pouvait penser qu'à une certaine perfection humaine, aux yeux verts soulignés de sombre antimoine, et dont la tête teintée au henné penchait tel un lys sur sa tige brisée. Une perfection humaine qui ne pouvait être nommée, et le mystère de sa destruction brutale. Au-delà de cet événement, aucune pensée n'était possible. Et là, elle se reposa, arrivée à la conclusion qu'elle ne croyait plus en Dieu. Voilà, songea-t-elle avec une certaine satisfaction, c'était cela, son péché.

Sheba l'esclave mourante cessa alors de penser, jusqu'au moment où elle vit le religieux en train de la dévisager. Il était à genoux. Il s'était réveillé et retrouvé étendu sur le sable à côté d'une femme à demi nue. Il la fixa d'abord sans la reconnaître. Elle avait perdu son voile, et son visage ravagé était exposé à la lumière de la lune. Elle baignait dans son sang. Alors il fondit en larmes. C'est à ce moment qu'elle lui donna la bague de cornaline que lui avait offerte une certaine perfection humaine, par pitié. Car il semblait avoir perdu sa foi en Dieu, lui aussi.

Par pitié, il la ramena près du puits, car il n'y avait nul autre endroit où aller. Elle mourait d'un mal qui la rongeait et ne pouvait faire un pas de plus. Aller de l'avant ou rebrousser chemin, cela revenait au même pour elle. Le puits était le lieu où l'enfer avait commencé, elle était donc satisfaite qu'il s'y achevât aussi. Avec une délicatesse infinie, il la souleva et la déposa sur la mule, car elle était trop faible, autrement. Dans un silence plein de sollicitude, il marcha près d'elle devant les carcasses brûlantes des chameaux et les corps étripés des malheureux pèlerins éparpillés entre les dunes. En silence, il guida la mule au travers des dernières heures de cette nuit. Une heure avant l'aube, ils atteignirent enfin l'oratoire en ruine et le puits. Mais ce n'est que lorsqu'ils furent arrivés qu'elle vit ce qui était sanglé sur la mule.

C'était la sacoche de l'ange.

L'esclave prit peur. Comment la sacoche avait-elle survécu alors que tout le reste était détruit ? Elle gisait dans la ruine, adossée à la margelle du puits, avec la sacoche à côté d'elle. L'esprit confus, à présent, et affaiblie par la peur autant que par la douleur, elle demanda au jeune mollah de lui donner l'un des ballots de soie qu'elle contenait. Il lui fallut longtemps pour l'ouvrir. Quand elle y parvint, elle découvrit qu'il contenait une mince feuille roulée portant une seule invocation. En frémissant de la tête aux pieds, elle le pria de la lui lire. Et c'est ce qu'il fit de sa voix nasale qui s'élevait dans le petit matin.

C'était une invocation à un mystère caché, une beauté bénie, un souvenir de compassion et de joie grâce auxquels la création entière serait réveillée et renouvelée. Quel souvenir ? songea-t-elle. Quelle beauté, quelle compassion et quelle joie ? De tout cela, il ne restait rien, assurément ?

La question l'occupa pendant le peu de temps qu'il lui restait à vivre. Elle se souvint de la compassion de sa mère, de sa propre joie à la naissance de son bébé et de la beauté de la petite fiancée. Et puis elle se souvint du mystère de destruction brutale qui avait effacé du monde la perfection humaine. Une destruction brutale au-delà de laquelle n'existaient plus de pensées. Et au moment où cette idée menaçait d'en démêler d'autres, elle se souvint aussi de sa pitié envers le religieux. Pure pitié envers le religieux trop humain. Et au souvenir de la pitié, son âme se mit à lui parler comme un filet d'eau courant sur les pierres sèches. Son âme chantait une petite chanson d'eau fraîche qui l'inondait par vagues, issue du puits. Elle lui rappelait la voix de sa mère qui lui chantait des chansons lorsqu'elle était encore une fillette libre, et sa propre voix chantant les mêmes chansons à son bébé mort. Elle était pleine de simplicité. Et l'idée la prit par surprise, entre ces vagues, que si sans doute elle n'avait pas été adultère, elle avait commis le péché bien plus grave d'idolâtrie.

Etait-ce cela, après tout ? La foi en une certaine perfection humaine était-elle un plus grand péché que le manque de foi ? Et dans ce cas, se demanda-t-elle, qui était assez immense pour lui pardonner cet immense péché ? Quelle pitié était assez grande pour comprendre et considérer avec compassion cette faiblesse trop humaine ? Où, en l'absence de Dieu, sous une lune indifférente, au milieu du carnage de l'embuscade et de la mort de la perfection, alors que la beauté était morte et qu'on ne pouvait plus penser à elle avant que fussent accomplies les cent années lunaires des anciens prophètes, où, et en quoi, et chez qui pouvait-on trouver un tel pardon sans limites ?

Elle-même ?

Le mystère en elle était vaste, et vaste fut sa surprise de s'en apercevoir. Ce ne fut pas par la pensée, exactement, qu'elle arriva à cette découverte. Ce fut autre chose que la pensée qui la rendit soudain limpide, consciente de la vérité de cette immensité qui existait en elle. Noble par le pardon, ancienne par le savoir, impérissable et éternelle.

Quand un derviche errant qui passait par là demanda au religieux le prix de la sacoche, elle la lui laissa gratis. Ensuite, ils firent ce qu'elle avait demandé : ils jetèrent son corps émacié au fond du puits asséché dans l'oratoire en ruine, et la couvrirent de pierres.

LE PÈLERIN

Le pèlerin était un vieil homme qui avait transcendé bien des peurs. Mais il en gardait une qui s'emparait de lui chaque fois qu'il se trouvait pris dans une tempête de sable. C'était la peur d'être enterré vivant, d'être étouffé par le sable et couvert de terre et de pierres. L'énigme de cette peur l'avait accompagné tout au long du chemin, du désert de Gobi au Nedjd, et il ne l'avait toujours pas résolue.

Le pèlerin avait cherché et trouvé mille clefs à cette énigme. Les tempêtes de sable étaient comme les paumes des mains, il n'y en avait pas deux pareilles. Chaque poignée de peur portait un nom différent. Certains principes généraux existaient néanmoins, toujours les mêmes pour rechercher la clef et pour nommer la peur. Si la tempête de sable indiquait le mouvement, on devait rester immobile ; si elle indiquait l'immobilité, comme celle qui frappa la caravane de pèlerins entre La Mecque et Médine, il fallait bouger. Mais immobilité et mouvement devaient être de l'espèce adéquate ; l'attraction vers le dedans devait correspondre à la poussée vers le dehors. Si la tempête indiquait ténèbres et froid, le pèlerin devait rechercher la bonne position de lumière et de chaleur ; s'il s'agissait d'une tempête mâle, il devait y réagir à l'aide des pouvoirs féminins appropriés. L'énigme de chaque tempête de sable était résolue par l'équilibre. Et dans l'équilibre résidait le secret du Bouddha.

"Il existe, ô moines, avait dit le Bouddha, un état où ne se trouvent ni terre, ni eau, ni chaleur, ni air ; ni infinité d'espace, ni infinité de conscience, ni néant, ni perception, ni absence de perception ; ni ce monde-ci, ni celui-là, ni soleil, ni lune. C'est l'incréé." Le pèlerin cherchait l'incréé afin de déchiffrer les tempêtes de sable, énigme de sa vie.

Cette fois, lorsque la tourmente s'abattit à quelques *farsang* de l'oasis du cinquième soir, sur la route de Médine, le vieux pèlerin sut tout de suite que pour annihiler la tempête de sable, pour la rendre incréée, il lui fallait se déplacer en direction du puits près duquel la caravane était passée à midi. Il lui fallait annihiler le chemin parcouru jusque-là et compter, pour le guider, sur la tempête dont il avait si peur. Il sentait cela dans la force du vent, il le déchiffrait dans la morsure des grains de sable sur sa peau. Il reconnut qu'il s'agissait d'une tempête mâle, et sut qu'il devait la résoudre à l'aide d'instincts femelles. L'énigme qu'elle posait, au creux du vent torride, correspondait au creux qu'il devinait au fond de son cœur. Il sentait le panneton de sa clef tourner à travers son être entier, du sommet de son crâne aux plantes cornées de ses pieds nus. C'est pourquoi, au lieu d'obéir au chef de la caravane et de se joindre au cercle des autres, il obéit à la tempête. Quelques minutes après son début, il abandonna la mule de l'Indien avec son fardeau et, serrant autour de lui ses robes flottantes, retourna dans la direction d'où ils venaient d'arriver. Vers le puits.

Rares étaient ceux qui connaissaient ce vieux pèlerin ou s'étaient souciés de l'aborder. Etant de la classe la plus pauvre, il avait marché à la queue de la caravane, avec les animaux de bât. Il ne possédait pas de chameau, et cette mule dont il avait hérité récemment ne lui appartenait pas. Il avait cheminé à côté d'elle tout l'après-midi, une main posée sur la sacoche qu'elle portait, mais il ne s'était pas assis dessus ; il ne voulait pas surcharger le pauvre animal. D'ailleurs, il était habitué à la sensation et à la texture du sable sous ses pieds calleux ; pour rester attentif aux buts de son pèlerinage, il avait besoin de sentir la terre sous lui. A présent, il flatta la mule et lui donna sur la croupe, au moment de la quitter, une claque affectueuse qui fit pousser à la bête un braiment d'approbation désolée, comme si elle lui faisait ses adieux. Ce bruit lamentable fut bientôt couvert par les hurlements de la tempête.

Personne ne le vit partir. Ils étaient tous blottis contre leurs animaux, têtes penchées et visages encapuchonnés d'étoffes protectrices. L'Indien, son seul ami, avait rencontré un autre destin plus tôt dans la journée et ne se trouvait plus avec eux. Il y avait aussi un derviche qui avait de temps en temps partagé avec lui un peu de pain et d'huile, mais lui aussi avait disparu depuis le milieu du jour et personne d'autre ne faisait bien attention au vieux bonhomme. Seul le jeune religieux qui l'avait harcelé à propos de ses prières au départ de La Mecque se rendit compte qu'une petite silhouette aux jambes torses se détournait du cercle protecteur de la caravane et partait en trébuchant dans la tempête. Mais il avait d'autres soucis et oublia bientôt, car le pèlerin disparut de sa vue.

Le pèlerin était un Ouïgour du nord-est de la Chine et parlait un curieux mélange de turc et de persan que peu de gens comprenaient. Il y avait bien des années qu'il voyageait lorsqu'il avait atteint les déserts d'Arabie et, si quelqu'un avait eu l'idée de l'interroger à ce sujet, il aurait pu prouver qu'il avait vécu plus de sept décennies, au nombre de dents qu'il avait perdues. A vrai dire, il en avait perdu tellement qu'il ne lui en restait qu'une. Personne n'avait manifesté, toutefois, le moindre intérêt envers lui ni envers ses dents depuis qu'il s'était joint à la caravane des pèlerins à La Mecque, pas même l'Indien qui lui avait légué sa mule. Dès lors qu'il avait été certain que le vieillard n'avait jamais d'argent sur lui, l'Indien lui avait témoigné de la gentillesse mais pas la moindre curiosité. Etant donné que le changeur était la seule personne dans la caravane qui comprît son langage mêlé, le pèlerin avait essayé de lui parler de sa philosophie de la vie et de la façon dont on devait dès quinze ans appliquer son cœur à l'étude, afin de pouvoir, à soixante-dix, obéir à la voix de ce cœur. Mais que ce fût parce que l'Indien ne savait rien de Confucius, ou parce que la diction du vieil homme était brouillée par l'absence de ses dents, l'autre avait cessé de l'écouter lorsque sa chronologie philosophique atteignait l'âge de quarante ans. Lorsqu'il avait entrepris son pèlerinage, l'Ouïgour était ridé comme une noix et chauve comme un œuf brun et luisant, mais il lui restait une dent avec laquelle il pouvait mordre profondément dans la vie. Et ses yeux, quand on les apercevait entre les rides plissées de son visage, étaient perçants comme des épingles et tout aussi brillants.

Comme il parlait peu et préférait se servir de ses yeux, il remarquait beaucoup de choses que les autres ne voyaient pas. L'une de ces choses était que le derviche, qui parfois s'attardait à marcher en sa compagnie à la queue de la caravane, avait teint en noir, à l'aide d'antimoine, sa barbe et ses cheveux. Il y avait aux racines un éclat qui trahissait une blondeur étrangère. Cet homme était un charlatan. Il faisait très bien le derviche, il en avait appris tous les gestes et toutes les incantations et parlait l'arabe aussi bien que le persan mais le vieillard, qui avait vu bien des choses, le trouvait suspect. Il en avait rencontré, des personnages aux yeux glacés comme les siens, dans les hauts cols de Kachgar et dans les montagnes de la Perse occidentale, chez les Bakhtyârî. Sous le masque de piété de cet individu, il devinait un singe politique. Et plus que de tous les autres pèlerins, y compris le religieux qui souhaitait le voir étripé, c'était du derviche qu'il se méfiait.

Le pèlerin était né dans la province du Hsin-kiang, au nord-ouest de la Chine, dans le bassin du Tarim au-dessus de l'ancien lac salé de Lob-Nor. C'était une contrée aride et nue, qui gardait son passé aussi bien caché que ses futurs secrets. Son peuple était un peuple de fermiers des basses plaines de l'oasis de Tourfan, à l'origine de l'antique route de la soie, et ses ancêtres manichéens avaient été, il y avait bien des siècles, convertis par les Turkmènes. Bien qu'il fût d'abord sunnite et eût vécu ensuite dans les steppes mongoles, ses convictions musulmanes avaient été tempérées par les philosophies bouddhistes car, dans sa jeunesse, il avait décidé de devenir moine et avait étudié dans le Nord du Tibet. C'est ainsi que par la patience et la pratique, grâce à la discipline et à la détermination, il avait surmonté toutes les peurs sauf une : il s'était adapté à de nombreuses énigmes de transformation, mais pas encore à celle qu'entraînait l'annihilation

Cet Ouïgour avait rêvé dans sa jeunesse que le pays de ses pères deviendrait un jour un désert mortel, aussi désolé que la lune. Dans son rêve, il comprit qu'il avait pour destin de faire sortir son peuple de cette région funeste avant qu'il fût trop tard. En vérité, c'était ce rêve qui avait fait naître en lui le désir de devenir moine. Lorsqu'un vieux maître chinois, dans son monastère, lui avait cité la parole de Confucius : "Le matin, entends la Voie ; le soir, meurs content", il avait d'abord cru avoir trouvé la réponse à son rêve. Il pensait que c'était dans le contentement que son peuple devait vivre et également mourir, puisque rien n'était plus désolé ni plus mortel que la lune du mécontentement. Cela avait l'air assez simple, mais la solution au sort de son peuple semblait plus complexe que cette sorte de simplicité ; elle paraissait aussi énigmatique que le problème lui-même. Car dans son rêve, il lui avait été donné à comprendre que la "Voie" à suivre pour échapper à la désolation passait par un désert ; elle attendait, tel un ruisselet de vif-argent dans un cercle de sable. C'était une solution directement liée au problème. Ne voyant guère de différence entre désert et désolation, entre la résolution dans l'un et l'annihilation dans l'autre, l'Ouïgour s'était senti quelque peu déconcerté par son rêve et ne sut pas, d'abord, comment s'y prendre.

Il avait, dans sa jeunesse, une tournure d'esprit littérale. Pendant plusieurs années, il ratissa le désert de Gobi, de façon assez décousue, à la recherche de ruisselets, mais la seule "Voie" qu'il y trouva passait entre les bras de vif-argent d'une bergère mongole qu'il aperçut un beau jour au milieu du troupeau de chèvres de son père et désira aussitôt. C'est alors que, sans hésiter, il abandonna le monastère et renonça à sa quête.

C'est alors qu'il décida d'ignorer l'aspect délétère de prophéties à venir en faveur d'un présent plus fertile. Il n'avait pas peur de la vie et passa plusieurs années à engendrer des fils, à élever des chevaux et à garder des moutons dans les steppes de Mongolie. Il oublia même son rêve jusqu'à la mort de sa femme. Mais quand cela arriva, il avait déjà commencé à perdre ses dents et à nommer sa peur.

Sa femme lui avait donné neuf enfants vigoureux qui tous avaient survécu mais, après qu'elle fut morte, l'Ouïgour goûta sur ses lèvres le sel d'un désert privé de vie. Ses jours lui paraissaient aussi arides que la lune. Et alors, pour la première fois depuis bien des années, il se rappela son rêve. Il se rappela l'annihilation délétère qui attendait son peuple et se sentit animé d'un sentiment d'urgence qu'il n'avait encore jamais éprouvé. Il réunit ses fils, leur donna sa bénédiction, partagea entre eux ses chèvres, ses moutons et ses chevaux et reprit la quête qu'il avait abandonnée dans sa jeunesse. Si c'était dans un désert qu'on pouvait trouver la "Voie", il décida de chercher dans tous les déserts connus de l'homme, malgré sa peur. Il reprit alors sa quête entre les dunes de Gobi, mais il avait l'esprit moins littéral à présent et s'aperçut que ce désert était devenu celui de son deuil.

Après deux ans de chagrin stérile dans la désolation de Gobi, l'Ouïgour revint à Tourfan et s'en fut sur les traces de ses ancêtres. Pendant des jours et des nuits, il marcha sans eau dans le Takla Makan et entendit résonner plaintivement sur les sables les accents de voix désincarnées et d'instruments à cordes. Il fut poursuivi par les doigts avides et les mains brutales de guerriers ensevelis et entendit rouler leurs tambours entre les dunes grondantes. Cheminant sur l'ancienne route de la soie, il alla vers Tachkent en passant par Yarkand. Il chercha dans les monts Altaï, au Kazakhstan, et vécut avec les nomades des plaines de Touran. Il rencontra bien des tempêtes de sable, et rassembla les clefs innombrables d'autant d'énigmes. Mais tous ces chemins le menèrent plus avant dans la solitude et le doute. Par tous ces chemins, il fuyait sa peur. Quand enfin il atteignit les bassins de sel et de sable du Dasht-e-Kavir et du Dasht-e-Lout, au nord-est de la Perse, il touchait aux frontières d'un désert de cynisme et n'était pas certain de trouver jamais la "Voie" par où sortir son peuple de cette maudite désolation.

Ce fut le cœur lourd qu'il dirigea ses pas vers la péninsule arabique. Il décida de revêtir à nouveau ses robes de moine pour se faire pèlerin sur la route de La Mecque, car s'il avait perdu presque toutes ses dents, il n'avait pas perdu la foi. Bien que la peur le saisît à la gorge pendant la tempête de sable, il avait toujours les yeux vifs à force de chercher le vif-argent. La route de la soie s'étendait encore devant lui, elle continuait jusqu'au Sahara. Mais il savait que si les déserts d'Arabie ne lui montraient pas la "Voie", il ne lui resterait rien à explorer avant de mourir, que le désert du désespoir. Et il se sentait le cœur lourd pour l'avenir de son peuple.

*

Le pèlerin était resté sur son quant-à-soi depuis qu'il avait quitté La Mecque. Sa présence dans la caravane était aussi effacée qu'une absence.

Quelques-uns, en l'entendant marmonner ses prières, avaient chuchoté que c'était un infidèle, car il pratiquait ses dévotions d'une manière que nul ne reconnaissait. Il semblait ironique qu'il eût excité la suspicion des pieux, lui et non le derviche. Le jeune religieux s'apprêtait à le faire lapider à mort, mais le changeur était intervenu en assurant aux pèlerins que ce vieillard inoffensif était aussi bon musulman que lui-même. Ceux qui s'étaient trouvés en même temps que lui à La Mecque témoignaient qu'il avait accompli son *hadj* avec une exactitude scrupuleuse à tous égards, sauf le dernier jour du sacrifice, où personne ne l'avait vu. On observa qu'il ne mangeait pas du tout de viande. A vrai dire, c'était à peine s'il mangeait : un peu de pain trempé d'huile, quelques dattes et du fromage de chèvre. Il parlait rarement, et seulement pour subvenir à ses besoins quotidiens, qui ne se montaient pas à grand-chose. En vérité, la plupart des gens lui faisaient don de nourriture en échange des remèdes qu'il préparait, car le pèlerin était capable de guérir bien des maux. L'un des talents qu'il avait acquis au cours de son existence était l'art de guérir et il utilisait cet instinct pour soulager ses compagnons de voyage. Il se montrait aussi discret en cette activité qu'en toute autre, et proposait toujours ses remèdes comme s'il était gêné qu'ils fussent nécessaires. Il fut donc compté au nombre des fidèles et échappa à la colère du mollah trop zélé.

Il gardait sur lui pendant ses voyages une réserve de remèdes et il avait appris, dans tous les déserts qu'il avait traversés, à trouver des substituts et à adapter son savoir aux maladies endémiques dans chaque région. En vérité, ce talent qu'il avait pouvait expliquer la survie de ses fils car il les avait protégés de la mort par la justesse de ses diagnostics et guéris de leurs maladies à l'aide des remèdes qu'il préparait avec les herbes des steppes mongoles. Ils étaient rarement malades. Quand sa femme était morte, ce n'était pas non plus de maladie. Elle l'avait simplement regardé, dans leur lit, un matin, les joues aussi roses qu'à l'heure où il les avait embrassées pour la première fois, et elle avait dit : "Je suis fatiguée." Là-dessus elle lui avait tourné le dos, comme en dormant, et elle était morte. La douce brise du printemps qui démêlait ses cheveux ressemblait à un souffle humain, mais elle venait de T'ien, le Mandat du Paradis. Il ne se pardonna jamais de ne pas avoir reconnu la proximité de son immortalité et comprit alors qu'il ne suffisait pas d'avoir maîtrisé l'art de diagnostiquer la mort.

Lorsque, quittant le Royaume du Milieu, il dirigea ses pas vers les neuf districts du Divin Continent de la Région Rouge qui constituaient le monde, le pèlerin savait que pour se guérir de la mort de sa femme il lui faudrait explorer tous les déserts. Il savait aussi que tant qu'il n'aurait pas trouvé la prescription pour sa propre immortalité, il ne pouvait espérer guérir les maux d'autrui. Et en scrutant les énigmes d'un millier de tempêtes de sable, il comprit aussi qu'il ne serait jamais capable de sauver son peuple du poison de son rêve s'il ne surmontait pas sa peur. L'antidote de la peur se cachait quelque part dans la région de la confiance. Mais où était-ce ?

Ses yeux perçants cherchèrent les signes de confiance qui lui avaient échappé auparavant et en firent son souci principal. Car, le pèlerin le savait, l'Homme Supérieur avait neuf soucis. S'il s'agissait de voir, le souci de voir clairement. S'il s'agissait d'entendre, le souci d'entendre distinctement. S'il s'agissait de son apparence, le souci d'être bienveillant. Dans son comportement, il se montrait respectueux, en paroles, loyal, dans son travail, diligent. Dans le doute il cherchait à s'informer et dans la colère il se souciait des conséquences. Et, enfin, il devait avant tout s'assurer que la poursuite d'un profit était compatible avec le bien. S'il parvenait à guérir en suivant cette "Voie", il pensait qu'il pourrait peut-être protéger son peuple du poison et trouver une prescription pour sa peur.

Mais dès le début de ce voyage-ci, le pèlerin eut l'impression d'avoir échoué. Non seulement il n'avait pas réussi à devenir un "homme supérieur", il était aussi devenu un *xiao ren*, un être ignoble et inférieur, car au cours de tous ses voyages il n'avait encore jamais traversé pire désert que celui de ce pèlerinage. L'abîme auquel il avait été confronté à La Mecque l'avait presque anéanti. Bien qu'il se fût obligé à respecter tous les rites et rituels, il avait eu la tentation de réduire à rien ses efforts en se détournant du saint des saints et en prenant la fuite. La paralysie due à l'échec qui en résultait, avec cette sensation de vide sans fond, le porta au nadir de sa peur des tempêtes de sable. Il diagnostiqua dans son *hadj* sa mort spirituelle.

Pis que tout, il avait tenté trois fois, après cela, de guérir autrui pendant le voyage vers Médine, et il n'avait pas réussi. Il n'avait pas réussi à poser le bon diagnostic quant à l'état de ces trois personnes. A vrai dire, ces trois tentatives s'étaient passées le même jour : ce même jour où avait éclaté la tempête de sable. Une partie de l'énigme de cette tempête résidait dans son triple échec, il en était certain. Et sa clef se trouvait dans le puits.

C'est la prise de conscience soudaine de ce fait, au moment où éclatait la tempête, qui le poussa à faire demi-tour et à revenir sur ses pas vers le puits. A présent, face à sa peur, avec le vent qui lui perçait les yeux, il remonta en pensée vers le début de cette journée et décida de rendre, un par un, ses échecs incréés. "L'incréé, selon Bouddha, ne vient ni ne va ni ne reste immobile…"

Cela n'avait pas si mal commencé. Il avait été éveillé dès l'aube par la voix de sa femme qui l'appelait par son nom. Et il y avait de la rosée cachée dans les replis de sa peau. Il y vit une bénédiction. Et puis la routine de la vie était intervenue. Le religieux avait lancé son bataillon de prières matinales, comme d'habitude, à l'assaut du soleil levant, et malgré les protestations des chameaux et la réticence des mules dolentes à reprendre leurs fardeaux, la caravane fut bientôt remise en marche. Il y avait trois jours déjà qu'ils voyageaient depuis La Mecque, celui-ci était le quatrième. Un convoi nuptial s'était joint à eux, avec son entourage de soldats turcs, et le derviche était devenu plus évasif que jamais. Il leur faudrait neuf jours encore pour arriver à Médine et le cadavre, pensait le pèlerin, en serait certes soulagé car il avait grand besoin qu'on l'enterre dans le cimetière de cette ville.

Le pèlerin avait pitié du cadavre ; celui-ci était devenu la cible de toutes les récriminations. Au lieu de prier pour l'âme du défunt, les pèlerins maudissaient la puanteur qu'il répandait. L'Ouïgour possédait sa méthode à lui pour se protéger de l'odeur agressive. C'était un baume aromatique, à base d'onguents d'eucalyptus et de gingembre, dont une pincée dans les narines bannissait toute autre senteur. Ainsi enveloppé dans sa propre fragrance, il pouvait se permettre de chuchoter quelques pensées de paix à l'intention du malheureux cadavre dont le cercueil de piètre facture se déboîtait sur le dos cahotant d'une mule. Il priait pour sa décomposition efficace et sa libération rapide dans la chaleur étouffante.

Il n'avait pas manqué à ses obligations envers le mort, car celui-ci se trouvait hors de portée de tous remèdes, mais il y avait manqué envers trois autres âmes vivantes. Le grand Tao a dit : "Sois bon envers celui qui n'est pas bon, car ce qui est bon, c'est la vertu, et sois fidèle à l'infidèle, car la vertu elle-même est fidèle", et le pèlerin était douloureusement conscient de ses manquements. L'Indien, qui faisait partie de l'escorte accompagnant la fiancée à Damas, avait été le premier des pèlerins à se montrer amical envers l'Ouïgour depuis qu'ils avaient quitté la ville sainte. Par un tour ironique des choses, c'était aussi le premier qu'il n'avait pas su aider. Bien que l'Indien ne fût ni bon ni fidèle, il s'était fait l'avocat du vieillard devant la menace de lapidation. L'Ouïgour n'avait rien à offrir en échange de cette intervention, que des onguents pour une migraine ou des poudres pour une douleur d'estomac, mais il éprouvait de la reconnaissance envers le changeur et cherchait une occasion de la manifester. Au cours de cette quatrième matinée, une heure à peine après que la caravane avait quitté le petit caravansérail, un incident se produisit qui entraîna l'arrêt en plein désert du train entier de chameaux, de mules, d'animaux de bât et de pèlerins. Peu après cette halte imprévue, une chose terrible arriva au changeur. Un accident que, non seulement, le pèlerin avait été impuissant à détourner mais, pire encore, dont il se sentait entièrement responsable.

Ils ne se trouvaient nulle part, n'avaient atteint aucun lieu où le chef de la caravane aurait en temps normal décidé de faire halte, quand la crise était survenue. Loin devant eux, les yeux perçants du pèlerin distinguaient une haute falaise qui s'élevait au nord de la route. Plus bas, vers la droite, dans les lointains brumeux, il crut apercevoir un affleurement rocheux ou peut-être une ruine, mais encore à un bon *far-sang* de distance. Comme il se protégeait les yeux de l'éclat du ciel, il lui sembla deviner des silhouettes d'hommes dressées en haut de la falaise. En nombre assez important. Bandits ou voleurs, sans doute. Le pèlerin avait eu à faire à tant de bandits au cours de ses voyages qu'il ne les craignait plus. C'était pour cela qu'il n'avait pas d'argent sur lui et ne se procurait son pain que par le troc de baumes et d'onguents : afin de ne pas donner aux bandits une raison de le tuer. Mais la présence de brigands était préoccupante pour tous ses compagnons de voyage, surtout les membres les plus riches de la caravane. Il décida d'aller chercher l'Indien et de l'avertir de ce qui les attendait. Lui préviendrait sûrement le chef de la caravane et recommanderait aux cha-meliers de n'avancer qu'avec prudence.

La raison de l'arrêt brutal de la caravane ne paraissait pas claire. Certains disaient qu'un inci-dent s'était produit parmi les femmes du convoi nuptial. D'autres affirmaient que c'était à cause du cadavre, dont l'odeur devenait si infernale qu'il fallait le reléguer à l'arrière. Quand le pèlerin eut enfin réussi à se frayer un chemin entre les gardes vociférants et les muletiers en colère jusqu'à la tête de la caravane, il trouva l'Indien en conversation avec la grande et mince Abyssinienne qui était l'esclave de la jeune fiancée. Le pèlerin ne l'avait que rarement aperçue. Elle était d'une discrétion extrême et ne se mêlait pas aux autres pèlerins. Elle restait la plupart du temps enfermée dans la litière nuptiale, mais voilà qu'elle se tenait soudain debout devant l'Indien au milieu des protestations des mules et des chameaux, le bras tendu vers l'avant. Vers les falaises, au nord.

La coïncidence paraissait étrange. Le pèlerin se demanda si elle avait vu, elle aussi, les silhouettes de brigands dessinées sur le ciel en haut de la falaise. Il s'efforça de regarder et ne vit plus rien, à présent. S'ils s'étaient trouvés là quelques minutes plus tôt, ils s'étaient dispersés, à moins qu'il ne les eût rêvés. Mais l'esclave, le doigt tendu, semblait envoyer l'Indien dans cette direction. Pourquoi faisait-elle cela ? Il les observa attentivement, tous les deux. Il y avait dans ce dialogue quelque chose qui affectait ses cordes sensibles. Qu'était-ce ?

Et alors cela lui apparut, comme un golfe béant à ses pieds. Cela lui apparut avec l'odeur de sa propre peur. Il flairait ici l'odeur de la mort. Il diagnostiqua qu'il s'agissait de celle de l'Indien.

Lorsqu'il vit le changeur enfourcher sa mule et s'en aller vers la falaise, le vieux pèlerin se mit à lui courir après en criant dans son langage : "Arrête ! implorait-il. Tu t'en vas vers ta mort ! J'ai vu des bandits là-haut et, où que tu ailles, ils te verront. Ils te tueront. Méfie-toi de cette route ! Reviens !"

Mais le changeur ne l'écoutait pas. Il poursuivit son chemin, sourd aux appels désespérés du vieillard, en ne se retournant qu'une fois afin de lui faire signe, comme pour rassurer par la promesse de revenir un enfant faible d'esprit. Le pèlerin sentit en lui un terrible effondrement de désespoir. Il suivit la mule pendant plusieurs centaines de mètres, en appelant encore, en suppliant l'Indien de revenir, en lui disant que c'était la mort, la mort qui se trouvait là, devant lui, la mort qui l'attendait pour le saisir. Mais en vain. La mule déhanchée portant son considérable fardeau continuait avec obstination et s'effaça dans la chaleur de l'horizon. Le pèlerin resta planté dans le désert à appeler jusqu'à ce que la voix lui manquât et que la silhouette du changeur eût totalement disparu. Alors il pencha la tête vers le sable.

C'était là son premier échec. Mais le deuxième était pire encore, car il impliquait une plus grande perte de confiance. D'y repenser, à présent, dans la tempête de sable, ce souvenir le fit frissonner en dépit du vent torride. La peur l'étreignit de toutes parts entre ses bras brûlants et le prit à la gorge et l'étouffa et le suffoqua. Il avait les yeux encroûtés par sa fureur et le cou étranglé entre ses doigts, et pourtant il sentait qu'il se dirigeait dans la bonne direction pour annihiler sa journée. Il se força à penser à son deuxième échec et continua d'avancer comme la tempête le lui dictait.

Après être revenu sur ses pas jusqu'à la caravane, il s'était aperçu que la querelle à propos du mort et des femmes avait été suspendue. Le chef avait donné ordre de se remettre en route et avait promis que les deux questions seraient résolues dans peu de temps. Comme une concession spéciale à tous les pèlerins qu'offensait la puanteur de la mort, le chef de la caravane avait promis d'aborder le problème du cadavre à l'oratoire en ruine qui se trouvait sur leur route, à un *farsang* de là. Il n'y avait pas d'eau dans le puits, apparemment, mais en concession supplémentaire à l'entourage de la fiancée, le chef avait accepté que la caravane y fît halte pendant que les dames arrangeraient leurs affaires. Le religieux était furieux et s'efforçait de fomenter une protestation générale contre cette décision.

Le pèlerin ne savait pas comment avertir le chef de la présence de bandits devant eux, car l'homme était excédé et ne voulait plus écouter ni protestations ni demandes. Il faudrait pour l'approcher de la diplomatie et un langage approprié. Vers qui se tourner, maintenant qu'il avait perdu son avocat ? Quelle que fût sa langue maternelle, le derviche ne désirait manifestement pas reconnaître celle de l'Ouïgour ; on pouvait obtenir de lui du pain et de l'huile, à la rigueur, mais il était plus avare de paroles. De toute façon, le pèlerin l'avait vu s'éloigner en douce dans les dunes et il avait disparu peu après l'arrêt imprévu de la caravane. Ce personnage partait souvent en courses indéterminées et en missions incertaines, pour réapparaître ensuite, plus loin, sur la route, en se glissant à la queue de la caravane, tel un repentir de dernière minute. Si on l'interrogeait, il prétendait avoir médité. Qui d'autre pouvait aider le pèlerin à avertir le chef de la caravane ? Il fallait renoncer.

Le religieux, lui, ne paraissait pas près de renoncer à sa croisade contre les femmes de l'équipage nuptial. Il passa le reste du trajet, ce matin-là, à essayer de soulever les pèlerins, tandis qu'ils approchaient de l'oratoire en ruine, à protester contre les délais forcés imposés à la caravane entière par ces infidèles sans dieu, et à exiger leur séparation immédiate des autres voyageurs. Il fit une longue dissertation sur la pureté et les tombes ; il s'indigna de la présence blasphématoire de femmes impures sur cette route sacrée. Elles avaient leur propre escorte, disait-il avec violence. Qu'elles s'en aillent ! Qu'elles cessent de souiller la compagnie des purs par leurs appétits immondes. Le poids de cette accusation semblait provenir d'une certaine association sacrée, là, devant eux, qui allait être irrémédiablement violée par la présence du convoi nuptial.

Le pèlerin remarqua que ce jeune homme infortuné souffrait d'une maladie de la peau qui lui laissait sur le visage et les mains de méchantes croûtes et des squames irritantes. Il remarqua aussi, à l'odeur de son haleine et à la couleur du blanc de ses yeux, qu'il était déshydraté à l'extrême. Il avait presque l'air inflammable : tellement en colère et tellement sec. Le vieux guérisseur ne diagnostiquait pas encore son décès dans ce malaise, mais il décida que lorsqu'ils s'arrêteraient, il essaierait de proposer au pauvre garçon un minimum de soulagement. S'il n'avait pas réussi à avertir l'Indien de sa mort, il pourrait au moins rendre moins misérable la vie de ce compagnon de pèlerinage. Quel mal y avait-il à cela ?

Mais lorsqu'ils arrivèrent au puits, environ une heure plus tard, la vie prit sans son intervention un tour meilleur pour tout le monde. Sauf pour le religieux. On découvrit en effet qu'un nouveau puits avait été creusé près de l'ancien dans l'oratoire en ruine et la jubilation fut générale. Chacun profita de l'occasion offerte par les femmes pour célébrer l'eau. Les arguments du jeune dévot perdirent toute valeur. On remplit les outres, les récipients débordaient, les gens s'inondaient de la tête aux pieds, et seuls les chameaux et les mules se plaignaient, car le chef de la caravane avait déclaré qu'on ne resterait pas assez longtemps pour pouvoir abreuver tous les animaux. Le religieux se tenait à l'écart, cependant, tout raide, et refusant de boire quoi que ce fût qui sortait du puits. Ses raisons n'avaient manifestement rien à voir avec la sympathie envers les bêtes.

Le pèlerin s'approcha avec hésitation du malheureux jeune homme. Celui-ci marchait de long en large en marmonnant dans sa barbe. Il se mordait les lèvres, qui étaient déjà craque-lées et en sang. Les mouches l'importunaient, agglutinées autour des plaies ouvertes sur son visage et ses mains. Le pèlerin pensa aux fronts clairs de ses fils et son cœur se serra de pitié pour ce garçon.

Il tendit les deux mains vers le jeune religieux. Il avait appris de son expérience des tempêtes de sable que les paumes ouvertes présentaient le message le plus clair ; en l'absence de langage, ce geste exigeait le moins d'interprétation. Sur chaque paume ouverte, il offrait donc au reli-gieux sa guérison. Sur la droite, une tasse d'eau fraîche juste tirée du puits ; sur la gauche, une petite boîte contenant une crème blanche spé-ciale faite de poudre de zinc mêlée d'huiles et d'essences de sa fabrication. Doucement, dans sa propre langue, il expliqua au jeune homme que son corps avait besoin d'eau et son âme de sérénité avant qu'il pût prier comme il convient. Calmement, il lui conseilla de boire et de se servir de sa pommade.

Mais il avait sous-estimé le mauvais caractère du religieux et sa méfiance. Avec un juron grossier qui seyait mal à sa dignité, le jeune homme envoya la tasse sur le sable et cracha au visage du vieux pèlerin. Après quoi il partit à grands pas, tel un cormoran furieux, avec ses robes noires raidies par le sable et les mouches qui le poursuivaient dans une orgie de délices. Sa misère était plus absolue que celle du cadavre. Peu après, sa voix criarde et nasale se fit entendre par-dessus toutes les autres, auxquelles il ajoutait ses récriminations auprès du chef de la caravane contre les gardes, le cadavre, le pèlerin suspect et, surtout, les femmes, bien que nul ne fît attention à lui. De toute évidence, il avait besoin de tempêter et de fulminer, à n'importe quel sujet. Et, assurément, il ne désirait pas qu'on l'aide.

Le pèlerin avait à peine surmonté la honte de ce deuxième échec quand le premier revint à la vie. Il achevait de s'essuyer le visage lorsqu'il fut confronté à la soudaine réapparition de l'Indien. Mais le changeur était-il vivant ? Du sang lui coulait de la bouche, avait trempé sa chemise et s'étalait sur son ventre. Il avait les yeux vitreux et fous. Il portait une sacoche entre ses bras et son regard passa sans le voir à travers l'Ouïgour. Le vieux pèlerin réalisa avec stupeur qu'il avait, d'une manière ou d'une autre, échappé à la mort.

Il regarda, fasciné et inquiet, l'Indien remettre son fardeau à l'esclave abyssinienne qui avait soulevé le rideau de la litière. De plus en plus étonné, il le regarda se détourner d'elle et marauder entre les mules du convoi nuptial. Il regarda, abasourdi, l'Indien qui chargeait sur son dos un gros sac de charbon de bois – lui qui n'avait jamais daigné porter le moindre poids et réclamait pour tout ce dont il avait besoin l'assistance de la flottille de valets de pied de la fiancée –

et il se sentit consterné quand il le vit repartir en titubant vers la fatale falaise.

C'est alors que le pèlerin vit les oiseaux de mort planer en cercles au-dessus de la paroi rocheuse. Ce n'était pas la mort de l'Indien qu'il avait pressentie mais celle de quelqu'un d'autre. En réalité, ce n'était pas du tout la mort qu'il avait diagnostiquée chez cet homme, mais la proximité de l'immortalité. Car il semblait avoir marché dans la mort et en être ressorti ; il avait découvert sous ces falaises quelque chose de plus terrible et de plus merveilleux que la mort. C'était là qu'il se dirigeait à nouveau.

Quand il lui avait couru après, l'Indien avait repoussé l'Ouïgour avec fermeté mais gentillesse. Il s'était retourné, avait ramassé les rênes de la mule qu'il montait d'ordinaire et les avait fourrées sans cérémonies dans les mains du vieillard. Le pèlerin vit alors que l'Indien avait eu la langue coupée, et il entonna une lamentation funèbre, ainsi qu'il l'avait déjà fait. Il comprenait que l'Indien était devenu un fils du Ciel et que seul T'ien le connaissait désormais.

Au souvenir de l'impression d'échec qu'il avait éprouvée à ce moment, le pèlerin se courba sous le poids de la tempête de sable, qui déversait sur sa vieille tête nue sa charge d'énigmes effrayantes. Qu'elle lui semblait amère, son impuissance à protéger du désert de l'éternel silence son unique porte-parole ! Qu'il avait été aveugle à la "Voie" de l'Indien ! Par quelle fatale confusion n'avait-il pas vu la différence entre la mort et l'immortalité, cette fois encore ? Mais le pire était encore à venir.

Car tandis que l'Ouïgour se tenait là, près du puits, avec les rênes de la mule dans une main et sa petite tasse dans l'autre, tandis que la discussion faisait rage encore à propos du cadavre et que

tout autour d'eux les pauvres animaux attendaient, assoiffés, une silhouette sortit de la litière
de la fiancée. Une silhouette fragile et mince, à
l'ossature délicate, enveloppée d'un voile qui ne
pouvait cacher la terrible tache qui s'étendait
au long de ses jambes. C'était l'esclave, et le pèlerin sentit sur elle l'odeur incontestable de la mort.

C'était donc là son troisième échec. Il avait
bien diagnostiqué la mort pendant leur dialogue,
mais il s'agissait de celle de l'esclave, non pas de
celle du changeur. Et il avait senti, aussi, la
proximité de l'immortalité qui, chose étrange,
avait appartenu au changeur et non à l'esclave.
Et il avait commis l'erreur fatale d'aborder le
religieux, qui n'était ni prêt pour la mort, ni préparé à l'immortalité, et il avait donc gaspillé ses
chances de confiance avec trois âmes humaines.
De tous les déserts qu'il avait connus, le sentiment de honte que provoquaient en lui ces
échecs était le pire. Et il n'y avait pas le moindre
éclat de vif-argent pour l'aider à en sortir.
La seule chose qu'il pensa pouvoir faire en ces
circonstances fut d'offrir un soulagement tem-
poraire à la femme qui venait de s'effondrer près
du puits, car il ne lui fallut pas longtemps pour
savoir qu'il ne possédait pas de remède à son
mal. Il l'allongea contre les pierres fraîches et
trempa sa petite tasse dans l'eau jaillissante. Elle
revint à elle en buvant. Et alors il lui donna la
seule médecine qu'il possédât pour quelqu'un
dans son état : la traditionnelle médecine fémi-
nine. On s'en servait, à l'exception de ce mal
ultime, pour tous les maux dont les femmes
étaient réputées souffrir. On l'utilisait souvent
pour les femmes stériles et pour celles qui n'auraient plus jamais d'enfants. Il avait préparé sa

version personnelle de cette pâte bienfaisante, et il l'offrit à l'esclave à sa façon habituelle : telle une noix sombre sur sa paume ouverte.

Elle l'avait reçue avec une totale simplicité. Après avoir bu, elle avait tendu sa main étroite, tatouée de marques bleues, et porté la pâte à ses lèvres. Elle avait levé son voile très simplement aussi, lui révélant les ravages de la variole sur son visage. Pourquoi avait-elle fait cela ? Il repensait à son état et réévaluait sa maladie, il imaginait le genre d'existence qu'elle devait avoir vécu pour en arriver là, et il se sentit déconcerté par la simple confiance qu'elle lui avait témoignée à cet instant. Qu'était-ce qui l'avait provoquée ? Pas son geste à lui, bien sûr, car l'épisode avec le religieux démontrait bien que ses gestes ne pouvaient garantir la confiance. D'ailleurs, la mort corrodait les forces vitales de cette femme et c'était une mort due précisément à une complexité torturée de doute et de dégoût de soi, par la perte du simple amour de la vie. Là, son diagnostic fut rapide et sûr. Elle mourait d'une foi brisée. Alors comment se faisait-il qu'elle eût accepté son remède avec tant de simplicité ? Comment pouvait-elle lui faire confiance, en dépit de son état ?

Tout en tâtonnant à travers les vents cinglants de la cruelle tempête, le pèlerin s'interrogeait encore sur cette question et se rendait compte qu'il était perdu.

Qu'est-ce qui avait permis à cette femme d'accepter son aide ?

Il n'arrivait pas à le comprendre ; il était perdu.

Comment sa pâte eût-elle pu être de la moindre utilité sans la simplicité avec laquelle elle l'avait acceptée ?

Il était déconcerté, irréversiblement perdu.

Où avait-elle trouvé ce dont le manque était cause de sa mort ?

Il ne savait pas si le puits se trouvait devant ou derrière lui. Il ne croyait pas qu'il y eût de commencement ni de fin à cette tempête de sable qui le cinglait avec une soudaine fureur triomphante. Les mains de la tempête l'empoignaient, l'étranglaient. Sa peur le submergea. Il était perdu, au-dedans et au-dehors.

Et pourquoi lui avait-elle donné la sacoche ?

A l'instant où il se rappela la sacoche, le pèlerin comprit que c'était parce que la femme lui avait donné la sacoche près du puits qu'il devait à présent y retourner. Se pouvait-il que la sacoche contînt la clef de cette tempête de sable ? C'était cette même sacoche que l'Indien avait portée dans ses bras ; cela, il en était sûr. C'était la sacoche qui l'avait guidé sur le dos de la mule pendant toute la matinée. Après avoir mangé le remède noir pour les femmes, en toute simplicité, l'esclave lui avait donné cette sacoche.

Il savait qu'elle n'en avait que pour trois ou quatre heures au plus avant que les douleurs et les hémorragies ne reprennent. Et tandis que ses forces lui revenaient lentement, elle avait tâtonné à ses pieds et soulevé la sacoche à grand-peine. La sacoche lui était tombée des bras quand elle s'était évanouie, et à présent elle la lui tendait en insistant pour qu'il la prenne. Elle le suppliait de la garder. Il comprit ce qu'elle disait de façon déformée, car il avait appris l'écriture amharique au monastère de Labrang. Mais bien que la signification des sons eût survécu au passage, il avait eu un mouvement de recul horrifié en voyant sur le cuir le sang de l'Indien.

Elle avait insisté, néanmoins. Elle s'était remise debout et, en titubant, avait posé la sacoche sur la mule de l'Indien. Et puis, le laissant avec cet étrange héritage, elle était partie à ses affaires. Qui consistaient à construire un feu afin de chauffer de l'eau pour sa maîtresse.

Le vieil homme se retrouva héritier d'une mule qu'il ne monterait jamais et d'une sacoche qu'il n'utiliserait pas. Mais il semblait que la sacoche ne fût pas destinée à être utilisée, après tout, car elle était déjà remplie. Elle était bourrée de paquets. Quand il l'ouvrit, il trouva des liasses et des rouleaux, tous enveloppés de soie et de parchemin et noués de ficelle. Il sangla la sacoche sur la mule, en sortit l'un des paquets et là, près du puits, pendant que les préparatifs du bain nuptial allaient leur train et que le religieux protestait contre ces violations du tombeau de la mère du Prophète, il défit le rouleau de parchemin et trouva à l'intérieur du papier mince comme pelure d'oignon, tout couvert de calligraphie persane.

L'Ouïgour avait les yeux vifs et pénétrants, mais il ne lut qu'avec difficulté cette fine écriture sur ce papier délicat. Le soleil de midi tapait sur la page, qui flamboyait devant lui et l'aveugla momentanément. Il pouvait à peine la déchiffrer. Les mots étaient tracés comme en grande hâte, sans les points. Et pourtant cela semblait n'être qu'un seul point énigmatique. Les mots se fondaient l'un dans l'autre, équivoques. Ils lui disaient que le chemin est étroit et que la voie est mince, alors même qu'elle est plus spacieuse que les cieux et la terre et tout ce qui s'étend entre eux. Ils lui disaient que le point premier était le commencement et la fin, le centre et la circonférence des cieux et de la terre et de tout ce qui s'étend entre eux. Il ne comprenait pas.

Le pèlerin n'arrivait pas à concevoir un point premier. Il ne voyait pas comment un chemin pouvait être étroit et spacieux, comment un point pouvait contenir un cercle. Il se sentait intrigué par ce legs de tout ce qui s'étend entre les cieux et la terre. Si ce message avait une signification, il devait espérer que celle-ci allait mûrir, car à présent il ne comprenait pas. Ses trois échecs lui avaient obscurci l'esprit.

Alors, quand l'ordre fut donné à la caravane de se remettre en route, il plia les feuilles de papier, les rangea avec ses autres médecines dans la bourse qu'il portait autour de la taille, et inclina la tête sous le soleil brûlant. Il fallait repartir. Vers Médine. Il marchait derrière les chameaux bougons et les ânes qui brayaient, au côté de la mule, qui était l'un des rares animaux à avoir été désaltérés par l'eau du puits. Et il garda tout au long du chemin la main posée sur la sacoche.

Une heure plus tard, on s'aperçut qu'on n'avait pas emporté le mort. Une clameur de protestations et de contre-accusations s'éleva. Le pèlerin sourit sous cape de cette surprise fabriquée. Il le savait déjà ; il avait vu la chose se passer. Il avait observé les gardes lorsqu'ils avaient laissé le mort appuyé au mur nord de la ruine, près du puits. Ils l'avaient fait exprès, il en était certain. Car il avait été décidé qu'ils suivraient à l'arrière avec leur rebutant fardeau et le pèlerin, qui voyageait parmi les animaux de bât, avait tout vu. Ils avaient attendu que la caravane s'ébranlât, et alors, quand tout le monde s'était enfin mis en marche, deux des gardes s'étaient glissés derrière l'oratoire avec le cercueil affaissé et avaient réapparu sans lui du côté nord de la ruine.

La mutinerie enflait, et il devint manifeste, à entendre les récriminations bruyantes des gardes, qui insistaient pour remporter avec eux les biens du mort jusqu'au puits afin de récupérer le cadavre, qu'ils se faisaient la belle avec les barils d'huile et les sacs de riz, les balles de soie, de coton et d'épices. De toute évidence, ils repartaient vers la côte avec leur butin de bel indigo et n'avaient nulle intention de faire un pas de plus vers Médine. Il comprit que l'âme du mort avait aussi peu de chances de bénéficier des prières des religieux que son corps de recevoir des funérailles convenables.

Mais le pèlerin avait beau savoir cela, il n'y pouvait rien. De même que la conscience de la présence des bandits quelque part en avant, la conscience de l'abandon du cadavre demeura enroulée sous son crâne ridé, attendant que le temps la déchiffre. Comme la signification de son rêve de jeunesse, comme le message dans sa poche à remèdes, la connaissance devait mûrir avant qu'on la comprenne. On ne pouvait déchiffrer les énigmes des tempêtes de sable avant d'en avoir trouvé la clef et d'avoir affronté sa peur. Il soupira, flatta la mule. Il comprenait que la confiance devait d'abord s'exercer sur lui-même.

Ensuite, lorsque la tempête avait éclaté, il avait dû aussi lui faire confiance. Il avait senti que s'il voulait résoudre l'énigme qu'elle posait, il devait retourner en arrière – au puits –, là où les gardes irrévérencieux s'étaient débarrassés du cadavre, le laissant pourrir en une innocence insoupçonnée. Il savait qu'il ne pourrait trouver la contrepartie femelle de cette tempête mâle que s'il retournait au puits. Il devait abandonner la mule de l'Indien et "dé-créer" sa journée, pas à pas, afin d'atteindre à l'immobilité au cœur de l'énigme de cette tempête de sable. Et cette conscience lui était venue sans fanfare ni embarras. Elle lui était venue, tel un mûrissement calme, sans nul besoin de mise en scène ni de surprise pour l'ébranler, bien que le frisson familier de la peur lui eût empoigné le cœur tandis que les particules de sable imprimaient cette conscience sur sa peau.

Et là, entouré des hurlements de la tourmente, alors qu'il avait perdu son chemin au cœur de cette cinglante tempête du désert, il se souvint soudain de la sacoche qu'il avait laissée derrière lui, avec la caravane. Il avait pensé d'abord y trouver le secret de la simplicité de l'esclave et s'était senti impatient d'en éclaircir le mystère mais, une fois examinée de près, la sacoche ne lui avait présenté que des mots tourbillonnants, aussi déconcertants que la tempête elle-même. Elle lui avait offert un message qu'il ne comprenait pas. Et pourtant, bien que mis à l'épreuve par les pires de ses peurs, bien qu'il se fût perdu, il lui fallait faire confiance aussi à ce message énigmatique, et aller de l'avant.

Il y avait à présent plusieurs heures qu'il errait. Le sable s'était frayé un chemin dans chaque orifice de son âme, et ses hurlements lui résonnaient aux oreilles. A la lumière voilée au-dessus de lui, il devinait qu'il restait une heure avant le coucher du soleil. Le vent le bousculait et le malmenait à tel point à ce moment qu'il trébucha contre des pierres à ses pieds, tomba, et se coupa la lèvre. En sentant le sang sur ses doigts noueux, il se rendit compte qu'il venait de perdre sa dernière dent.

Ainsi ! Tout à coup, cela lui apparut alors, dans la lucidité et le calme, comme par l'action d'une clef bien huilée. Il n'avait plus besoin de mordre dans la vie, du moment qu'il pouvait boire l'immortalité. Il comprenait tout ! *La source de la simplicité de l'esclave était l'eau du puits.* Il lui avait donné de l'eau à boire avant de lui offrir sa médecine, et c'était cela, la source de sa confiance. C'était cela qui l'avait préparée à l'immortalité bien qu'elle ne pût échapper aux maux qu'il avait diagnostiqués. Et la sacoche avait été remplie à la même source : exactement comme le flot des lettres s'écoulait d'un seul point d'encre. Il n'avait pas reconnu le simple remède qu'elle offrait à travers ses apparentes énigmes, exactement comme il n'avait pas vu combien proche était l'immortalité de l'Indien lorsqu'il avait défié la mort. Il ne valait pas mieux que le pauvre jeune religieux qui avait refusé sa tasse d'eau. Cette ultime maturité envahit son cœur à la façon d'un choc matériel. Pourquoi n'avait-il pas compris plus tôt ?

Aussitôt qu'il eut saisi la raison pour laquelle l'esclave avait accepté sa médecine, l'énigme de la tempête de sable commença de se débrouiller. Son sens entier commençait à lui apparaître. Il lui semblait que, tandis qu'il avançait à tâtons, toutes les énigmes s'étaient mises à converger, et il avait envie de crier, de chanter, d'appeler et d'embrasser sa femme. Sa joie égalait presque sa peur.

Il garda la bouche fermée, néanmoins, et avala son sang avec reconnaissance car la tempête battait encore son plein et le sable était épais. Il s'était installé dans les plis de ses vêtements, dans ceux de sa peau, les rides autour de ses yeux, les crevasses de ses oreilles, partout. Il lui fallut se battre pour se remettre sur pied et repartir tout chancelant dans le vent incessant. Il avait une envie dévorante de déposer le lourd fardeau des cieux et de la terre et de tout ce qui s'étend entre eux, de redevenir incréé. "Il existe, ô moines, un état où ne se trouvent ni terre, ni eau, ni chaleur, ni air ; ni infinité d'espace, ni infinité de conscience, ni néant, ni perception, ni absence de perception ; ni ce monde-ci, ni celui-là, ni soleil, ni lune. C'est l'incréé." En se rappelant les paroles du Bouddha, il fit un pas de plus.

Aveuglé, avec le vent et le sable en plein visage, il sentit ses pieds s'enfoncer. Et de très loin sous lui montèrent les roulements de tambours d'armées rangées en bataille, enfouies sous les dunes, attendant de l'engloutir. "L'incréé, se souvint-il, ne vient ni ne va ni ne reste immobile. Il est sans stabilité, sans changement ; l'éternel dépourvu d'origine, et qui jamais ne passe."

Ses deux pieds s'enfonçaient rapidement dans le sable. Sa peur frémit dans sa gorge quand il entendit en lui le fracas des armes, le tonnerre de la guerre. Il s'était avancé dans des sables mouvants. En quelques secondes, il en avait aux genoux. Il était pris, promptement. Et le temps était venu à présent de rester immobile et d'affronter la grande rencontre intérieure. Il ne pouvait plus fuir sa peur. Mais la joie montait. "Là, dit le Bouddha, se trouve la fin de toute douleur." Il avait atteint l'équilibre. Et il se mit à s'enfoncer dans les sables mouvants avec une sensation de simple étonnement.

Voilà donc ce qu'étaient les cieux et la terre et tout ce qui s'étend entre eux ! Voilà ce qu'était sa "Voie", le point premier de son cercle. Le chemin était étroit, assurément, et pourtant quel vaste détour il avait accompli pour l'atteindre. Tous ses voyages l'avaient amené à cet endroit et à nul autre. Toutes ses quêtes s'achevaient ici, et il n'aurait pu aller plus loin. Le *Canon des mutations* lui enseignait qu'il y a bien des routes différentes dans le monde, mais que la destination est la même. Il y a cent délibérations, mais le résultat est unique. Les noms sont différents, mais la source est le point premier ! Avec lucidité, il diagnostiqua sa mort et prescrivit l'antidote qu'est l'immortalité.

Il se sentait attiré vers le dedans et son cœur bondissait au-dehors. Il était pris au plexus solaire dans cet étau et attiré dans l'immensité de l'incréé. Alors qu'il s'enfonçait rapidement, il fouilla dans ses robes et réussit à extraire le rouleau de papier de sa poche à remèdes. Comme l'eau et l'air, les mots de la sacoche apportaient la clef de la tempête de sable. Ils affirmaient que l'énigme de la peur était résolue par la simple confiance. Il leva haut les bras quand le sable atteignit ses aisselles et se couvrit le visage du parchemin, le tint à ses narines, comme si c'était le souffle. Les cieux et la terre et tout ce qui s'étend entre eux montèrent de ce point premier dans lequel il s'enfonçait, et où ils retourneraient, comme lui. Il ne pouvait plus lire, mais il se souvenait.

Il répéta les mots alors, d'une voix forte, avec son dernier souffle. Il les cria à voix haute dans son langage, en les laissant cascader entre ses lèvres comme de l'eau, comme l'amour de sa femme, comme la joie de vivre. Et alors, tandis que, tel du vif-argent, sa vie courait dans ses veines et s'écoulait de ses poumons, le pèlerin chanta les mots, la gorge entourée de sable : *le point premier !*

Il s'enfonça encore, et la graine de son cœur craqua simplement de joie. Il ouvrit la bouche au moment où le sable l'atteignait et le but avidement, avec son sang, pour la guérison de son peuple, pour la protection de ses terres fertiles, pour la force et la beauté de ses fils et des fils de ses fils. Et quand le sable l'avala tout entier, édenté mais content, il était déjà mort, libéré de la peur.

Les sables mouvants qui avalèrent le pèlerin se trouvaient dans le ravin, juste au-dessous de l'oratoire en ruine d'Abwa', sur la route entre La Mecque et Médine. Ils se trouvaient à cinq pas du tas de décombres venant du fond du puits asséché dans lequel on allait jeter le corps de l'esclave à l'intérieur de l'oratoire. Mais le cadavre adossé au mur nord de la ruine avait été déposé trop loin du bord du ravin pour que la miséricorde des sables mouvants l'engloutît, et il puait toujours, amèrement.

LE RELIGIEUX

Le religieux laissa tomber le corps de la morte dans l'ancien puits et le recouvrit de pierres. Ensuite il tira des seaux d'eau du nouveau puits et se les versa dessus. Il craignait d'avoir été contaminé. Il savait qu'elle n'était morte d'aucun mal contagieux, en dépit de son visage ravagé, mais elle était femme, et il avait été obligé de la toucher.

C'était un jeune homme scrupuleux en ce qui concernait ses obligations religieuses. Il était le dernier-né d'une famille où tous craignaient Dieu et se montraient scrupuleux en ce qui concernait leurs obligations religieuses. Tous ses oncles et ses frères aînés avant lui avaient terminé leurs études de théologie et de jurisprudence à Karbalâ et comptaient en Perse parmi les plus notables *mujtahid* et érudits chiites. Toutes les femmes de sa famille étaient renommées pour leur vertu impeccable et toutes avaient de longs pedigrees d'une égale distinction. On disait, chez certains envieux de leur ville, que chacune de ces incarnations de la pudeur devait sans aucun doute être pareille à la Vierge Marie qu'adoraient les chrétiens, sinon comment lui eût-il été possible de concevoir le moindre enfant ? Dernier des privilégiés nés d'une union aussi chaste, le religieux était plutôt

disgracieux, avec une tendance à l'eczéma pru-
rigineux. Il avait aussi hérité, lui disait-on, du
mauvais caractère de sa mère, Dieu ait son âme,
laquelle était morte de respectabilité avant qu'il
atteignît l'âge de treize ans, le laissant orphelin et
entouré de tantes endeuillées. Dès lors, on l'envoya à la *medersa* de Karbalâ, où il bénéficia de
l'enseignement des plus distingués des ulémas
de l'époque. Lorsqu'il décida d'entreprendre son
pèlerinage à La Mecque, il avait à peine vingt ans
et une incurable virginité.

Bien entendu, il avait été marié. La première
fois, à dix-sept ans, avec une jeune fille qui avait
attrapé une violente dysenterie la veille du
mariage et qui mourut peu après. Inutile de dire
que le mariage n'avait pas été consommé. Ensuite,
il y avait eu une autre épouse éphémère, qui
n'avait pas donné satisfaction, elle non plus, et
on avait annulé le mariage au bout de trois jours.
Enfin, après de longs débats, le père du jeune
homme avait arrangé ses fiançailles avec une
troisième jeune fille dont la parentèle était d'une
telle distinction qu'il ne paraissait guère possible que son apparence physique l'égalât, quelles
que fussent les assurances du contraire. Naturellement, il n'avait pas encore vu l'élue, mais il
avait demandé qu'on reportât le mariage jusqu'à son retour de pèlerinage.

Il avait peur des femmes. Les seules personnes
de sexe féminin qu'il eût connues, en dehors de
ces épouses peu satisfaisantes, étaient des cou-
sines aux traits flous qui l'avaient taquiné sans
merci dans l'enfance et de vagues tantes qui ressemblaient à des papillons de nuit avec leurs
perpétuels vêtements noirs et leurs yeux cernés
d'ombres violettes. Il y avait eu aussi une simple
nourrice venue de la province, qui sentait la

graisse de mouton rance et qui l'avait englouti entre ses vastes seins à la mort de sa mère, provoquant d'inoubliables impressions de suffocation qui le hantaient encore de temps à autre. La raison pour laquelle il était parti en pèlerinage cette année-là était également une femme. Et celle-là était la plus effrayante de toutes.

Elle était arrivée à Karbalâ quelque neuf mois auparavant, alors qu'il était encore étudiant. C'était immédiatement après la mort de l'un des professeurs renommés des écoles *shaykhi*, et cette femme s'était arrogé l'autorité de reprendre son cours, dissimulée derrière un rideau. Certes, elle avait les références impeccables d'une famille d'ulémas. Certes, c'était un poète et une érudite de grande distinction. Mais c'était une femme ! La chienlit régna, à cause d'elle, dans la communauté chiite d'Iraq.

On disait qu'elle avait rejeté le voile. On murmurait qu'elle avait abandonné son mari et ses enfants. On commençait à l'accuser d'hérésie, car elle avait des idées d'un non-conformisme choquant. Et elle défia tout le monde. Elle enseignait aux femmes aussi bien qu'aux hommes et éblouissait ses auditoires à l'aide de preuves tirées du Coran. Elle affirmait qu'il fallait annuler les lois du passé et entreprit de mettre en pratique cette théorie scandaleuse. Les débats théologiques se multipliaient et avaient fait monter la tension politique entre la communauté chiite d'Iraq et ses gouverneurs ottomans, à tel point que le consul de Perse avait demandé aux autorités britanniques d'intervenir. De nombreux membres du clergé de Karbalâ se sentaient prêts à oublier leurs différends idéologiques afin de faire bannir de la communauté chiite cette femme dangereuse. Elle avait provoqué un grand scandale.

Le jeune religieux avait assisté à certains de ses cours. Il en avait retiré des nuits d'insomnie fiévreuse et de furieux débats intérieurs. Assise derrière un rideau, elle tenait sous son emprise une salle pleine d'hommes par la seule force de son éloquence. Elle écoutait toujours ses contradicteurs et les laissait s'exprimer aussi longtemps qu'ils le désiraient, mais lorsque son tour était venu de parler, elle démolissait d'un trait leurs arguments. Elle écrasait leurs protestations. Nul ne pouvait égaler sa connaissance du Coran. Le jeune homme avait vu, de ses yeux, des hommes deux fois plus âgés que lui trembler d'impuissance devant sa logique. Il avait vu un mollah s'effondrer en larmes.

Un de ses jeunes collègues avait été mis au défi de tenir tête à cette femme en un tournoi verbal. Il avait prétendu que la seule façon de la dominer consistait en une contradiction systématique, un refus total de la laisser parler. En guise de démonstration, il l'avait constamment interrompue de manière à détourner la discussion, et avait fini par recourir à la profération d'injures mesquines afin de saper la force des arguments qu'elle avançait. Au lieu de se conformer aux procédures correctes du *mubahala*, il s'était simplement efforcé de la réduire au silence en criant. A ce moment-là, elle avait soulevé le rideau et s'était soudain présentée dans la salle, sans voile, devant tous ces hommes.

A ce souvenir, le jeune religieux rougissait encore jusqu'à la racine de ses cheveux pelliculeux et sentait ses membres trembler sous lui, bien que des mois eussent passé depuis l'événement. Car il avait, le jour même, à l'heure même, abandonné ses études et décidé de partir en pèlerinage, à cause de ce qui s'était passé alors. Elle était entrée dans la salle, sans voile, cette femme, et avait dévisagé pendant quelques instants son collègue abasourdi. Elle avait sur la joue la marque d'une boucle noire. Ses sourcils levés évoquaient la courbure d'un croissant de lune. Elle avait observé froidement son contradicteur, du haut de son turban au bout de ses orteils sous l'ourlet souillé de ses robes, et alors, devant l'assemblée de ses pairs, elle lui avait dit avec calme qu'il ne serait pas digne de parler de sujets aussi sacrés tant qu'il n'aurait pas appris les rudiments du décorum convenable dans un débat religieux.

Le jeune homme avait été si secoué par l'expérience (bien plus secoué, à vrai dire, que son collègue) qu'il avait attrapé une violente crise d'eczéma que rien n'avait pu calmer. Ce qui le troublait, ce n'était pas d'avoir vu le visage de cette femme, ni sa surprise devant sa beauté, ni le choc provoqué par ses actes. Ce qui le perturbait le plus, c'était qu'il se surprenait à lui donner raison. Il doutait des opinions de ceux qui la condamnaient. Il respectait moins ses professeurs parce qu'ils n'étaient pas d'accord avec elle. Quand elle avait réprimandé son collègue, il avait été consterné de trouver ses paroles tout à fait justifiées. Et quand ce collègue lança la rumeur qu'elle recevait des amants dans sa chambre et leur faisait manger des grenades bouche à bouche, il ne put supporter d'entendre ces mensonges, en dépit de l'outrage qu'elle avait commis. Son pouls s'était arrêté à la vue de son visage, au son de ses paroles, et maintenant encore leur souvenir lui donnait le frisson mais, s'il était honnête avec lui-même, il savait que cela n'avait rien à voir avec des grenades. C'était parce qu'elle l'avait forcé à s'interroger sur ses motivations et sur ses convictions les plus profondes. C'était parce qu'il se surprenait à se sentir sans but, à perdre confiance en ses études, confiance en sa future profession. Pour l'avoir écoutée, il ne se sentait plus certain de devoir faire carrière dans la religion.

La ligne de démarcation entre sexualité et spiritualité n'était pas nette à ses yeux, néanmoins. Et c'est par conséquent dans un état de confusion mentale et d'exaltation physique considérables qu'il s'enfuit de Karbalâ. Il se tourna vers La Mecque comme vers son salut, pour chercher à se purifier des pouvoirs de séduction de cette femme. Il décida que ce pèlerinage dissiperait ses doutes, restaurerait la véritable humeur de son sang afin qu'il pût aborder à neuf sa profession. Il voulait purger sa langue, son cœur et son esprit de cette influence pernicieuse. Il avait l'ardent espoir d'être à ce point confirmé dans sa foi que jamais, plus jamais de sa vie, il ne serait vulnérable à une telle femme ni accessible à des idées aussi hérétiques. Ce jeune homme consciencieux sentait que pour assurer son salut, il devait accomplir jusqu'au dernier les rites et devoirs du pèlerinage.

Sa foi était une foi sans compromis, nourrie de rêves de martyre et d'immolation de soi. Son existence terne était colorée par d'ardents fantasmes inspirés par les souffrances et la mort des imams durant les cérémonies spéciales du calendrier chiite. Depuis son adolescence plutôt boutonneuse, animé d'une ferveur qui touchait parfois au fanatisme, il avait jeûné pendant des jours et imploré de mourir afin de prouver sa foi. Mais bien qu'il laissât son imagination s'attarder sur ces scènes passionnées, il gouvernait ses actions selon la stricte obéissance aux lois de sa religion, avec un côté quasi obsessionnel en matière de rituel et de dogme.

Il faisait preuve d'une méticulosité particulière à propos des traditions liées au *hadj*. Il avait tout lu à ce sujet et tout appris par cœur. Il savait quelles invocations il devrait répéter, combien de fois, et où ; sur quels événements historiques il devrait méditer, et pourquoi ; quels vêtements porter, quels animaux sacrifier et comment marcher entre quels lieux durant les dix jours de son pèlerinage dans la très sainte cité de La Mecque. Il connaissait chaque rocher, chaque pierre, chaque oratoire et chaque ruine de quelque importance entre les villes saintes. Il s'était même entraîné au lancer de pierres afin d'être capable de décocher avec précision un vertueux mépris aux images sataniques dans la vallée de Mina. Il était bien décidé à participer au *Hadj-i-Akbar* en cette année où précisément la fête du Sacrifice, le *'Id al-Qurbân*, tombait un vendredi pendant le mois de *Dhu'l-Hidja*. C'était là, selon le calendrier islamique, un moment très favorable aux pèlerinages. Ses espérances, comme celles de beaucoup de gens autour de lui, étaient intenses ; la fièvre du zèle millénariste, contagieuse. Quelques enthousiastes affirmaient que l'accomplissement de toutes les prophéties chiites était imminent, que le douzième imam pouvait à tout moment apparaître à la Ka'ba. Bien qu'il n'avouât pas, bien sûr, pareils excès, le jeune religieux nourrissait en vérité des espoirs secrets. Il priait pour que, si son pèlerinage se révélait acceptable, il pût en recevoir une preuve. En récompense de sa vertu, il désirait ardemment se trouver au nombre des élus, premiers témoins de l'apparition du *Qa'im* tant attendu.

Il partit donc de Karbalâ à la fin du printemps, afin d'être sûr d'arriver en Arabie à temps pour accomplir son *hadj*. Il passa dans la maison familiale quelques semaines pendant lesquelles il persuada ses parents d'attendre son retour pour leurs projets de mariage et se soumit à l'attention plaintive de ses tantes. Ces dames soutenaient que l'état de sa peau imposait un changement de chemise quotidien et proscrivait la consommation de fruits secs. Comme il protestait mollement contre cette dernière instruction, ayant un faible particulier pour les fruits secs, elles le chargèrent aussi d'inutiles baumes et teintures contre son eczéma. On était dur en affaires dans sa famille. Son père ainsi que ses frères aînés considérèrent d'abord sa décision de partir en pèlerinage comme un excès de zèle. Ils lui reprochèrent aussi d'abandonner ses études avant de les avoir achevées et s'efforcèrent de lui faire admettre la présomption qu'il y avait à vouloir accomplir son *hadj* dans ces conditions. Mais ils finirent par accéder à son désir et ne rechignèrent pas à lui fournir des provisions car ils pensaient qu'à terme ce voyage pourrait l'aider à mûrir, à s'établir et à se marier. Après une brève période de jeûne préparatoire, il partit donc pour son long périple pourvu d'une réserve secrète de fruits secs, d'une grande quantité de chemises et d'un sens accru de son destin. Il se débrouilla pour oublier les baumes et les pommades.

Mais ce départ triomphal fit long feu. Longtemps avant qu'il eût même atteint Chìrâz, il fut attaqué par des voleurs qui le dépouillèrent de tous ses biens et le laissèrent errer dans le désert sans la moindre chemise. Seule sa poignée de fruits secs l'empêcha de mourir de faim, et il s'interrogea sur la prescience de ses tantes. Sans la générosité d'un passant, un marchand qui connaissait l'un de ses oncles éloignés, lequel était en relation avec les notables religieux de Chìrâz, il se serait trouvé forcé de rentrer chez lui ignominieusement. Ce pieux parent reconstitua ses provisions, quoique de façon plus modeste, et le réprimanda avec sévérité pour son manque de sens pratique. Il balaya l'enthousiasme du jeune homme concernant la protection divine ainsi que ses espérances d'honneur spirituel, et lui donna de strictes instructions quant aux mesures de sécurité à observer sur la route des pèlerins. Sur ces chemins longs et pénibles, conseilla ce digne personnage, on ne pouvait garder la tête dans les nuages que si l'on avait les pieds fermes sur le sol. Bien qu'il ne dût jamais retrouver le même luxe de chemises qu'à son départ de chez lui, le jeune religieux se mit donc en route pour Bouchir en compagnie d'une caravane commerciale prometteuse d'une protection nettement meilleure.

Toutefois, les conseils de bon sens ne satisfaisaient pas entièrement l'appétit vorace du religieux pour le perfectionnement spirituel. Il avait appris que les souffrances endurées au cours du pèlerinage valaient au moins le double des difficultés supportées à tout autre moment et, en outre, procuraient l'accréditation dans les rangs des pieux. Il était devenu un calculateur habile dès qu'il s'agissait du système de débit et crédit en religion. Il additionnait tous ses actes méritoires afin de s'assurer que le nombre des actions obligatoires et désirables dépassait celui des indésirables et interdites. Il s'efforçait aussi de limiter le nombre de ses actions neutres, car elles représentaient un gaspillage d'énergie spirituelle. Et il ouvrait l'œil, attentif au bonus qu'apporterait la compagnie des justes. Rien n'était aussi efficace, à son avis, que la compagnie et l'exemple des justes devant Dieu, car on pouvait y acquérir un perfectionnement spirituel immédiat à un prix relativement bas.

*

Le bateau était bourré de justes devant Dieu. Il y en avait des quantités, notables et gens du commun, tous soucieux, comme lui, d'accomplir leur *hadj* en cette période propice. Et le jeune religieux remarqua avec satisfaction qu'il pouvait compter sur une compagnie convenable, même si elle était plus abondante qu'il ne l'eût souhaité. Le frêle boutre était surchargé de passagers dont quelques-uns seulement disposaient de sièges. Les autres, entassés à la poupe et à la proue, devaient se contenter de rouleaux de corde imprégnés de sel et subir les injures des matelots et le plus gros de la mer. Au vu de leur situation misérable, et considérant l'interminable longueur du voyage, le jeune homme rassembla ses robes autour de lui et fit appel à tous ses talents de persuasion pour affirmer ses droits d'être assis en noble compagnie.

Il n'y avait pas seulement à bord des personnages de rang social élevé mais aussi des dignitaires du monde ecclésiastique. Ce privilège lui faisait battre le cœur de ravissement. Il s'efforça de s'asseoir aussi près que possible de ces passagers distingués, avec l'espoir que leur éclat spirituel déteindrait sur lui, en quelque sorte. Il trouva extrêmement gratifiant, grâce à ses liens avec ses oncles, qu'on le jugeât digne d'être présenté à plusieurs d'entre eux dès le début du voyage. Il se sentait assuré que pareille distinction annonçait pour l'avenir des honneurs spirituels au point le plus élevé du *hadj*.

Les épreuves correspondantes furent sévères, cependant. Le temps était rude et les rations réduites. Il souffrait du mal de mer et il n'y avait pas assez d'eau pour tout le monde. La grogne augmentait avec la profondeur des vagues, mais il redoubla de prières et espéra que sa piété ne passerait pas inaperçue. Pareille misère pouvait-elle manquer, à la fin, d'enrichir son crédit spirituel ?

S'il parvenait à sublimer son mal de mer à l'avantage de son âme, le religieux s'en tirait moins bien face à la mauvaise humeur et au manque de courtoisie de ses compagnons de voyage, et en particulier de ceux dont il avait espéré tirer bénéfice. Il s'en sentait troublé. L'un de ces messieurs était lié à la famille royale des Qâdjârs, et il était responsable de l'ordre public dans leur capitale ; un autre, mollah comme lui, était un parent de l'*Imam-Jumih* de Chîrâz. Tous deux, découvrit-il au cours de cette traversée, affichaient une intolérable grossièreté. Le révérend parent trouvait des occasions de se disputer même avec les plus pacifiques des passagers et se montra si désagréable en une occasion que le capitaine menaça de le jeter à la mer. Sans le plaidoyer ardent d'un jeune marchand originaire de sa ville, l'*Imam-Jumih* aurait pu perdre un frère dans le golfe d'Oman.

Le religieux était choqué. Se pouvait-il que des hommes de haut rang ecclésiastique manquassent de qualités spirituelles ? Le frère de l'*Imam-Jumih*, seul des passagers à posséder de l'eau en excès, trouva bon d'ignorer sa soif extrême lorsque les réserves baissèrent et demeura insensible à son besoin évident, en dépit de ses relations cléricales et du fait qu'il s'était placé à proximité suffisante pour qu'on entendît ses prières. Ce personnage distingué pouvait-il être gouverné par l'avidité plus que par Dieu ? Etait-il possible que l'étude de la religion n'assurât pas nécessairement le raffinement spirituel ? Cette seule idée remplissait le jeune homme d'une détresse plus désespérée que la soif et plus familière. C'était pour échapper à de telles pensées qu'il avait fui Karbalâ.

Il tenta de trouver une interprétation des circonstances compatible avec la structure de sa foi. Puisqu'il ne devait pas critiquer les actions de ses supérieurs spirituels, il éprouva du soulagement à blâmer plutôt ses inférieurs. Il décida que ce compagnon de voyage, ce jeune homme qui s'était montré si empressé à défendre le frère de l'*Imam-Jumih* de Chìrâz, avait été présomptueux de mettre ainsi en évidence le comportement d'un mollah. Ce n'était qu'un commerçant, après tout, malgré l'irritante affectation de son turban vert ; descendre de la lignée de Mahomet ne lui conférait aucune supériorité théologique. Il décida que ce pieux *sayyid* aux traits délicats et aux manières douces manifestait d'extravagantes aspirations à la vertu et résolut de le mépriser.

Après deux insupportables mois en mer, ils finirent par arriver à Djeddah. La cité grouillait de pèlerins. Et aussi, au grand désarroi du jeune religieux, de pickpockets et d'entremetteurs. Il se laissa délester d'une bourse pleine dans la demi-journée de son arrivée, et perdit l'un des tapis de son oncle, dont le remplacement lui coûta presque aussi cher que son voyage depuis Bouchir. Il découvrit que la tâche d'organiser son voyage jusqu'à la ville sainte de La Mecque butait à chaque pas sur des conducteurs de caravane peu scrupuleux, des marchands malhonnêtes et une armée d'autres intermédiaires et voleurs qui avaient pour spécialité d'extorquer de l'argent aux gens crédules et de duper les sages.

Il s'aperçut qu'un pèlerinage était un objet de marchandage et de chicane. Il se sentait révolté par les charlatans de toutes espèces qui rôdaient dans les bazars en colportant leurs prétendus charmes et breloques rendus sacrés par association avec les lieux saints : amulettes et chapelets qui avaient fait neuf fois le tour de la Ka'ba et dont l'action contre le mauvais œil était garantie ; vinaigres fermentés préparés au soleil sacré, prometteurs d'éternelle jeunesse ; pâtes, onguents et baumes à l'odeur fétide mêlés de la poussière du saint des saints, présentés comme des élixirs contre toutes sortes de maladies. Un jour, il fut accosté par une bande organisée de gamins de rue dépenaillés qui lui réclamaient l'aumône. Quand il leur dit de filer, ils poussèrent des cris aigus et le traitèrent d'hypocrite. Cela se passait dans l'un des *maydan* les plus animés, près des bains publics à l'entrée de Bab el-Mecca, et beaucoup de gens se retournèrent pour voir ce qui avait provoqué ce tumulte. Mortifié, le religieux finit par lancer des piécettes à ses poursuivants dans le seul but de les faire taire, mais il avait honte de lui-même et se sentait souillé par ce geste. Il jeûna le lendemain pour se purger de ce dégoût et son impatience de se mettre en route s'accrut.

L'attente paraissait interminable. Une importante caravane dont on annonçait le départ imminent devait absorber la majorité des pèlerins qui se rendaient à La Mecque, mais ce départ était reporté de jour en jour. Un riche convoi nuptial en panne à Djeddah depuis la semaine précédente semblait en être responsable. Certains disaient que la fiancée se rendait en Syrie par le golfe d'Akaba ; d'autres, que son entourage cherchait une escorte pour aller par terre vers Rabigh. L'appât du gain avait poussé le chef de la caravane à envisager un détour afin de conduire la dame et son interminable train de mules et d'ânes sur une partie au moins du trajet, avant de reprendre à l'est vers La Mecque. Les pèlerins étaient scandalisés. Les plus impatients d'entre eux dressaient des plans de rechange qui exigeaient des prêts de dernière minute en argent et en hommes. Quelques-uns avaient décidé d'entreprendre seuls le voyage vers La Mecque, en dépit du risque de rencontrer des brigands en cours de route. Beaucoup s'étaient laissé empêtrer dans des marchandages avec les conducteurs de caravane. Le conflit avait soulevé de pieuses colères qui affectaient vivement le jeune religieux. En fulminant contre les femmes, il enflait les récriminations et se joignait aux querelles vociférantes qui éclataient chaque jour aux portes de la ville.

Ce faisant, il se retrouvait souvent en conversation avec un Indien, un trafiquant sunnite de Karachi, qui semblait agir non seulement en tant qu'intermédiaire pour la fiancée mais aussi comme organisateur de solutions alternatives pour ceux des pèlerins qui désiraient poursuivre leur voyage vers La Mecque sans détours ni retards. Le religieux le soupçonnait également de faire commerce d'alcools illégaux mais, l'individu paraissant en termes d'amitié avec plusieurs des ecclésiastiques les plus distingués, il n'y avait personne à qui le jeune mollah pût faire partager ses doutes à ce sujet. Le trafiquant avait l'air de bien connaître le trajet, et il proposait aux membres les plus riches de la caravane des services rapides moyennant argent comptant. Il avait persuadé un vieillard originaire de Bouchir qu'il pouvait lui mettre sur pied pour un salaire modeste une escorte de gardes du corps privés. Ce marchand riche et âgé accomplissait son *hadj* afin de s'en garantir les bénéfices dans l'autre monde, mais il n'avait pu résister à la tentation d'en gagner en même temps quelques-uns de plus dans celui-ci. Son bagage consistait en innombrables rouleaux de soie et balles de coton, sacs de froment et barils d'huile, ballots de myrrhe et tonnelets d'essence de grenade, et il tenait particulièrement à ce que son chargement d'indigo fût aussi bien protégé que son âme. Il accepta la proposition de l'Indien d'embaucher les gardes à un prix qui s'élevait au triple du montant habituellement demandé par les conducteurs de caravane. Et, à la fin, il décida néanmoins de se joindre à la caravane normale, pour des raisons de sécurité supplémentaire, avoua-t-il, car il avait un peu peur des gardes du corps qu'il avait engagés. L'indigo, expliquait-il, n'avait pas de prix.

L'Indien cultivait avec assiduité l'amitié du religieux. Il se disait très préoccupé du retard et souhaitait qu'on parvînt à une solution, car il considérait comme une abomination, une violation du *haram*, insistait-il, d'amener ces femmes impures un pas plus près de la ville sainte. Mais qu'y pouvait-il ? Il avait les mains liées ; il ne pouvait pas dire tout ce qu'il savait. Le jeune mollah se sentait le corps entier pris de démangeaisons lorsqu'il écoutait ces insinuations. Le sunnite fit plusieurs fois allusion aux affiliations douteuses, en matière de religion, de la jeune fiancée ainsi que des servantes qui composaient son entourage immédiat. Bien qu'elles se prétendissent disciples du Prophète, elles étaient en réalité, soufflait-il, des adoratrices du feu, des adoratrices du soleil, des idolâtres. Elles étaient indignes d'approcher des limites sacrées de la ville de La Mecque. Elles étaient le rebut de l'humanité. Et quant à l'esclave noire – là, il baissait la voix de manière à évoquer tout un enfer de possibilités –, elle était juive ! Figurez-vous ça ! Il se plaignait d'avoir dû subir la compagnie de ces mécréants depuis qu'ils avaient quitté la côte méridionale de la Perse. En suite d'obligations envers le père de la jeune fille, il avait été forcé d'entreprendre cette tâche. Tel était le prix qu'il avait à payer. Quels sacrifices ! Quelles privations ! La vie était dure.

Le religieux avait beau tenter de se débarrasser de l'Indien, il s'aperçut qu'il ne le pouvait pas. L'homme restait cramponné à sa conscience, telle une sangsue. Et dès ce moment, pendant les interminables journées d'attente, le jeune religieux devint obsédé par l'esclave falacha qui veillait sur la fiancée, cachée dans le *takhte-ravan*. Il la surveillait de près, épiant le moindre signe d'irrespect au moment des prières. Il l'examinait d'un œil d'aigle, à l'affût du moindre soupçon de comportement blasphématoire. Il se surprit même à traîner à proximité du *takhte-ravan* nuptial, guettant son apparition lorsqu'elle s'en allait faire son marché ou s'occuper des interminables préparatifs des bains dont la fiancée semblait ne pas pouvoir se passer. Elle parlait rarement. Portait un voile qui mettait en émoi les sens du jeune homme. Elle avait les pieds nus et minces. Sa peau était bistre, non pas noire comme celle des esclaves nubiens, mais subtilement foncée, de cette teinte crépusculaire des Abyssins. Elle avait les chevilles délicates et les pieds cambrés. Elle portait pour se garder du mauvais œil un bracelet de perles bleues qui encerclait à la perfection l'os de sa cheville, et elle avait peint ses orteils au henné. Ils luisaient d'un éclat dont il avait les yeux brûlés.

Quand les dispositions furent prises pour que le convoi nuptial pût accompagner la caravane, l'agitation du religieux s'accrut et il s'imposa un jeûne. Il redoubla ses prières, demandant avec ferveur que les épreuves lui fussent épargnées. Le moment du pèlerinage était proche, et à chaque jour qui passait il se sentait plus éloigné de la condition qui eût convenu à un pèlerin. Il avait quitté les *'Atabat* à cause d'une femme et tourné ses pas vers la Ka'ba afin d'être purifié de tout désir, et voilà qu'il se retrouvait arrêté de nouveau par une femme et consumé de désirs. Il souhaitait ardemment un miracle.

Il éprouva donc un intense soulagement lorsque Dieu et une escorte turque vinrent à son secours. L'escorte, qui avait pour instructions de conduire la fiancée directement à Médine, arriva à la dernière minute, alors que la caravane s'apprêtait à partir pour la ville sainte en l'intolérable présence des femmes. Il se sentait certain d'avoir été béni, car les pèlerins pouvaient désormais se mettre en route sans elles. Mais il s'aperçut avec horreur que l'Indien s'efforçait de reprendre les négociations avec les conducteurs de la caravane. Il marchandait pour qu'ils emmènent le convoi nuptial au moins jusqu'à Hedda, aux abords de la ville sainte, d'où le convoi pourrait contourner celle-ci par le chemin le plus court, celui du caravansérail d'El-Jamum, au nord. Les conducteurs de la caravane haussèrent leurs prix, le départ fut remis d'un jour encore, et toute la nuit les démangeaisons du religieux l'empêchèrent de dormir.

Les Turcs, eux, rechignaient à assumer les frais supplémentaires. Et dans leurs hésitations, le religieux vit une fois de plus la main de Dieu. Faisant appel à toutes les ressources de son oncle et à ses maigres pouvoirs personnels de négociateur, il gagna les portes de la ville au crépuscule du jour suivant et surprit les conducteurs de la caravane en proposant de leur payer une somme égale à celle dont ils discutaient avec les Turcs. En échange, déclara-t-il d'un ton de sombre résolution, ils devaient s'engager à partir immédiatement, dès l'aube du lendemain, sans le convoi nuptial. Il était venu avec l'argent dans sa bourse, ajouta-t-il.

Le chef de la caravane arrêta de mâcher son repas du soir pour dévisager, incrédule, le jeune homme qui était venu avec une proposition aussi insensée le trouver dans ce caravansérail, à la porte orientale de Djeddah. C'était un khan aux installations confortables, contrairement à ceux du désert, avec un beau bassin dans la cour centrale et de vastes abris pour les chameaux sous les hautes arcades voûtées qui entouraient la place. Le chef de la caravane y était bien connu et très courtisé par les chameliers qui avaient rivalisé pour conclure avec lui des contrats et lui avaient offert ce soir-là un grand repas qu'interrompait à présent l'arrivée inopinée de ce candidat passager. C'était un étudiant, de toute évidence, et de la variété chiite, d'au-delà du Golfe. On évitait de discuter avec des gens de cette sorte, mais si ce pauvre sot était si anxieux de perdre son argent, accepter ne serait qu'une charité. Il essuya du dos de la main sa bouche grasse, vida la bourse et haussa les épaules en signe d'assentiment. Le religieux leva aussitôt les deux mains en une bruyante prière d'action de grâces. La violence de sa gratitude coupa l'appétit au chef de la caravane, mais cela valait la peine de perdre un repas pour obtenir de la volonté de Dieu une aussi bonne affaire.

Ils partirent donc dès l'aube et avaient déjà mis plusieurs *farsang* entre eux et la porte de Bab el-Mecca lorsque l'Indien s'aperçut de leur disparition. Le jeune religieux exultait. Il résolut de se consacrer à sa tâche et d'oublier toutes autres distractions. Il continua de se purger de ses derniers souvenirs de l'esclave falacha en jeûnant du lever au coucher du soleil et revêtit la robe blanche du pèlerinage, l'*ihram*, afin que sa pureté extérieure reflète sa détermination intérieure. Etant donné qu'il faisait un temps très chaud pour la saison, la robe était étouffante et lui provoquait des démangeaisons par tout le corps, mais il ne s'en souciait pas. Il augmenta le nombre de ses dévotions et s'attacha scrupuleusement à prononcer ses prières aux endroits et aux moments voulus. Il calculait avec assiduité son bilan spirituel et restait aux aguets du moindre signe d'approbation divine. Si Dieu avait une dette envers lui, il ne s'en sentirait que plus rassuré.

Lorsqu'ils atteignirent enfin les abords de la ville sainte, le religieux se sentait ivre d'espérance. Il y avait à la Ka'ba une foule de gens importants, des ulémas de haut rang venus du califat ainsi que de Karbalâ, qui tous étaient influents et dont beaucoup, originaires de Perse, connaissaient ses oncles et ses frères. Il trouva gratifiant que plusieurs de Leurs Révérences marchassent à ses côtés autour de la maison de Dieu, et prit plaisir à réciter les versets spéciaux à portée de leurs oreilles. Il se sentait soulevé par des vagues d'énergie spirituelle quand la foule qui se pressait et s'enflait l'entraînait dans un élan d'émotion autour de la pierre noire sacrée. Sûrement, il allait voir ici, il allait entendre les confirmations dont il était si avide. Sûrement, Dieu allait bénir son pèlerinage en lui accordant un signe de Sa sainte présence !

Mais ces émotions s'évaporèrent bientôt tandis que les jours du *hadj* se succédaient sans que ses espérances soient exaucées. Les seuls signes dont il fut témoin étaient signes de la fragilité humaine. A son grand désarroi, il remarqua que plusieurs des distingués pèlerins adaptaient les règlements sacrés à leur convenance personnelle. Certains ne participaient pas du tout aux rites les plus difficiles. Beaucoup semblaient avoir entrepris leur *hadj* sans autres raisons que la curiosité ou la cupidité. Il se sentait oppressé par ses anciens doutes, par l'écart qu'il constatait entre rang religieux et intégrité morale, par ses propres réactions à cet égard. A Mina, pendant le *rajim*, le deuxième jour de son *hadj*, quelqu'un derrière lui lança une pierre qui le frappa avec tant de violence à l'arrière du crâne qu'il ne put s'empêcher de se retourner, furieux, pour injurier le maladroit. La honte d'avoir ainsi réagi fut aussi douloureuse que la pierre. Quelle différence y avait-il entre lui et ceux qu'il jugeait avec tant de sévérité ? Il interpréta ce geste comme une réprimande divine pour ses pensées négatives, et s'efforça de le compenser en achetant deux fois le nombre d'agneaux prescrit pour le jour saint de *'Id al-Qurbân*.

Le dernier jour du *hadj*, il abattit ses agneaux avec une impression d'urgence désespérée. Il supplia Dieu de lui accorder un signe. Mais tout ce qui arriva, ce fut une envahissante puanteur de viande pourrissante. Il ne s'était pas attendu à cela. L'atmosphère était chargée de cette odeur putride et répugnante, car des centaines d'autres pèlerins avaient accompli en même temps que lui le rite du *zibh*. Beaucoup d'entre eux distribuaient leurs offrandes aux pauvres, qui n'étaient que trop contents de les recevoir, mais il y en avait autant qui, souhaitant tirer bénéfice de leurs propres sacrifices, étalaient des quartiers de viande à sécher au soleil. L'odeur était insupportable. Il la subissait avec une impatience croissante. Sûrement, s'il avait fait ce qu'il avait à faire, Dieu allait lui envoyer un signe ? Sûrement, s'il avait accompli son pèlerinage comme il convenait, Dieu ne l'abandonnerait pas ? Sûrement, il méritait que le *Qa'im* apparût pour bénir ses efforts… ?

Mais il n'arrivait rien. Aucun héraut ne descendit des cieux. Le soleil ne se leva pas à l'occident, et nulle étoile brillante n'apparut à l'orient. Il n'y eut pas de feu dans le ciel et aucune rougeur ne couvrit les visages, sauf celle qui était due à l'excessive chaleur de la saison. Le jeune religieux ne vit aucun des signes attendus. Il gardait les yeux fixés sur le coin de la Ka'ba et la Station d'Abraham, où l'on disait que le *Qa'im* devait se manifester, mais constata avec découragement qu'il ne se passait rien de significatif. De plus en plus triste, il entendit autour de lui les ulémas qui confirmaient sa déception : le *Qa'im* n'avait pas choisi d'apparaître cette année-là. La nature indéterminée de son *hadj* lui inspirait un intense désappointement.

En une occasion seulement, alors que le lieu grouillait de pèlerins, il aperçut, comme en rêve, quelque chose d'étrange. Mais sans doute l'intensité de son attente l'avait-elle rendu exagérément sensible. Il lui avait semblé voir quelqu'un debout près de la Ka'ba, tenant en main l'anneau de la pierre. C'était curieux, car il eut l'impression fugitive de reconnaître la mince silhouette. Et puis la foule se pressa de l'avant et il n'y pensa plus.

Peu après, l'un des pèlerins s'effondra non loin de lui et il y eut quelques moments d'agitation pendant qu'on emportait le vieil homme. Il semblait qu'il eût été victime d'une crise cardiaque. Entouré d'une masse de pèlerins curieux, le religieux tendit le cou comme les autres pour voir des gens s'efforcer de soulever le mourant de sous les pieds. Il était gros. Il agitait les bras en criant : "Indigo ! Indigo !" C'était très perturbant. Ils réussirent à l'emporter à travers la foule qui se pressait en psalmodiant autour de la Ka'ba, mais le jeune religieux trouva impossible après cela de concentrer ses pensées sur ce qu'il était en train de faire. Car il avait reconnu le mourant : c'était un membre de leur caravane, ce riche et vieux marchand de Bouchir qui s'était montré si anxieux d'employer pour la protection de ses marchandises des gardes du Luristân. Ce n'est que plus tard, lorsqu'il examina sa volonté à la lumière de celle de Dieu, qu'il se sentit soulagé à la pensée que le *Qa'im* ne fût pas apparu à ce moment et en ce lieu, alors que son attention était captivée par les râles et par les lèvres bleuies et livides du marchand moribond. Il eût été gênant d'avoir à choisir en un pareil moment où diriger son attention.

Le seul autre épisode inhabituel qui marqua le dernier jour du *hadj* du jeune religieux fut le bref aperçu qu'il saisit, dans le tumulte de la foule, d'une curieuse interaction entre deux hommes debout à côté de la pierre noire sacrée. Il ne fut pas certain, d'abord, de reconnaître l'homme aux traits délicats coiffé d'un turban vert, mais quand il le vit parler avec une grande intensité à l'un des maîtres *shaykhi* bien connus, il se rappela le jeune marchand trop vertueux sur le bateau des pèlerins, ce compagnon de voyage dont les remontrances au capitaine avaient sauvé des vagues tempétueuses le frère de l'*Imam-Jumih* de Chìrâz. Il paraissait de nouveau à son affaire. Il tenait dans la sienne la main de ce notable respecté. De toute évidence, ce qu'il était en train de dire avait embarrassé le *shaykhi* à un point extrême. Le religieux frissonna, troublé, frappé d'inquiétude, car l'air déconcerté du mollah avait quelque chose de familier qui lui rappelait ses propres appréhensions les plus profondes, ses propres buts mal définis. Il y avait dans la douceur même du geste du *sayyid* une certaine présomption, car il semblait mettre en cause jusqu'à l'autorité de l'uléma. Il rougit aussi de jalousie : qu'avait-il à faire, ce marchand, à discuter avec un mollah de si haut rang ? Y avait-il eu un événement, un débat théologique qui lui avait échappé ? Quelles questions religieuses pouvaient provoquer chez un maître *shaykhi* une telle pâleur, auxquelles il n'eût pas déjà réfléchi ? Il arriva cependant à la conclusion qu'il devait s'agir d'un simple appel personnel, d'une preuve de plus du zèle effronté et de la piété exagérée du jeune *sayyid*, car il n'y eut aucune répercussion dans la communauté ecclésiastique.

Il ne pensa plus à cet événement que quelques jours plus tard, quand il apprit que le maître *shaykhi* était parti de La Mecque. Parti tout à coup et sans avertissement, sans achever son pèlerinage. Il avait modifié ses projets et était parti en hâte pour Médine, en ne laissant aucune explication. Et bien que rien ne suggérât que le départ abrupt du maître *shaykhi* eût quelque chose à voir avec le jeune marchand au doux visage que le religieux avait vu l'aborder, ce dernier trouvait la coïncidence étrange, d'autant plus irritante qu'elle paraissait dénuée de signification. On imputa, bien entendu, le départ du révérend à la pression du travail. Certains évoquaient dans un murmure un problème lié à l'hérésie, qui rendait indispensable sa présence immédiate à Bagdad. D'autres faisaient allusion aux tensions politiques accrues et à l'ingérence de puissances étrangères. Le jeune religieux ne parvenait pas à calmer l'agitation que suscitaient en lui ces rumeurs, et il aurait presque préféré que la cause fût liée à la présomption du *sayyid*, qu'il ne revit jamais. Il se souvenait de la confusion qui l'avait poussé à fuir les *'Atabat* ; il sentait remonter en lui ses anciens doutes. Les échos de cette terrible femme l'avaient-ils suivi depuis Karbalâ, étaient-ils parvenus jusqu'à l'enceinte sacrée de la maison de Dieu ? Le harcelait-elle de son influence ici même, au cœur de sa foi ? Ces questions restèrent sans réponse et irrésolues, de même que son pèlerinage.

Le religieux conclut son *hadj* dans un état de profond abattement. Le grand théâtre spirituel était terminé, l'événement sacré était arrivé et reparti en l'abandonnant à son impression que tout cela s'écartait du sujet. La désillusion le remplissait d'amertume, ainsi que le manque de signification de ce moment. Si vigilant, si bien préparé qu'il eût été, il n'avait pas reçu la grâce du moindre signe, il n'avait été témoin d'aucun fait symbolique. Sa seule satisfaction venait de ce qu'à l'exception du déplorable incident pendant la lapidation, sa conduite avait été strictement appropriée, ses manières auraient fait honneur à sa famille. Même si Dieu ne lui avait pas adressé le moindre geste d'approbation, il ne pouvait se reprocher son échec. Assez curieusement, cette conviction ne lui apportait ni sentiment de victoire, ni clarté d'intention, mais l'impression d'une déception encore plus profonde.

Le désert est un lieu où les motivations sont visibles de très loin, et où elles peuvent aussi être dépouillées de leur signification. Lorsqu'il entreprit la dernière partie de son voyage, la vaste immensité attendait le jeune religieux pour l'engloutir. Il eut ample loisir, au cours des jours qui suivirent, de mesurer les buts de son existence aux échelles implacables du ciel et de la terre. Ses résolutions ne lui apparaissaient, hautes et nobles, que pour se réduire en pierres et en cailloux. Ses idéaux ne chatoyaient, telles des cités de lumière à l'horizon lointain, que pour s'évanouir à son approche en fades déceptions. Chaque pas l'amenait plus près de ce fatal carrefour où la foi devient futilité et l'éloignait davantage de la certitude. Après son départ de La Mecque, le religieux se sentit rapetisser, s'amenuiser dans le désert, qui se moquait de lui sans pitié.

Les pèlerins en compagnie desquels il se trouvait désormais étaient de caste très inférieure, comparés à ceux avec lesquels il avait accompli son *hadj* à La Mecque, et ne lui apportaient aucun éclat spirituel. Les ecclésiastiques les plus importants étaient, semblait-il, partis pour Médine avec une autre caravane, et il se sentait exclu du cercle de l'élite et oublié. Il était particulièrement irrité par la présence d'un petit vieux tout ratatiné, religieux ou fakir d'Extrême-Orient, dont les prières ne ressemblaient guère ou pas du tout aux siennes. Il trouvait agaçant également le derviche laconique et de qualité douteuse qui les avait rejoints à la sortie de La Mecque et qui avait l'habitude de disparaître et de réapparaître, tel un mirage, tandis qu'ils cheminaient péniblement dans les dunes monotones. Le religieux décida que le vieux fakir aux yeux ridés était soit un simple d'esprit, car il semblait incapable de saisir le moindre argument, soit un pernicieux infidèle plutôt qu'un saint homme. Et il soupçonnait le derviche d'être un voleur.

Les rangs de la caravane avaient aussi été désagréablement augmentés par les gardes et les mules du Luristân qui accompagnaient à Médine le corps du riche et vieux marchand. Etant mort au cours de son dernier pèlerinage, pendant la procession autour de la Ka'ba, celui-ci avait droit au privilège d'être enterré dans le cimetière sacré d'al-Baqî', où tant de pieux imams et de grands saints de l'islam avaient déjà été inhumés. La totalité de ses possessions devait être apportée en legs ultime aux religieux de Médine afin que des prières fussent dites pour confirmer le salut de son âme. Et sa puanteur confirmée devenait insupportable.

Mais ce qui aigrit davantage encore l'humeur du jeune homme, ce qui annula quasiment la validité de son pèlerinage entier, ce fut l'apparition de ce même odieux convoi nuptial qu'ils avaient laissé en panne à Djeddah. Lorsqu'au khan d'Osfan, à quelques *farsang* des limites de la ville, l'entourage de la fiancée, l'Indien et l'escorte turque rejoignirent la caravane, il devint presque hystérique. Il aperçut l'esclave noire, les servantes zoroastriennes. Quelle injustice était-ce là ? Ces infidèles, ces idolâtres – ces femmes ! – allaient-elles lui rendre la vie impossible jusqu'à Médine ? Cela paraissait impensable ! Pourquoi le harcelait-on ainsi, alors qu'il avait fait tout ce qu'il avait à faire, qu'il s'était surpassé quant à l'obéissance, qu'il méritait assurément mieux que cela de la part de Dieu ? Où se trouvaient Ses bénédictions ? Et tout l'argent dépensé pour les acquérir ? Il avait un fort sentiment de dettes impayées.

Mais le chef de la caravane haussa les épaules. Il n'y pouvait rien. Oui, le religieux avait payé pour qu'ils aillent à La Mecque sans les Turcs, mais à présent les Turcs avaient payé pour se joindre à eux sur la route de Médine. Sa tâche consistait à servir au mieux les intérêts de tous. Et, lançant un riche crachat dans le sable entre eux, il plissa les yeux pour observer l'horizon.

Désespéré, le jeune homme se remit à jeûner. Il réduisit au minimum sa consommation d'eau. Des croûtes rouges lui enflaient le visage dans la chaleur implacable. Des plaies suintantes le tourmentaient. Ses rêves enfiévrés revinrent, et rien ne pouvait plus calmer son agitation. Encouragé par le sunnite de Karachi, qui s'était de nouveau attaché à lui, il sacrait et pestait et se mit enfin à éveiller la colère des autres pèlerins. Il se mit à parler du caractère sacré du chemin qu'ils parcouraient. Il se mit à fulminer contre ce qu'il y avait de blasphématoire à laisser ces païens le parcourir avec eux. Il commençait même à penser qu'il avait une juste cause à défendre. Ils approchaient en effet d'Abwa', l'oratoire dédié à la mère du Prophète. Comment était-il possible qu'en ce lieu saint, à l'endroit sacré où était enterrée la sainte Amanih en personne, ce lieu de repos de la fille de Vahab, mère de Mahomet, grand-mère de la mystique Fâtima, à cet endroit où elle était morte en chemin, alors qu'elle se rendait sur la tombe de son époux 'Abdu'llah, sur ce chemin rendu sacré par sa vertueuse poussière, comment était-il possible qu'ils eussent parmi eux des filles de joie et des prostituées ? Comment des pèlerins pouvaient-ils autoriser pareil blasphème ? Déjà les siècles avaient humilié la douloureuse mère du Prophète en recouvrant sa tombe de la poussière de l'ignominie, sa dignité et sa vertu venaient à peine d'être rétablies grâce à la piété d'un pèlerin qui avait restauré et rénové son sanctuaire, on venait à peine de l'élever à la place qui lui revenait de droit et de l'honorer à nouveau selon ses mérites, allait-on à présent rester passif et autoriser une bande de femmes écervelées, de femmes dégoûtantes, de femmes mondaines et contaminées – d'infidèles ! – à profaner ce saint édifice ? Il exigeait que l'on arrêtât la caravane et que l'on obligeât le convoi nuptial à voyager séparément, avec son escorte turque, à l'écart des autres. L'Indien disait trouver la suggestion très correcte.

Mais le quatrième jour suivant leur départ de La Mecque, une heure à peine après qu'ils eurent quitté le khan de Khulays et une heure avant d'arriver à l'oratoire d'Abwa', la caravane fut immobilisée par un cri strident, plus fort que toutes les protestations qu'il aurait pu susciter.

C'était la fiancée. Elle s'était évanouie, disait-on. Tout le monde était arrêté. Que se passait-il ? Pourquoi criait-elle, si elle était évanouie ? Qu'est-ce qui avait provoqué son évanouissement, pour la faire crier ainsi ?

Quelque chose attirait le jeune religieux de plus en plus près des zoroastriens. Il traînait aux alentours du *takhteravan* nuptial et ne parvenait pas à s'en arracher. La jeune fille semblait hystérique, en effet. Mais un cri pareil avait-il pour cause la puanteur du cadavre, ainsi que le suggéraient certains des pèlerins ? Ou bien était-ce l'orgie, là-dedans ? Les conducteurs de la caravane se pressaient eux aussi autour du *takhteravan*, exigeant des explications. Mais lorsque l'esclave noire émergea, sculptée dans la pierre, implacable, le religieux oublia tout des cris et de la fiancée. Il avait des bourdonnements d'oreilles et, s'il avait su comment nommer cela, un goût de désir dans la bouche.

Il observa l'Abyssinienne qui passait près de lui de son allure flottante. Sa main, qui effleurait sa hanche étroite sous le voile, était ravissante, avec de longs doigts élégants. C'était une esclave, mais elle avait des doigts de reine. Ses mains portaient sur leurs dos et leurs paumes les marques d'un tatouage bleu. Son poignet, remarqua-t-il, était de la même perfection que sa cheville. Il fixa ses pieds des yeux. Un ruisselet dessinait son cours sombre et serpentin autour de sa cheville délicate et disparaissait sous son talon lorsqu'elle le posait sur le sable. Ce n'était pas un tatouage. Il regarda fixement la tache que cela laissait sur les perles qu'elle portait. Du sang.

Emporté par un paroxysme de désir et de dégoût, pris de vertige à force de déshydratation, le jeune religieux fit tourner son chameau d'une secousse qui provoqua une violente protestation de la bête sans lui laisser d'autre recours que d'obéir. En quelques minutes, il mit la plus grande distance possible entre lui et le convoi nuptial. Pendant le reste du trajet, jusqu'à l'arrivée de la caravane au puits d'Abwa', il demeura en compagnie du cadavre dont la puanteur fétide, se disait-il, menaçait moins de contaminer son corps et son âme.

Lorsque la caravane se remit en marche, le religieux resta à la traîne, plus semblable à un cadavre qu'à un vivant. Il remarqua à peine que son chameau marchait à côté du vieux fakir, qui tenait par les rênes la mule de l'Indien. Il se sentait étourdi de déception et d'écœurement. Le sanctuaire d'Amanih avait été profané. L'information qu'il avait reçue, selon laquelle on avait rénové et restauré l'édifice, s'était révélée fausse. Ce n'était qu'une ruine. Ou bien l'oratoire n'avait jamais été réparé, ou bien les forces de négation étaient plus puissantes que les forces d'affirmation et quelques brèves années l'avaient réduit à un tas de décombres. Son oncle de Chìrâz lui avait raconté qu'il l'avait vu reconstruit lorsqu'il était venu en pèlerinage, mais il ne restait là que des murs écroulés, un toit effondré, des traces de pillage et de vol, une ruine entourant un puits à sec. Certes, quelqu'un devait avoir creusé le nouveau puits, mais il avait refusé d'y boire en signe de protestation contre la profanation, contre le scandale de ces femmes qui en utilisaient l'eau à leurs propres fins. Une soif ardente le dévorait, mais il avait été furieux quand le vieux fakir présomptueux lui avait offert de l'eau, comme une absolution. Les tentations le suffoquaient, ainsi que le souvenir des flagorneries de ses tantes. Pendant les préparatifs du bain nuptial, les odeurs douceâtres des huiles et des baumes lui emplissaient la tête de vapeurs enivrantes. Il se dit qu'il devenait fou.

Après l'avoir observée, accroupie devant les braises pour faire chauffer l'eau du bain, il n'avait plus vu de longtemps l'esclave falacha. Elle avait été occupée dans le *takhteravan*. A un moment donné, les rideaux s'étaient entrouverts et il avait cru deviner un corps nu à l'intérieur. Mais il pouvait avoir été victime d'une hallucination. Il avait les lèvres noircies par le manque d'eau, et délirait presque. Les mouches ne le laissaient pas en paix. Elles le suivaient partout.

D'où peut venir une mouche en plein désert ? se demandait-il fiévreusement. Comment une mouche peut-elle survivre au milieu de tout ce sable et de ces pierres ? Nous les apportons avec nous, sûrement, dans ce vide, pensait-il. Nous les transportons aux coins de nos bouches baveuses, massées telles des paillettes repues au bord de nos yeux aveugles, ivres de notre fiente, intoxiquées par nos excréments, s'abreuvant aux outres flasques de notre mémoire où il ne reste d'hier qu'une vague humidité. C'est nous qui créons l'ordure des mouches dans toute cette pureté de sable, pensait-il. Nous qui, dans cet air sacré, les engendrons par notre corruption et puis les alimentons de nos maigres fluides. Si nous n'existions pas, il n'y aurait pas de mouches, conclut le religieux. Il aurait voulu mourir, mais l'idée que les mouches se nourriraient de lui le poussait de l'avant. Et il ne buvait toujours pas.

Outre sa méditation à propos des mouches, l'autre mystère de quelque importance qui le préoccupait était la disparition de l'Indien. A un moment donné, il se dit qu'il devrait peut-être informer le chef de la caravane de l'absence du sunnite de Karachi, car après leur arrêt au puits, il n'avait plus vu l'Indien. Mais il y avait d'autres problèmes à résoudre pour le chef, et beaucoup trop de mouches. On avait abandonné le cadavre. Et le religieux supposait vaguement que les gardes qui repartaient le chercher trouveraient aussi l'Indien. Après quoi la tempête de sable l'engloutit avec les autres, et il cessa tout à fait de penser.

Pendant la tempête de sable, le religieux appuya contre le flanc de son chameau sa tête enturbannée et s'abandonna à des désirs refoulés. Avec une humiliation sauvage, il s'abaissa. A plusieurs reprises, il se rendit faible et se fit pleurer. Il se sentait reconnaissant envers les hurlements du vent, les cris de la tempête et la mauvaise humeur de son chameau, car ils couvraient ses gémissements. Il ne pensait pas pouvoir être plus misérable. Il résista même à la tentation de goûter ses propres larmes, en dépit de sa soif désespérée, car il se haïssait. Il souhaita vraiment mourir, cette fois, car cela lui semblait la seule solution à ses souffrances.

A un moment donné, pendant la tempête, l'esclave falacha sortit du *takhteravan* et se dressa devant lui, telle une apparition. Elle portait une masse de draps de soie et de linges souillés qui échappaient à son étreinte et se tordaient dans le vent avec violence. Il la vit de derrière jeter tout cela dans la tourmente. Atterré, il pensa d'abord qu'elle se débarrassait de ses vêtements ; son voile avait glissé, et l'ossature de son crâne ressortait sur les tourbillons de la tempête. Mais il ne la vit pas lorsqu'elle se retourna, car l'un des draps de soie humides, comme ensorcelé, avait filé des bras de l'Ethiopienne et s'était plaqué sur son visage. Il se sentit étouffé par les parfums entêtants de la soie mouillée et le sable collant englué dans ses plis. Il s'enfouit dans ces sensations, couvert de la tête aux pieds et entravé aux chevilles. Et puis il s'abîma dans son délire.

Lorsque les brigands attaquèrent, quelque deux heures plus tard, le religieux avait sombré dans la stupeur. Il gisait, rigide, face contre sable, entortillé dans le drap qui avait été jeté du *takhteravan* de la fiancée, emballé comme une momie. Les brigands le crurent mort. Quand le chef ressortit brusquement du *takhteravan* nuptial en proférant d'abominables jurons, il asséna au religieux un coup terrible sur la tête en même temps qu'il tuait son chameau et mettait le feu au *takhteravan*. Et voilà comment l'homme de Dieu survécut au raid.

Il s'avéra que les questions de la vie présentaient plus de difficultés que la réponse de la mort. La résurrection était un paradoxe douloureux. Il la haïssait et il l'aimait. Elle lui touchait les lèvres avec un filet de sang tiède qui l'écœurait et le rappelait à la vie. Elle lui soutenait la tête, telle une mère, cette mère qui lui manquait tellement et qu'il condamnait. Il lutta contre le paradoxe de cette vie, lutta contre ses énigmes et ses corrélations, lutta avec les contradictions auxquelles elle le confrontait, les terreurs du dégoût de soi et de l'acceptation de soi. Jusqu'à ce qu'il fît enfin surface, trempé de rosée

sous la jeune lune. Il avait aux tempes une douleur lancinante. Une femme à demi nue gisait
sur le sable à côté de lui. Et il était vivant.

Quand le religieux comprit que c'était la
Falacha qui lui avait sauvé la vie, la honte le fit
fondre en sanglots incontrôlables. Les larmes
salées brûlaient les plaies encroûtées de ses
joues, ses lèvres craquelées et noircies. Elle lui
murmura des mots d'une infinie tendresse. Elle
tendit la main pour essuyer ses larmes et il sentit
avec un respect émerveillé le contact de ses
doigts. Elle portait une seule bague, ornée de
cornaline, sur son petit doigt ; la bague s'accrocha dans sa barbe et tira sur les fibres de son
cœur. Elle l'enleva et la lui donna.

L'amour qu'il éprouvait à ce moment pour la
Falacha qui gisait auprès de lui, tel un papillon
brisé, sous les éclats mouchetés de la lune, ne
ressemblait à aucune sensation, à aucune expérience qu'il eût connue auparavant. Il l'envahit
comme les vagues de la mer lointaine qui n'avait
pas de nom ; il inonda son cœur sec de l'eau
d'une fontaine qu'il n'avait jamais devinée en
lui. Quand il la supplia de lui pardonner et lui
demanda ce qu'il pouvait faire pour elle, elle
murmura ses souhaits d'une voix si faible qu'il
dut se pencher pour entendre sa requête. Il dut
incliner sa tête dépouillée de son turban, afin
de l'entendre et de s'émerveiller d'elle. Et il
l'embrassa alors, de ses lèvres saignantes. Mais
déjà elle était retombée dans l'inconscience.
N'ayant encore jamais aimé, il ne reconnut pas
ce qui lui arrivait. Et il laissa donc la brève beauté
passer, incontestée. Elle n'avait pas besoin d'autre
preuve de ce qu'elle était.

Il n'avait encore jamais vu quelqu'un mourir.
Lorsque, peu avant l'aube, la Falacha se mit à
pousser des cris déchirants, une peur terrible

remplit le cœur du jeune homme. Il l'avait ramenée au sanctuaire en ruine, ainsi qu'elle l'avait demandé. Il l'avait allongée près du vieux puits asséché, et avait trouvé l'endroit déjà occupé. Les cendres du feu qu'elle avait allumé la veille étaient encore chaudes, et le derviche était accroupi auprès d'elles. Il semblait être resté au puits, lui aussi, comme le cadavre.

Avec brusquerie, le religieux raconta l'attaque des brigands à cet homme désagréable ; il trouvait suspect que cette canaille eût sauvé sa peau. Cela confirmait son opinion, selon laquelle le derviche était un voleur et sans doute de mèche avec les bandits. Mais quelles que fussent son antipathie et sa méfiance, il éprouvait de la honte à être surpris ainsi, exposé ainsi, même par une créature aussi méprisable que ce derviche. Il se sentait gêné d'être découvert par ce personnage peu recommandable en compagnie d'une femme dont le corps s'arquait de douleur. Bien qu'elle se trouvât manifestement dans les affres de l'agonie, il se sentait compromis.

C'était à lui, le religieux, qu'elle adressait ses cris. Elle s'efforçait de lui dire quelque chose, en haletant, à mots brisés, dans une langue qu'il ne connaissait pas. Elle montrait du doigt la sacoche sur la mule qui l'avait ramenée au puits. Il comprit soudain qu'elle souhaitait qu'il l'ouvrît, et c'est ce qu'il fit, déchiré entre le désir de remplir ses obligations envers cette femme qu'il avait aimée d'un amour éphémère sous la lune du désert et le respect humain, la honte qui naissaient en lui en présence d'un homme. Il frissonna d'obéir à une esclave sous l'œil attentif du cauteleux derviche tapi dans le coin de la ruine.

La sacoche était bourrée de paquets. Il en retira un mince, un rouleau de parchemin, et le donna à l'esclave. Alors il fouilla la sacoche pour voir si elle contenait autre chose que ces paquets, emballés de soie et de papier grossier. Il n'y avait rien d'autre. Le derviche bondit de son coin sombre pour inspecter la sacoche, lui aussi, mais à ce moment le religieux trouva soudain insupportable sa présence profanatrice et lui fit face sauvagement en serrant la sacoche contre lui. C'était étrange, la violence de la répulsion que lui inspirait cet homme. C'était comme si, en empêchant ce voleur de s'approcher de la sacoche, il pouvait protéger la femme.

"La sacoche lui appartient, dit-il âprement. Vous n'avez pas le droit d'y toucher !"

Il était évident que le gaillard brûlait d'y mettre la main. Comme il retournait bouder dans son coin, en marmonnant à propos de contagion et de maladie, le religieux fut pris d'un désir intense de le tuer. Sa fureur lui parut surprenante, même à lui, car le derviche était d'une force physique bien supérieure à la sienne. Mais il l'avait intimidé, momentanément, et l'homme le regardait, tassé par la peur. La femme, cependant, paraissait inconsciente du drame d'antagonisme qui se jouait devant elle. Il ne lui restait d'énergie que pour le rouleau de parchemin. Quand elle eut enfin réussi à arracher la ficelle dont il était entouré, elle leva les yeux vers le religieux et il lut sa dernière requête dans leurs profondeurs insondables.

Il fut stupéfait de l'invocation qu'il psalmodia pour elle dans le crépuscule de l'aube, près du puits. Elle était rédigée dans le noble langage du saint Coran, et pourtant il n'avait encore jamais entendu pareils mots. Ils semblaient faire lever le soleil à l'horizon. Ils lui rappelaient une voix ; il ne savait plus, en cet instant, laquelle.

Le langage était familier et pourtant oublié. Songeur, il plongea la main dans la sacoche et en retira un autre paquet. Celui-ci aussi contenait des feuilles couvertes de fine calligraphie. Il sentit dans son dos l'haleine brûlante du derviche et tenta de l'écarter d'un mouvement d'épaules, mais sa première fureur s'était dissipée. Il y avait davantage de crainte à présent dans ses propres sentiments tandis qu'il déroulait le parchemin et déchiffrait les mots tracés sur le papier. Son cœur frémit lorsque le premier doigt de l'aurore se posa sur la page.

Il s'efforçait de ne pas perdre la tête. Le derviche, à son coude, posait des questions d'une voix enjôleuse. Le chassant comme on chasse une mouche, le religieux lui expliqua avec hauteur que la calligraphie était d'une qualité exceptionnelle. C'était évident ; même un amateur pouvait constater cela. Le derviche continua de l'importuner après qu'il se fut détourné pour se concentrer sur les mots qui se formaient sur la page. Cela avait manifestement été écrit par un maître en son art, ajouta-t-il, coupant. Il eût souhaité que cet individu le laissât seul. Le derviche palpait la sacoche mais, arrivé à ce point, le religieux ne le remarquait plus. Il avait découvert avec étonnement que le texte, sur ce papier, était en persan, et il avait commencé à lire.

Et les mots lui parlaient en chuchotant des mystères décrétés dans le Livre Mère. Ils lui parlaient de vérités voilées dans le Livre Mère. Ils l'appelaient à porter témoignage des bénédictions ordonnées dans le Livre Mère. Ils le pressaient de se remémorer toutes les promesses qui seraient accomplies par le Livre Mère. D'une voix retentissante, ils lui parlaient de Celui qui est acclamé et attendu dans le Livre Mère.

Le religieux écarta soudain de lui ce papier. Il était terrifié. En jurant, il le jeta dans le puits abandonné. De l'avoir touché, ses doigts le brûlaient et le démangeaient. Il l'avait bel et bien déjà entendue, cette voix. La femme, à Karbalâ, se faisait l'écho de paroles comme celles-ci. La femme, à Karbalâ, avait parlé de ces mystères, de ces vérités, de ces promesses dans le Livre Mère ; elle aussi, elle enseignait la preuve du Livre Mère. Il avait fui le Livre Mère, et celui-ci l'avait poursuivi jusque-là, dans cette ruine abandonnée, à ce puits hors d'usage, sur la route de La Mecque à Médine ! Il l'attendait là, au sanctuaire d'Abwa', la mère du Prophète ! Que signifiait tout cela ?

Quand le derviche murmura que ce n'était pas étonnant, vu la nature de la maladie de cette femme, que le révérend craignît à ce point de toucher ce qui lui avait appartenu, il l'entendit à peine. Quand le derviche demanda, d'une voix conciliante, si Sa Sainteté pourrait envisager de se séparer de ce morceau de cuir de cheval en faveur d'un mendiant pauvre et indigne pour qui la contagion était une miséricorde et à qui sa pauvreté dictait l'absence de discrimination, il tourna les talons et sortit du sanctuaire obscur, tremblant de la tête aux pieds.

Il avait des élancements dans la tête. Il ne savait pas si c'était à cause de la blessure faite la veille à son front, dont il n'avait guère pris le temps de s'occuper, ou de la faim et de l'épuisement dus à la longue marche nocturne. Ni si c'était parce que les mots qu'il venait de lire l'emplissaient d'un tel vertige, ces "paroles mères" si enceintes de sens, si pleines de signification. Il se pencha au bord du puits dans le soleil du petit matin et tira l'eau fraîche vers lui. Il y plongea le visage et but avidement. Il but et but comme il n'avait encore jamais bu.

En revenant, désaltéré, un peu plus tard, il s'aperçut que l'esclave était morte dans la ruine. Et le derviche s'était approprié la sacoche. La femme la lui avait donnée, déclara-t-il sans ambages, avant de mourir. Ce répugnant personnage s'était sanglé la sacoche sur le dos et n'avait manifestement aucune intention de s'en séparer. Il paraissait très satisfait de son acquisition et se dressait de toute sa taille, avec un air de défi. Le religieux se rendit compte avec un choc que cet odieux derviche était beaucoup plus grand que lui, et se montrait menaçant. L'idée qui l'avait pris plus tôt de le tuer était pour le moins téméraire. En réalité, c'était plus un malandrin qu'un derviche.

La peur que ressentit le religieux à cet instant fut moins intense, néanmoins, que le regret cuisant qui lui succéda. Il comprit qu'il avait perdu toute chance d'examiner encore ces mystérieux papiers. Il avait jeté le texte qu'il avait débarrassé de sa ficelle et à présent le derviche détenait tout le reste des paquets contenus dans la sacoche. Mais l'invocation unique qu'il avait psalmodiée pour elle se trouvait encore entre les doigts froids de l'esclave. Cela, au moins, il pouvait le récupérer. S'il osait. Il s'approcha d'elle.

"Que Dieu vous garde, elle est morte de la variole, mon maître", murmura le derviche.

Le religieux contempla le visage grêlé et revit la beauté qu'il avait aperçue sous la lune. Il savait que son amour pour cette femme et les injonctions du Livre Mère ne faisaient qu'un dans son cœur. Il savait aussi que les mots dans la sacoche et l'enseignement de la femme de Karbalâ n'étaient qu'une seule et même chose. Et pourtant, il ne supportait de reconnaître la vérité ni des uns, ni de l'autre, bien qu'il souhaitât croire en tous deux. Incapable de résister mais refusant de se soumettre, il ne pouvait pas accepter, et ne pouvait pas non plus rejeter tout à fait. Il demeurait penché sur la morte, le cœur déchiré d'amour pour elle, et l'esprit plein de résistance.

A la fin, il lui laissa le papier coincé entre les doigts, parce qu'il l'aimait trop pour l'en priver et également parce qu'il craignait l'implication des mots auxquels elle était ainsi cramponnée dans la mort. Il ordonna rudement au derviche de lui venir en aide et, à deux, ils soulevèrent son corps et le jetèrent sans cérémonies dans le puits abandonné. Elle lui parut légère et cassante comme un oiseau desséché mais une mare de sang noir et lourd demeurait là où elle avait été couchée. Après cela, le bruit des rocs et des pierres tombant dans le puits à sec l'épouvanta.

Il s'efforça d'en laver la contagion de ses mains, de son corps, de son cœur et de son âme. Mais il conserva la bague, car elle avait la couleur du sang de cette femme. Il ne savait pas s'il devait retourner à ses études et consacrer le restant de ses jours à persécuter l'hérésie. Ou se vouer à jamais à la nouvelle doctrine d'amour du Livre Mère de la vie. Il hésita, indécis, près du puits, et se sentit soulagé lorsque le derviche partit sans lui vers Médine.

LE DERVICHE

Lorsque le derviche vit tomber quelque chose du haut des falaises en avant de la caravane, il fut aussitôt en alerte. Il savait que c'était un signe de la tribu, et il plissa ses yeux pâles afin de mieux scruter la ligne de crête. Ce qu'il distingua confirma son attente et lui envoya par tout le corps un flot d'adrénaline. Là, au bord du haut escarpement, des silhouettes d'hommes se détachaient sur le ciel matinal. Une trentaine environ, peut-être plus.

Le derviche guettait la tribu depuis trois jours, depuis son départ d'El-Jamum, aux abords de l'enceinte de La Mecque. Quand un convoi de soldats turcs s'était joint à la caravane au carrefour d'Osfan, à une journée de voyage de là, il avait été pris d'inquiétude à l'idée qu'il pourrait la manquer. Avec ces choucas efféminés qui paradaient au long du chemin, fiers de leurs uniformes d'un bleu éblouissant et de leurs chevelures pommadées, la caravane avait beaucoup de chances d'être attaquée avant qu'il n'ait pu nouer le moindre contact avec les guerriers de la tribu. Il avait donc commencé à rechercher des traces de leur passage, indépendamment. Il lui fallait garder l'œil ouvert, attentif aux codes dont ils se servaient, aux indices qu'ils se laissaient les uns aux autres. Il partait en brèves reconnaissances dans le désert lorsque son absence pouvait passer inaperçue, et cherchait plusieurs heures durant chaque fois, entre les passes et les dunes modelées par les vents, pendant que la caravane poursuivait avec lenteur sa lourde marche vers Médine.

Six mois plus tôt, lors de son premier voyage dans cette région, un Bédouin sauvage lui avait indiqué certains sentiers qui offraient sur les routes des caravanes le double avantage de la rapidité et de la perspective. Il avait embauché ce gaillard comme guide dans le massif montagneux de Dafdaf, repaire des féroces guerriers, mais il n'éprouvait pas envers le Bédouin une confiance totale. Il soupçonnait cet homme, un vrai lézard, d'être de mèche avec les célèbres nomades, d'être un espion pouvant à tout moment se retourner contre lui, d'être un assassin risquant de le poignarder dans le dos quand il s'y attendrait le moins. L'homme paraissait capable de saisir des signaux dans le vent et de lire dans les rochers des messages codés. Mais le derviche n'avait d'autre preuve de sa duplicité qu'un certain grésillement dans la nuque. Il avait étudié avec perspicacité ce diable efflanqué et appris à déchiffrer ses talents. Etant lui-même agent secret, il avait une sensibilité particulièrement vive lorsqu'il s'agissait d'espions.

Le derviche était un jeune Anglais déguisé, en mission politique dans cette région. Le cheik de la tribu des Harb, Ibn Roumi, s'était révolté quelques mois plus tôt contre la domination turque, créant des perturbations considérables au sein de la présence ottomane à La Mecque, et l'Anglais avait persuadé l'ambassadeur de Grande-Bretagne à Constantinople de l'envoyer comme espion afin de réunir des renseignements sur ces activités. Pour que les renseignements fussent exacts, il était évidemment indispensable d'établir des liens fiables et indépendants avec le chef rebelle. Les relations cordiales entre le gouvernement de Sa Majesté et la Sublime Porte exigeaient cela, naturellement. Il réussit à convaincre l'ambassadeur que l'on pourrait même trouver avantage à établir des relations cordiales avec les rebelles. L'agitation régnait dans la région entière, et la politique de Sa Gracieuse Majesté avait toujours consisté à protéger les intérêts privés de la reine, quelle que pût être sa position officielle. Il proposa par conséquent d'agir en tant qu'agent secret et de négocier une vente d'armes à la tribu.

L'ambassadeur estimait, quant à lui, que cette mission était quelque peu tirée par les cheveux. A son avis, Ibn Roumi, dont l'indépendance était notoire, tenait vraisemblablement à conserver ses distances avec les Anglais tout autant qu'il souhaitait se dégager de la domination turque. Il laissa néanmoins cet attaché frais émoulu penser qu'il servirait bien son pays s'il se chargeait de cela, estimant que si d'aventure un agent anonyme se faisait tuer quelque part dans la péninsule arabique, cela ne donnerait pas lieu à un scandale diplomatique trop important. Ce qui l'attirait, dans cette proposition, c'était qu'elle pouvait servir son intérêt personnel en le débarrassant de ce jeune arrogant, qui lui paraissait beaucoup trop ambitieux. Le gaillard était manifestement plus aventurier que diplomate de tempérament et s'il ne progressait pas dans sa carrière, il était susceptible de faire du scandale. En outre, l'ambassadeur se sentait intimement vexé par le manque d'enthousiasme de son attaché pour la sodomie ; même les propositions les plus subtiles étaient restées sans réaction de la part du jeune Hercule. L'amour-propre du grand homme avait été quelque peu bafoué. Il en avait conclu que ce garçon n'était qu'un sot, et imaginé que si on lui lâchait assez de corde, il pourrait fort bien se pendre, faute de discernement, et cesser d'être une menace. Il approuva donc la proposition.

C'était exactement le genre de défi que le jeune Anglais attendait avec impatience depuis qu'il occupait ce poste. A l'origine, il avait été question à Whitehall de l'envoyer comme agent en Asie centrale, où la Grande-Bretagne et la Russie se livraient une guerre froide pour le contrôle des cols permettant de passer de Kachgar en Inde. Des histoires de subterfuges téméraires et de réseaux d'espionnage donnaient à cette région une réputation épouvantable, et le jeune homme avait nourri de grands espoirs à la perspective de cette affectation passionnante, qui aurait révélé le talent et le flair avec lesquels il pouvait servir les intérêts politiques et économiques de son pays. Mais à la dernière minute on avait attribué le poste à un autre et il s'était retrouvé affecté au siège suffocant et plein de flagorneurs du sultanat, soumis aux effluves verbaux de l'ambassadeur et aux dîners assommants que son épouse organisait à Constantinople.

Faire circuler de la paperasse dans un bureau poussiéreux ne correspondait pas à son idée d'une carrière prometteuse, et l'épouse de l'ambassadeur avait fait preuve d'un tempérament embarrassant, que l'on ne pouvait éveiller que grâce à des manœuvres plutôt obliques et qui devenait gênant, une fois provoqué. C'était une catholique ardente et elle interprétait toutes les avances du jeune homme comme des indications d'une affinité spirituelle entre eux, dont il avait bien du mal à maintenir l'illusion, si utile qu'elle fût. Il éprouvait aussi de la difficulté à demeurer enthousiaste à propos de ce que pourraient être les prochaines actions du cardinal Newman, qui semblaient constituer le sujet principal de ses conversations avec elle. Les questions religieuses n'avaient d'importance aux yeux du jeune attaché que dans la mesure où elles pouvaient améliorer ses perspectives. A mesure que l'épouse de l'ambassadeur devenait plus émue par son ardente sensibilité et se flattait de ce que sa conversion ne fût plus qu'une question de temps, lui, de son côté, supportait avec de moins en moins de patience leurs discussions à propos de l'admirable conscience du cardinal. Il était malaisé de garder foi en la notion que cette vertu vénérée à Egbaston pouvait exercer sur sa carrière une influence quelconque.

Il voulait faire fortune ; il voulait rentrer chez lui couvert de gloire. Il voulait jouer un rôle dans l'Histoire avec un grand H, être responsable d'un changement politique significatif qui étendrait la puissance et le prestige de l'Empire et auquel son nom resterait à jamais associé. Et par-dessus tout, il voulait rentrer dans son pays avec une traîne de nuages et de trophées glorieux. D'autres, parmi ses compatriotes, agents secrets eux aussi sous couvert de diplomatie, s'étaient illustrés au cours des dernières années et avaient acquis des objets hors de prix, découvert d'immortelles gravures et fait main basse sur d'impérissables manuscrits sortis de la nuit des temps. Ils avaient été anoblis et avaient reçu toutes sortes de distinctions, alors pourquoi ne pourrait-il pas décrocher la gloire grâce à ses exploits ? Il avait presque trente ans, était célibataire et avait encore besoin de faire ses preuves.

Son frère aîné avait été couronné d'honneurs intellectuels à l'université et avait, avec l'arrogance naturelle qui lui revenait de droit, endossé le rôle d'héritier présomptif au siège familial. Son plus jeune frère avait obtenu des distinctions similaires dans l'Eglise et s'était établi dans la méritoire morosité d'une paroisse. Mais lui, le fils cadet (ses sœurs ne comptaient pas vraiment, n'étant que chair à marier), avait déçu son père. D'abord, il n'avait pas réussi à marcher sur les traces de son aîné et s'était fait renvoyer de l'université avec des résultats ignominieux après un scandale où était compromise la fille de sa logeuse. Ensuite, sa carrière dans l'armée avait pris fin de manière aussi brutale et ses rêves d'obtenir une promotion prestigieuse en Inde avaient été définitivement anéantis alors qu'il entraînait des mercenaires en Perse. En effet, sa discrétion n'avait pas été à la hauteur de son imagination et une partie des munitions dont il était responsable avait disparu de façon tout à fait inexplicable, sans laisser de trace. C'était un déshonneur et une honte. Il avait alors été rappelé chez lui, sévèrement réprimandé par son père et informé que s'il ne pouvait avoir une conduite convenable dans l'avenir, il se verrait couper les vivres et se retrouverait réduit au commerce. Il n'était bon qu'à cela, conclut le patriarche dégoûté. On lui accordait à présent sa dernière chance en tant que simple attaché à l'ambassade britannique à Constantinople. Si ce fils indigne ternissait son nom à Whitehall aussi, il serait forcé d'émigrer en Amérique.

L'enjeu de sa réussite dans la carrière diplomatique était donc important. En dépit du fait qu'on associait en général aux obligations d'un représentant mineur du gouvernement de Sa Majesté à l'étranger un niveau élevé d'ennui et un niveau assez bas d'intelligence, il était résolu à ne rentrer chez lui que couronné de lauriers. Ses adieux furent dramatiques. Ses deux sœurs versèrent sur lui des larmes abondantes lorsqu'il se prépara à partir pour le Bosphore, car elles le trouvaient merveilleusement beau et hardi et le croyaient victime d'une cruelle envie. Elles prenaient toujours son parti contre les sarcasmes de leurs frères. Objet ravi de leurs attentions, il se gardait bien de leur dire que l'exploit le plus hardi qu'on attendrait de lui dans son nouveau poste consisterait sans doute à veiller à ce que les crayons de l'ambassadeur fussent toujours bien taillés. Ses frères, de leur côté, lui laissèrent entendre que, tout en supposant qu'il s'abstiendrait désormais de faire des bêtises, ils ne pensaient pas, étant donné ses antécédents dans la notoriété, qu'il y eût grand espoir de le voir arriver à quoi que ce fût de conséquent. S'ensuivirent des scènes désagréables et des adieux glaciaux. Il leur déclara qu'il comptait bien qu'ils finiraient par regretter leurs paroles, et quitta Londres dans un élan de dignité offensée.

S'il se laissait cajoler par ses sœurs, si le persiflage et l'odieuse parcimonie des compliments de ses frères le faisaient bouillir d'indignation, le jeune Anglais nourrissait le pénible soupçon qu'ils avaient raison. Il n'arriverait pas à grand-chose. Il s'était toujours efforcé, dans le passé, de démontrer le mal-fondé de leur condescendance, mais peut-être la méritait-il après tout. Un grand vide se creusait en lui à cette idée, et il prit congé de son père avec une soumission contrite qui étonna le vieux gentleman.

Mais cela ne dura pas au-delà de la traversée de la Manche. Il ne s'appesantit pas non plus sur ses doutes mais s'en servit au contraire pour alimenter ses ambitions. Son amour-propre naissait d'un profond sentiment d'insécurité, et le vide fut bientôt comblé par la rodomontade. D'une manière ou d'une autre, il obligerait le monde à l'admirer. Il leur montrerait, à tous, qu'il était un héros !

Il n'était plus qu'un petit diplomate, mais il conservait ses rêves de gloire. Il avait été réduit à l'état de misérable scribouillard, mais se tenait toujours prêt pour l'aventure. Et il se languissait d'une occasion d'abandonner cette routine étouffante, parce que le polo et l'épouse de l'ambassadeur ne représentaient pas pour lui un défi suffisant. Alors quand arrivèrent les nouvelles du soulèvement de la tribu des Harb en Arabie, il y vit aussitôt les possibilités de gloire et d'action spectaculaire dont il rêvait. Il interpréta l'approbation de son projet par l'ambassadeur comme un signe de la confiance tardive de son supérieur en ses capacités. Voyager dans des déserts sauvages et négocier des accords avec le célèbre chef tribal, c'était exactement l'occasion qu'il avait espérée de démontrer enfin à son père, à ses frères et à lui-même qu'il n'était pas qu'un fanfaron.

Quels qu'eussent été les aléas de sa carrière, c'était un jeune homme non dépourvu de grâce. Grand, les yeux bleus, les épaules larges et excellent cavalier, il s'estimait irrésistible pour les dames. Son échec universitaire n'avait pas eu pour seule cause un défaut d'intelligence, mais aussi un manque de discipline ; sa disgrâce n'était pas due uniquement à la stupidité, mais aussi à la prodigalité, qui a toujours son charme. Par immaturité, il avait dilapidé son argent en conquêtes sexuelles et perdu son temps aux courses. Mais il commençait à mûrir.

Il était déjà moins téméraire que ne l'espérait l'ambassadeur et que ses frères ne se seraient plu à le croire. Sous une apparence d'impétuosité et de courage insouciant, il était aussi moins impulsif que son père ne le supposait ou que lui-même n'aurait voulu l'admettre ; il était en effet devenu de plus en plus prudent lorsqu'il s'agissait de danger personnel. Il prenait soin de réduire ses risques au minimum tout en paraissant les affronter. Son caractère comportait un élément calculateur et intéressé dont l'aveu eût diminué son honneur. A vrai dire, il avait trouvé plus facile de reconnaître son incompétence dans l'armée que de s'entendre accusé de lâcheté ; et même là, déjà, certains l'avaient traité de goujat. En dépit de ses vantardises, il avait donc toutes les qualités qui font un excellent diplomate.

Une autre qualité qui l'avait toujours bien servi était son sens du drame. Il était assez cabotin de nature et le théâtre le mettait à son avantage. Il en avait fait dans l'adolescence un amant convaincant et à présent, dans sa maturité, il lui était d'une utilité particulière dans son rôle d'espion. Il avait le don d'imitation d'un caméléon et la capacité de masquer ses cheveux blonds et sa peau claire, ses antipathies religieuses et son accent étranger avec un professionnalisme admirable. Bien que, comme beaucoup d'Anglais, il fût peu doué pour les langues, ses années dans l'armée n'avaient pas été vaines et il pouvait parodier avec une certaine authenticité une connaissance convenable du persan et de l'arabe ainsi que des notions suffisantes du turc. Jouer la comédie était chez lui une seconde nature.

Il bénéficiait aussi d'une indifférence complète en matière d'observance religieuse et bien qu'il eût, comme ses frères et sœurs, reçu dès sa petite enfance, avec un hurlement plein de santé, l'aspersion humide des eaux anglicanes dans la chapelle familiale, il n'éprouvait pas la moindre difficulté à s'adapter aux manifestations extérieures de la religion musulmane. Il observait, il écoutait, et il avait appris à faire écho au cérémonial de la ferveur chiite et à la solennité sunnite. A dire vrai, il était plutôt satisfait de la façon dont il disait ses prières.

Tirant parti de toutes ces qualités et de tous ces talents, il s'appliqua à identifier le personnage qui conviendrait le mieux à cette mission en particulier. Il fallait que son masque lui évitât la contrainte et les soupçons tout en lui facilitant les rencontres et les disparitions en cours de route, entre La Mecque et Médine. Car son déguisement comportait de grands risques. S'il devait voyager sur cette route des pèlerinages, il fallait qu'il donnât aux autres une indication quelconque de motivation spirituelle – un genre de motivation, il fallait bien l'admettre, qui n'avait guère existé jusque-là dans sa vie. Il avait réussi à en éviter les rigueurs pendant des années en marmonnant les versets trouvés dans le grand livre des prières anglicanes chaque fois qu'il s'y trouvait contraint et en maintenant des relations aussi vagues que possible avec les églises paroissiales d'un bout à l'autre du pays, car c'était un jeune homme qui ne se présentait pas volontiers comme un misérable pécheur. En vérité, tout ce qui avait été exigé de lui jusqu'alors était cette expression faible et délavée de la motivation spirituelle que l'on associe aux mariages, aux baptêmes et aux enterrements célébrés sous les paisibles auspices de l'Eglise d'Angleterre. Toutefois, les soufis de Perse l'avaient impressionné par l'anarchie de leur philosophie et il considérait leur motivation spirituelle comme suffisamment vague pour couvrir une multitude d'ambiguïtés. Elle exigeait assez peu de conviction et de cohérence pour convenir à cet aspect de son tempérament. C'est ce qui l'incita donc à adopter l'apparence d'un derviche lorsqu'il s'embarqua pour sa mission dans les déserts d'Arabie. Il avait passé plusieurs semaines à étudier les attitudes, les intonations, les danses, les méthodes de prière et de mendicité ainsi que l'allure générale des derviches en Turquie orientale, et se sentait assez satisfait de la façon dont il jouait ce rôle. Il devait conserver sa hache et son bol de mendiant et s'en servirait souvent, dans les années ultérieures et au sommet de sa carrière diplomatique, lors des bals costumés de l'ambassade.

On peut néanmoins porter au crédit du jeune agent le fait qu'une légère inquiétude le tenaillait à l'idée que son déguisement ne passât pas l'épreuve de la sincérité. Son désir de gloire n'allait pas jusqu'à la mort, non plus que ses capacités de mimétisme jusqu'au martyre. Une certaine magie était associée au nom de La Mecque mais, plutôt que de s'y rendre pour de bon, il préférait qu'on le crût assez courageux pour s'y être rendu. Se conformant aux directives de l'ambassadeur, il passa par Bagdad pour y recevoir ses instructions, mais bien que le consul général dans cette ville l'eût vu partir sous l'apparence d'un derviche à destination de Bassora, où les bateaux de pèlerins embarquaient leurs passagers, il n'avait aucune intention d'accompagner ses compagnons de voyage pendant leur *hadj*. Lorsqu'il arriva au port étouffant et fétide de Djeddah, il préféra se mettre en quête d'une caravane commerciale qui lui permettrait de contourner la ville sainte.

Il y avait un convoi nuptial qui semblait avoir autant besoin que lui d'éviter La Mecque, et une telle escorte lui eût fort bien convenu. Il fallut néanmoins plusieurs jours pour persuader le chef de la caravane de faire le détour. Un Indien replet, originaire de Karachi et sur lequel il reconnaissait les traces indiscutables de la corruption coloniale, jouait un rôle capital dans les négociations et le derviche l'observait avec attention, impatient que ces marchandages aboutissent. Il était convaincu que cet odieux bonhomme parlait anglais mais s'abstint de l'aborder et fut obligé de faire confiance à la vénalité manifeste du personnage. Malgré les protestations des pèlerins, il paraissait probable que l'Indien obtiendrait gain de cause.

Quelques heures avant leur départ, néanmoins, un groupe de soldats turcs arriva soudain à Djeddah afin d'escorter la fiancée jusqu'à Damas, et les projets du derviche s'en trouvèrent modifiés du tout au tout. Le convoi nuptial allait désormais faire le détour en compagnie de son escorte turque et la caravane des pèlerins irait directement à La Mecque. Il ne pouvait certes pas voyager en compagnie des soldats du sultan s'il souhaitait prendre contact avec la tribu des Harb. Il n'avait pas le choix : il lui fallait partir droit vers le saint des saints avec les pèlerins.

Voilà comment, une peur le forçant d'en affronter une autre, il fut obligé, bien à contrecœur, d'avancer pas à pas vers La Mecque. A l'approche de la ville, il ne participa toutefois à aucun des rites ou rituels préparatoires, au cas où sa supercherie risquerait d'être détectée. Il s'attarda plutôt en compagnie de ceux qui importunaient les pèlerins en chemin. Il ne revêtit pas non plus la tenue spéciale du pèlerinage, parce qu'il faisait tellement chaud, mais se rendit compte qu'il pouvait mieux éviter les soupçons parmi les indigents. Il arriva à Hedda, aux abords de la ville sainte, dans le sillage de la caravane des pèlerins et en compagnie des mendiants.

Là, il perdit son sang-froid. C'était le dernier caravansérail avant La Mecque et sa dernière chance d'éviter les terreurs du *hadj*. Adoptant un profil aussi bas que possible, atteint de sueurs froides sous le soleil brûlant, il resta assis à marmonner ce qu'il espérait faire passer pour des prières au milieu des mendiants massés le long de la route, et attendit le départ de la caravane. Ensuite il profita de la première occasion qui se présentait de contourner la cité, avec des commerçants se rendant vers le nord, à El-Jamum.

Cela prit deux longues semaines, car il voyageait à pied, mais le temps perdu était compensé par la sécurité relative qu'offrait cette solution, et quelques ennuis d'estomac persistants provoqués par une aumône inattendue de viande sacrificielle du *hadj* furent tout le prix qu'il eut à payer pour avoir pris ce risque modéré de violer les convenances religieuses.

Par la suite, il décrirait en détails imagés toutes les activités auxquelles il aurait participé à La Mecque et donnerait une représentation très convaincante du pèlerinage qu'il n'avait jamais accompli. Son numéro ferait toujours de l'effet sur les dames, qui seraient particulièrement impressionnées par le récit pittoresque de son affrontement avec la tribu sauvage d'une part et des fanatiques forcenés de l'autre. Ce qu'il ne raconta jamais, par contre, c'est que ses aventures ne le rapprochèrent pas de son but car durant les deux semaines qu'il passa à cheminer en mendiant autour de la ville et la semaine supplémentaire pendant laquelle il attendit à El-Jamum la caravane à destination de Médine, il ne vit aucun signe, il ne trouva aucun message codé, il ne découvrit pas le moindre indice des activités d'Ibn Roumi ou de ses hommes.

A une journée de voyage d'El-Jamum, sa déception tourna au désarroi. Il retrouva en effet au caravansérail d'Osfan le convoi nuptial qui attendait de se joindre à la caravane des pèlerins : le même cortège de femmes tintinnabulantes, avec l'eunuque à son service et son escorte de soldats efféminés. Il n'avait plus le choix, désormais ; il ne pourrait échapper à la compagnie des Turcs. Et puisqu'il n'avait pas le courage d'affronter seul le désert, il lui fallait faire en douce des excursions de reconnaissance à la recherche de la tribu des Harb. Dès qu'il aurait trouvé leurs traces, il se promettait de se dissocier de la caravane. Dès qu'il pourrait suivre leur piste, il aborderait seul Ibn Roumi.

Tout dépendait de sa quête indépendante ; tout dépendait de la vigilance avec laquelle il guetterait les signes en chemin. Ce n'était qu'une question de déchiffrer les codes, à la manière du Bédouin. Il savait que les hommes de la tribu écrivaient des messages sur le sable. Ils laissaient des indices dans les rochers. Ils rédigeaient leurs codes secrets avec tant de subtilité que seul celui qui connaissait le langage de l'araignée pouvait lire les mots tracés sur la toile à l'entrée d'une grotte. Il lui fallait donc garder les sens en éveil et surveiller les dunes derrière comme devant la lourde caravane. Et quand, alors que la caravane venait à peine de repartir du quatrième caravansérail après La Mecque, il vit tomber un objet – un bloc de rocher ? la charge d'un chameau ? –, quand il vit quelque chose tomber de la haute falaise devant eux et dégringoler dans le ravin à son pied, il sut que c'était un signal.

La tribu se trouvait là, il n'y avait aucun doute, au sommet de l'escarpement ; pendant un instant d'une intensité dramatique, il distingua les silhouettes qui se dessinaient sur le ciel de l'aube. Et puis elles disparurent, comme la rosée au soleil levant. Les hommes devaient avoir vu arriver la caravane. Ils devaient être en train de préparer leur attaque. Il n'y avait pas de temps à perdre ; il lui fallait prendre tout de suite ses distances avec cette bande de Turcs.

Mais la caravane s'était arrêtée. Quelques minutes après que le derviche avait aperçu le signal de la tribu, dans un grand concert de cris et d'appels, d'ahans et de jurons, de braiments, de hennissements et de renâclements, la caravane s'immobilisa péniblement en plein désert. Il ne s'attarda pas à en découvrir la raison. Même si le chef de la caravane avait vu le danger, lui aussi, et préparait sa défense, il savait qu'il devait atteindre Ibn Roumi avant que ses hommes n'attaquent. Même si les uniformes de serge bleue des soldats turcs et leurs baïonnettes brandies, toujours prêtes, ne constituaient pas une incitation suffisante, la richesse de cette caravane justifiait une razzia. Il s'éloigna discrètement tandis que les pèlerins commençaient à se plaindre et les gardes à protester. Il se glissa dans les dunes au nord-ouest de la route venant du caravansérail de Khulays, où il avait subi la nuit précédente une cruelle attaque de puces, et se lança d'un pas rapide à travers la vallée rocheuse vers les falaises, devant lui. Le terrain était accidenté et, dans les sentiers secrets qu'il avait appris du Bédouin, il fallait l'assurance d'une chèvre.

Il y avait une demi-heure à peine qu'il peinait dans la vallée quand il entendit soudain derrière lui, un peu plus bas dans les dunes, le braiment caractéristique d'une mule. Quelqu'un le suivait ! Caché entre les rochers en un point stratégique surplombant la route, il aperçut une silhouette qui se dirigeait vers les falaises de Dafdaf. C'était l'Indien de Karachi ! Que faisait cet huileux personnage à trottiner sur sa mule en avant de la caravane ? Pourquoi allait-il vers les falaises ?

Le derviche se méfiait de l'Indien depuis qu'il s'était aperçu des relations que celui-ci entretenait avec un vieillard qui voyageait en queue de la caravane parmi les animaux de bât et les bêtes de somme. Le pèlerin suspect paraissait assez ratatiné et assez édenté pour ne pas représenter une menace, mais il était malin, il était vif. Il avait des yeux comme des dards. Plusieurs fois, le derviche s'était senti mal à l'aise sous le regard scrutateur de ce vieux, lequel parlait un turc pâteux et un persan balourd que l'Indien prétendait comprendre. Le derviche en avait conclu que ce soi-disant pèlerin venait de la région même où il avait espéré se faire un nom : les cols d'altitude de Kachgar. Il était à coup sûr originaire de ces montagnes meurtrières au nord de l'Inde où plus d'un courageux officier britannique en mission avait perdu la vie. C'était, à coup sûr, un espion, un membre des tribus armées par les Russes dans ces régions traîtresses. Les fréquentes conversations entre l'Ouïgour et l'Indien n'avaient fait que confirmer les soupçons de l'Anglais à l'égard du vieux bonhomme, qui le surveillait étroitement depuis qu'ils avaient quitté El-Jamum. Il se demanda s'il avait été reconnu pour un agent, et si le vieil espion n'avait pas chargé l'Indien de l'assassiner.

L'Indien ne s'avançait pas sur la route de Médine, dans la vallée, comme s'il poursuivait quelqu'un avec l'intention de le tuer, toutefois. Il cheminait sur sa mule de façon très désinvolte. De temps à autre, il sortait de sa poche une sorte de bouteille et ingurgitait quelque chose qui lui faisait émettre une série de renvois liquides. A un moment donné, il se mit même à chantonner des bribes de chansons. Il était midi et les ombres étaient réduites au minimum. Le gros type approchait de la cachette du derviche tout en tendant le cou en tous sens et en regardant à droite, à gauche et partout, comme s'il guettait quelqu'un ou quelque chose. Peut-être avait-il vu la tribu et la cherchait-il, lui aussi. Il était peut-être, lui aussi, agent secret !

Soudain, l'Indien essuya la sueur de son visage et lança un renvoi sonore en même temps qu'un juron grossier. Le derviche se figea. Etait-ce un signal ? La tribu allait-elle fondre sur eux, appelée par une imprécation ? La panique gronda tel un coup de tonnerre dans ses veines ; sa maîtrise de soi et les espoirs de l'Empire ne tenaient qu'à un fil. Il attendit, sous les coups de marteau de son pouls affolé.

Mais il n'y eut pas de réaction au renvoi de l'Indien, à part le cri lointain d'oiseaux du désert au-dessus de leurs têtes, à part un certain épaississement de l'atmosphère dû au poids du soleil sur les rochers alentour. Il n'y eut pas de réaction et, que le juron eût ou non signifié quelque chose, son sens devint bientôt sans intérêt car il n'y avait pas un souffle d'air autour d'eux. Le derviche s'autorisa un long soupir. Quel que fût le but dans lequel l'Indien chevauchait dans la folie du soleil de midi, le gaillard ne pouvait pas s'y être bien préparé, décida-t-il, car il avait le regard vide et l'air indécis, et ressemblait davantage à l'objet qu'à l'agent d'un complot.

L'Indien passa sur sa mule clopinante et poursuivit son chemin dans la chaleur impitoyable vers une petite ruine qu'on devinait à une certaine distance. Le derviche l'observa pendant quelques instants et puis rassembla son courage et repartit, en se frayant un chemin avec précaution d'un amas de rochers au suivant, de plus en plus près des falaises à l'autre bord de la vallée. Il voulait passer au peigne fin toute la vallée de Khulays à la recherche du signal lancé du haut de l'escarpement, car il ne pouvait être bien loin. Il voulait examiner chaque ombre de dune ou de rocher à la recherche de la tribu, car à moins qu'elle ne se fût dispersée sur l'autre flanc des montagnes, elle devait se trouver embusquée à un jet de pierre de là. Il lui fallait avancer avec prudence afin de voir avant d'être vu.

Il n'avait guère parcouru qu'une centaine de mètres quand il entendit soudain derrière lui un glapissement lointain et une série de cris étouffés. Il se dissimula vivement derrière des rochers amoncelés et plissa les yeux face à la chaleur éblouissante pour regarder la route qu'il avait dépassée.

Mais il n'y vit plus personne. Personne. L'Indien et sa mule avaient disparu ! C'était très étrange. Avait-il rêvé ? L'Indien se trouvait encore là quelques minutes auparavant, amenuisé par la distance mais toujours clopinant sur la route. A présent, il n'était nulle part. Avait-il pénétré dans la ruine ? Le soleil, juste au-dessus de lui, enfonçait comme un clou entre les yeux de l'agent. Etait-il en train d'imaginer des choses ? Le derviche cligna des yeux pour chasser la sueur de son front et fixa la ruine sans comprendre pendant un moment. Quelqu'un venait-il de bouger, là-bas, entre ces pierres, une ombre noire ? Les murs écroulés semblaient se relever et se séparer dans la chaleur et le lointain. Il n'y avait rien ; il devait voir des mirages. Ou venait-il d'entendre un cri ? Et voilà, encore un ! Mais non, rien que le silence. Et il sentit une ombre dansante passer au-dessus de lui. Très haut, plus haut que les falaises, dans la vaste immensité du ciel, de grands charognards tournaient en lentes spirales descendantes. Ce devaient être des cris d'oiseaux qu'il avait entendus, se dit-il, et il chassa la sueur de ses yeux brûlants.

Il progressait avec lenteur, vers le nord-est des falaises, en quête de signes de la tribu. Chaque rocher pouvait être un message, placé de telle ou telle façon, signifiant le départ ou le retour. Chaque ride dans le sable pouvait trahir la présence ou épeler l'absence des guerriers. Tandis qu'il avançait, attentif, entre les rocs, les pierres et les sables soufflés par le vent de la vallée et arrivait, pas à pas, de plus en plus près de la menaçante paroi rocheuse, le soupçon lui vint qu'Ibn Roumi et ses hommes avaient décidé de se retirer, après tout. Ils devaient avoir galopé à toute bride de l'autre côté de l'escarpement. Ils avaient disparu dans les passes de Dafdaf afin de dresser une embuscade à la caravane plus loin sur la route vers le caravansérail de Towal. Il n'y avait personne ici.

Toutefois, même s'il était d'obligé d'aller chercher plus loin la tribu et son chef avant de les rejoindre, l'objet qu'il avait vu tomber devait se trouver quelque part au pied de cette haute muraille. Quelque part, près de là, sûrement, il allait trouver le signal qu'ils avaient lancé : le rocher, la pierre, la mule, l'homme. Gardant le dos tourné à la route, il poursuivit sous la chaleur verticale, le cerveau bouillant sous le soleil et les oreilles résonnant d'un murmure bourdonnant qui devenait de plus en plus fort. Il secoua la tête, mais le vrombissement ne cessait de s'épaissir. Il mit ses mains en cornet, mais le bruit augmentait. Il se demanda s'il avait, peut-être, attrapé un coup de soleil, et ferma brièvement les yeux.

Il ne remarqua le nuage de mouches en suspens dans l'air que quand il fut presque dessus. Et il ne remarqua pas non plus l'Indien, qui arrivait derrière lui, avant d'avoir vu le gâchis de sang et d'os. Il vit le mort explosé comme un fruit mûr sur les rochers presque en même temps qu'il se retournait pour voir le vivant arriver vers lui avec en guise de bouche un trou béant devant lequel les mouches se pressaient. Et il comprit, aux yeux vitreux du vivant et du mort, qu'ils ne le voyaient ni l'un, ni l'autre. Le cœur battant, il se précipita derrière un gros rocher qui se dressait telle une sentinelle contre la muraille et regarda, horrifié, l'Indien approcher.

L'homme s'arrêta à quelques mètres de lui et se laissa glisser de sa mule. Il paraissait à peine conscient, et s'écroula entre les pierres. Il avait la poitrine et le ventre couverts de sang. Son visage s'était creusé, et il soufflait et haletait, émettait une combinaison étrange de gargouillis et de gémissements. Il semblait tâtonner sur le sol devant lui, comme s'il cherchait quelque chose entre les rochers. Il n'avait apparemment pas vu le cadavre. Celui-ci gisait, suintant et pourrissant dans la chaleur, à quelques pas de l'Anglais en sueur, une masse de mouches bouillonnantes et d'os brisés. Vision d'horreur ! Le derviche gardait les yeux détournés du visage. Il ne pouvait se contraindre à le regarder ; c'était trop atroce pour être humain. Et les vautours qui planaient en cercles là-haut étaient en train de descendre. Croassant et caquetant comme des oies hideuses. Quelques-uns s'étaient déjà posés près du corps et le frappaient du bec, le picoraient avec brutalité.

L'Indien paraissait être en état de choc. Effondré, tout voûté, sur les rochers brûlants, il regardait fixement devant lui dans le vide flamboyant, sous le soleil étourdissant, avec ce bruit épouvantable de sifflements et de déglutition sortant du trou sanglant au milieu de son visage et des mouches grondant tel un orage autour de lui.

Devrais-je aller à lui ? se demanda l'Anglais.

L'homme avait besoin d'aide, c'était évident.

Mais que pourrais-je faire pour lui ? se demanda-t-il encore. On ne peut plus rien pour ce pauvre diable, de toute façon.

Et puis, comme ses pensées se bousculaient pour assembler les pièces des soupçons qui l'assaillaient, il se dit : Ah ! Et si ce n'était qu'une ruse ? Un leurre ?

L'Indien avait l'air obsédé par un objet qui se trouvait devant lui. Qu'était-ce ? Lorsqu'il souleva la sacoche d'entre les rochers, les pièces du puzzle s'assemblèrent d'un coup. Le derviche vit et comprit en même temps. C'était cela ! C'était cet objet-là qu'il recherchait ! L'Indien ouvrait à présent la sacoche sur ses genoux. Il en retirait quelque chose qui ressemblait à une liasse de papiers. Il déroulait le paquet, en se balançant comme un homme ivre, et se penchait dessus.

Le derviche devina immédiatement que c'était le signal lancé du haut de la falaise par la tribu. C'était le signal, et l'Indien avait été le premier à le trouver ! Lui aussi était à sa recherche, parce qu'il était, de toute évidence, un espion. C'était cela ! Il travaillait en collaboration avec le vieillard, lequel était un agent russe, et à présent ils avaient trouvé avant lui le message d'Ibn Roumi. Il fallait qu'il le récupère ! Tout de suite !

Les pensées du derviche se précipitaient. L'Indien n'était pas en état de se battre. Il était étourdi, affaibli par la perte de sang. Et il n'était pas non plus en possession de ses facultés, sans quoi comment aurait-il pu rester assis sans le remarquer aussi près d'un corps en putréfaction et bourdonnant de mouches ? Comment le derviche aurait-il pu l'observer sans qu'il le remarque ? L'homme avait manifestement perdu la tête. Le boucher qui lui avait coupé la langue lui avait ôté davantage que ce qui sautait aux yeux. Il paraissait privé de raison. En cet instant, il délirait. Il gémissait et se balançait sur place en proférant des bruits incohérents. Il ne faudrait aucun effort et guère de courage pour lui arracher la sacoche.

Mais à l'instant précis où le derviche décidait de sortir de sa cachette et de ravir la sacoche à l'Indien confondu, il entendit un sifflement. C'était un sifflement strident, si proche que, tapi dans sa cachette, il en fut physiquement secoué, si fort que le son ricocha sur la paroi de la falaise, au nord, là où les rochers détachés étaient les plus proches de la ruine, de l'autre côté de la vallée. Un sifflement net et perçant qui lui envoya un frisson de terreur le long de la colonne vertébrale et coupa la chaleur comme une lame de glace. C'était un signal de la tribu.

Et soudain, à l'instant où il en saisissait l'implication fatale, il vit une troupe d'hommes se dresser tels des fantômes, tels des mirages, tels des esprits exhalés par la roche même, se dresser et chevaucher en même temps. La tribu ! Hommes et chevaux, si bien cachés des deux côtés de la vallée qu'à l'œil nu on n'aurait jamais pu les voir. Ils étaient une cinquantaine, au moins, cachés entre l'édifice en ruine et les rochers au nord de la route. Des fantômes du désert, armés de fusils et de poignards. Et au signal ils se dressèrent, tel un nuage de sauterelles, et partirent à vive allure, au son des fouets claquants, sur la route de Médine. En quelques secondes, la troupe entière eut disparu dans le lointain torride en un tonnerre de sabots et un nuage de poussière, tandis que les vautours revenaient atterrir. L'écho du sifflement lui résonnait encore aux oreilles quand la poussière de leurs sabots se déposa sur les lèvres du derviche.

C'est alors qu'il comprit ce qu'il avait manqué. Il avait marché au beau milieu des guerriers cachés et ne les avait même pas vus. Il avait gaspillé la dernière demi-heure et laissé passer l'occasion de trouver l'homme qu'il cherchait. Il devait les suivre sans attendre ; il devait à tout prix les intercepter. Tout à coup, dans un éclair de perspicacité, il comprit ce qui était arrivé à l'Indien : l'homme était sans doute tombé sur Ibn Roumi par erreur. Il apportait une offre de l'agent russe, mais il avait pris au dépourvu les hommes de la tribu et ceux-ci n'avaient pas voulu de son offre. Raison de plus pour que la mission du derviche réussît !

Sans une pensée pour la sacoche, le derviche se glissa hors de sa cachette. L'Indien ne releva pas un instant la tête et ne le remarqua pas, et

les mouches sur le corps pourrissant se conten-
tèrent de s'élever et de s'enfler lorsque l'Anglais
les frôla au passage. Même les affreux oiseaux
interrompirent à peine leur festin. Un coup
d'œil hâtif au visage couvert d'insectes lui donna
la nausée ; il pensa, chose étrange, qu'il le
reconnaissait. Et puis il se mit à courir, en haletant, entre les rocs et les ombres de la vallée vers
la ruine, de l'autre côté. Il courut en grande hâte,
et lorsqu'il atteignit l'oratoire écroulé, la caravane aussi était arrivée.

Il ne remarqua même pas qu'il y avait là un
puits où les pèlerins s'étaient réunis avec une
joie festive. Il ne prit même pas le temps de
boire et ignora la bagarre qui s'était déclarée
autour des conducteurs de la caravane, où tous
les pèlerins assemblés gesticulaient sauvagement.
Fiévreux d'inquiétude à l'idée d'être aperçu par
les yeux trop perçants du vieux pèlerin qui ne
cessait de le surveiller, il détacha l'un des beaux
pur-sang arabes de la queue du train de mules,
s'empara d'une outre pleine afin de se susten-
ter, et quelques minutes plus tard il galopait à
bride abattue sur la route de la vallée, vers
Médine, dans la direction qu'avaient prise peu
avant les cavaliers de la tribu.

L'Anglais ne raconterait jamais à personne la
quête futile qu'il mena durant les heures qui
suivirent. Il ne raconterait à personne comment
il se perdit et erra presque jusqu'à Hamama, ni
comment il céda à la panique, là, dans le désert
vide, parce qu'il ne trouvait pas la route de Towal.
Il ne parlerait pas de son comportement hon-
teux lorsqu'il tomba sur trois voyageurs dans
les dunes, fut pris d'hystérie à l'idée qu'il était

poursuivi par des bandits et s'affola complètement pour avoir entraperçu un turban vert et
l'éclat d'une perle à l'oreille d'un esclave.
A leur vue, il avait fui, terrifié, en trébuchant
entre les rochers, dans la direction opposée, à
la suite de quoi il avait tout à fait perdu son
chemin jusqu'à son arrivée à Buraykah. Il
n'avouerait jamais ce qu'il but après avoir avalé
les dernières gouttes du liquide tiède suintant de
l'outre alors qu'il était loin de tout, ni les larmes
qu'il versa avant de redécouvrir la route dans
les passes venteuses du massif de Dafdaf. Il
retournait vers La Mecque, à ce moment-là,
parce qu'il était totalement désorienté, et c'est
par le plus grand des hasards qu'il se retrouva
face à face avec la caravane, à trois *farsang* à
peine du caravansérail de Khulays qu'il avait
quitté ce matin-là. Et au long de toute cette
vaine errance, il n'avait pas aperçu la moindre
trace de la tribu des Harb ni de son chef.

Il ne parla jamais à personne de cet épisode
et parvint même à se persuader, dans les années
qui suivirent, qu'il s'agissait d'un détour fortuit,
car lorsqu'il rejoignit enfin la caravane, les gardes
du cadavre s'étaient mutinés, avaient bravé le
chef de la caravane et faisaient demi-tour.
A mi-chemin de Towal, ils faisaient faire demi-
tour à tous leurs animaux de bât et repartaient
vers le puits. Et il les accompagna.

Les raisons qu'il donna plus tard de son retour
au puits, il les présenta sous le masque de la
froide logique. Il expliqua qu'il lui fallait éviter
toute association avec l'escorte turque de la
fiancée s'il voulait avoir une chance d'entrer en
contact avec Ibn Roumi. S'il était resté, il aurait
été tué avec tous les autres pèlerins, disait-il,
sous les coups de la tribu en maraude qui avait

anéanti la caravane à trois ou quatre *farsang* du puits. Ce qu'il ne disait pas, c'est que les bandits qui avaient razzié la caravane n'avaient rien à voir avec la tribu des Harb, ainsi qu'il le découvrit par la suite. Mais glisser sur cette distinction rendait l'aventure plus dangereuse. Il raconta aussi qu'il était retourné avec les muletiers dans le but de récupérer la sacoche qui, la dernière fois qu'il l'avait vue, se trouvait en possession de l'Indien sur la rive du ravin opposée à la ruine, au pied de la falaise. Peut-être était-ce là sa raison, après tout, car il avait perdu toute trace de la tribu. Puisque le dernier aperçu qu'il avait eu de ses guerriers, c'était là, croyait-il, dans la vallée, entre les hautes falaises de Dafdaf et le puits d'Abwa', une sorte d'instinct aveugle le poussait à revenir à cet endroit, comme s'il détenait encore pour lui un message qu'il n'avait pas bien déchiffré, qu'il fallait mieux décoder. Il n'y avait toutefois aucune logique dans sa décision. Cela, bien entendu, il ne l'admettrait pas, pas même en son for intérieur. Ce qu'il affirma, c'est que le succès de sa mission dépendait de son retour au puits.

Et c'était vrai. Il repartit en direction du puits en compagnie des muletiers querelleurs, entretenant avec eux tout au long du chemin, à propos du corps, un sympathique badinage qui comprenait quelques plaisanteries d'assez mauvais goût et un certain nombre de clins d'œil et de coups de coude crûment suggestifs de leur part. Ils avaient apparemment égaré le mort au puits et c'était, disaient-ils, la raison pour laquelle ils y retournaient. L'odeur nauséabonde du cadavre avait accompagné la caravane pendant les trois premiers jours du voyage et c'était toujours avec un certain soulagement que le derviche, à l'occasion de ses petites reconnaissances dans les collines environnantes, s'était éloigné de cette puanteur écœurante, qui augmentait de jour en jour abominablement. L'habitude qu'avaient ces musulmans de déambuler dans tout le pays avec leurs morts lui paraissait à la fois étrange et barbare. Mais s'il trouvait offensante la coutume consistant à voyager avec un cadavre, en abandonner un était à son avis plus choquant encore. Les gardes étaient censés conduire celui-ci à Médine, où il devait être enterré, et ils avaient déjà reçu du vieillard en personne une somme rondelette pour assurer la protection de ses biens jusqu'à Damas. Par accident ou à dessein, on avait néanmoins égaré le défunt propriétaire du précieux train de mules, lequel comportait un coûteux chargement d'indigo.

Le derviche soupçonnait que les gardes projetaient de disparaître avec les biens du mort et qu'ils se rendaient en réalité à Djeddah. Il devinait qu'ils n'avaient guère l'intention de récupérer le cadavre. Il supposait que tel était l'objet de tous ces coups de coude et clins d'œil, mais il ne s'attendait pas du tout à leur attaque. Malgré sa sensibilité aiguë aux viles motivations d'autrui, il ne lui était pas venu à l'esprit que les siennes pouvaient paraître suspectes. Lorsqu'ils l'avaient interrogé sur ses raisons de les accompagner, il avait répondu aux gardes qu'il préférait leur compagnie à celle du chef de la caravane, et avancé comme excuse le fait qu'il n'avait pas offert ses chants et ses danses aux djinns et aux goules habitant la ruine. Il avait élaboré un assez beau méli-mélo de superstitions absurdes, truffé de références à des rêves et à des présages ainsi qu'à l'amour du vin et des femmes, de manière à donner l'impression qu'il n'était qu'un religieux benêt doté d'appétits épicuriens. Il avait cru ses raisons et ses accents mélodieux assez plausibles, et les plaisanteries grossières des gardes l'avaient si bien convaincu de l'efficacité de sa performance qu'il ne s'était pas rendu compte qu'ils ne croyaient pas un mot de ce qu'il racontait. Ils avaient assez rapidement percé son déguisement et, bien qu'ils ne pussent deviner ce qui avait amené parmi eux ce charlatan étranger, ils interprétaient sa décision de retourner au puits avec eux comme un effet de l'avidité pure. Ils ne se souciaient pas plus que d'une guigne de ses allégations blasphématoires, mais ils n'allaient certainement pas le laisser filer avec une part des marchandises volées.

A un peu moins d'un *farsang* du puits, les gardes se ruèrent sur le derviche, armés de couteaux et de bâtons. Sans le pistolet qu'il gardait caché dans sa ceinture, il eût été traîné à bas de son cheval et alors, ainsi que, des années durant, il ne se lasserait jamais de le raconter à son public féminin, c'en eût été fini de lui, car c'était une bande de sauvages. Mais quoique violents, ils étaient sans armes. Par conséquent, il put les disperser en quelques coups de feu bien ajustés. Il sema la panique en abattant une paire de leurs mules et puis enfonça leurs rangs et galopa vers la ruine lointaine, en même temps que la tempête fondait sur eux.

Pendant toute la durée de la tempête de sable, le derviche demeura à l'intérieur du puits abandonné, dans la ruine. Moitié par peur et moitié pour se protéger, il abandonna son beau coursier arabe à la tourmente et à la colère frustrée des gardes, et descendit au fond du puits aussi vite qu'il le put. La tempête rugissait entre les arcs brisés du sanctuaire et transformait l'air au-dessus de lui en une vapeur bouillonnante de sable brûlant. Plusieurs heures durant, il n'entendit rien d'autre que ses hurlements et gémissements, et la clameur assourdissante de ses mille langues vengeresses dans l'entonnoir du puits. A chaque seconde, il imaginait que les gardes furieux descendaient à ses trousses Le puits résonnait, grondait, retentissait des remous du vent pris au piège. C'était d'une telle férocité et il avait si peur qu'il n'osa pas remonter à l'air libre avant que la tempête n'eût commencé à se calmer. Et alors il se sentait mort de soif et tout à fait découragé. C'est la soif qui le fit enfin sortir de sa cachette, car il y avait des heures qu'il n'avait rien bu et son âme lui semblait parcheminée par la désillusion.

Il aurait grimpé hors du puits sans attendre, dès que la clameur du vent s'apaisa, s'il n'avait soudain entendu un bruit bizarre quelque part, à proximité. C'était un cri étrange, aigu, une voix qu'il pensa vaguement reconnaître. Cela montait, comme un chant d'oiseau, et cela demeurait en l'air tout près de lui. Et puis, de façon tout aussi soudaine, cela disparut. Pendant plusieurs minutes encore, il attendit, crispé et désespéré, en écoutant si rien n'indiquait une éventuelle poursuite, avant d'oser sortir. En suivant la direction d'où venait le son qu'il avait entendu, il trouva une sorte de crevasse qui menait vers l'extérieur par un mince chenal au fond du puits asséché. Et quand il eut enfin le courage de ramper là-dedans, il s'aperçut qu'il ressortait dans la ravine étroite, juste au-delà de la ruine. Parce qu'il avait peur de marcher à découvert jusqu'à la route exposée en plein sous une lune à l'aspect maladif, il préféra escalader la pente rocheuse vers le mur nord de l'oratoire. C'est ainsi qu'il échappa aux sables mouvants au fond du ravin et trouva le nouveau puits, plein d'eau claire sous l'étoile du soir.

A ce moment-là, la nuit était tombée. Le vent s'était calmé et il n'y avait aucun signe des gardes ni de leur train de mules. Son cheval aussi avait disparu. Mais au moins il s'en était tiré la vie sauve, même si la nature de sa délivrance lui laissait l'impression d'une dette non remboursée. Il éprouvait une curieuse sympathie pour le cadavre désavoué, qu'il avait retrouvé à l'odeur. Sa douceâtre senteur de putréfaction, tandis qu'il grimpait vers lui du fond du ravin, parut au derviche assez familière pour être presque un réconfort. Car il se sentait vivement pénétré de sa désolation, cette nuit-là.

Ce fut une nuit terrible, cette nuit qu'il passa en compagnie du cadavre dans l'oratoire en ruine, à côté du puits. Ce fut une nuit de vide, une nuit durant laquelle il eut à affronter tous ses échecs, toute sa lâcheté, sa médiocrité, la perte de ses espoirs de rentrer chez lui en triomphe, mission accomplie. Jamais il ne s'était senti aussi dénué de toute stratégie, aussi dépourvu de projets. Que devait-il faire à présent ? Vers où se tourner ? Quelle sorte de chose creuse était-il ?

Vers le milieu de cette nuit, le derviche aperçut la danse de flammes lointaines en direction des falaises. Il n'avait pas pu dormir, car les relents de pourriture du cadavre pénétraient ses bribes de rêves et le faisaient se tourner et se retourner dans le coin de la ruine où il s'était couché. Il avait bondi sur ses pieds avec un cri suffoqué après un rêve affreux dans lequel le cadavre avait tendu vers lui à travers le mur nord de la ruine un bras décomposé. Le mort l'avait saisi de ses doigts putrides et lui avait enfoncé dans la gorge une substance visqueuse. Il s'arracha au sommeil pour fuir ce contact et sortit en courant de la ruine, grelottant de terreur. Après s'être trempé la tête et les épaules dans l'eau froide du puits afin de bannir l'odeur nauséabonde du rêve, il revint à lui, plus ou moins. Et c'est alors qu'il vit clignoter des flammes lointaines au pied des falaises.

Un feu sous les falaises ? Ce devait être un signal ! La tribu s'était réunie à nouveau là où il l'avait aperçue, plus tôt dans la journée. Il imagina même qu'il entendait des voix flottant à travers la vallée, comme si les hommes festoyaient autour de leur feu, comme s'ils célébraient leur expédition. Ils étaient là, sans aucun doute. Mais oserait-il les approcher au plus noir de la nuit ? Avait-il le courage de ramper dans cette vallée traîtresse et obscure, sous le regard capricieux d'une lune malade ? Etait-il assez brave pour tenter de les trouver, trébuchant en chemin entre les rochers et les sables mouvants ? Et puis, s'ils l'attrapaient et le tuaient sans l'interroger ?

Non. Il n'osait pas. Il avait une peur mortelle. Si grande envie qu'il eût de voir sa mission accomplie, il avait plus peur encore de rencontrer le glaive d'Ibn Roumi au milieu de la nuit que de se figurer comment aborder celui-ci pendant le jour. Cet aveu marqua le niveau le plus bas que son déshonneur eût jamais atteint. Il se rendit compte qu'il n'avait pas réussi à récupérer le signal lancé de la falaise ce matin-là, il n'avait pas réussi à suivre la tribu quand elle était partie comme le tonnerre à midi et à présent, finalement, il ne réussirait pas à les affronter pendant la nuit. Il se glissa en rampant dans la ruine, qui sentait le cadavre pourrissant, et sut alors qu'il devrait faire face à l'ignominie à son retour et confirmer l'opinion de ses frères Son vide l'engloutit.

Quand il fut réveillé, dans les ténèbres précédant l'aube, par l'arrivée de ce qui ressemblait à un autre cadavre porté sur le dos d'une mule, le derviche pensa d'abord qu'il était de nouveau pris dans un cauchemar. Il se tapit dans l'ombre, auprès de quelques braises à demi éteintes dans le coin de la ruine, et s'efforça de voir dans la pénombre. La femme, car à présent ses gémissements donnaient à comprendre que ce n'était pas encore un cadavre, fut amenée dans la ruine par un religieux sans turban en qui il reconnut l'un des pèlerins de la caravane. Leur état à tous deux indiquait clairement qu'ils étaient sans doute les seuls survivants d'un raid. Le religieux avait une vilaine blessure à la tempe, mais à part cela paraissait indemne. La femme, par contre, n'en avait plus pour longtemps. Son état semblait plus grave. Il devina qu'elle mourrait dans l'heure.

Ce qui attira l'attention du derviche, ce fut la sacoche sanglée au flanc de la mule. Se pouvait-il que ce fût celle-là même qu'il avait brièvement aperçue en possession de l'Indien, ce matin-là ? Coïncidence impossible. Rien ne ressemble à une sacoche comme une autre sacoche, se dit-il. Nul doute qu'il se faisait des idées, et la lumière était trop faible pour qu'on pût distinguer nettement quoi que ce fût. Il ne tenta pas de parler au couple, qui paraissait n'avoir pas remarqué sa présence ; il lui parut donc plus sûr de demeurer tapi dans l'ombre. Mais lorsque la femme demanda d'une voix pressante que l'on ouvrît la sacoche, et qu'il vit le religieux en sortir une liasse de papiers, il se remit sur ses pieds et s'approcha pour regarder.

A ce moment, le religieux se tourna vers lui. "Bas les pattes, chien", gronda-t-il. Le derviche recula, surpris ; la violente énergie de cet homme le déconcertait. Pour qui ce clerc malingre se prenait-il ? Mais ses instincts diplomatiques poussèrent l'Anglais à se contrôler. Etouffant son envie de donner à cette brute un coup de poing entre les yeux, il appela Thespis à son aide et exécuta une interprétation très crédible d'un derviche servile et indigent qui implorait le pardon pour sa présomption, mais souhaitait seulement, si le savant jeune maître voulait bien faire une faveur à ce pauvre illettré, il souhaitait seulement savoir quelles Paroles Sacrées contenaient ces précieuses liasses, car assurément c'était la Main de Dieu qui les avait apportées ici pour illuminer cette Nuit Obscure et conduire un misérable pécheur au Seuil de la Révélation…

Le jeune pédant se radoucit et laissa le derviche jeter un coup d'œil à la page que lui avait donnée la femme. Une seule ligne y était tracée, une invocation, précisa le religieux afin de satisfaire la curiosité de l'autre. Il prononça alors à l'intention du derviche et de l'aube attentive une brève dissertation sur la qualité exceptionnelle de cette calligraphie, disant que cela avait manifestement été écrit par un maître en son art et rédigé dans un langage qui faisait écho aux versets sacrés du très saint livre. Et ceci semblait étrange, poursuivit-il de sa voix nasale, parce que c'était tout à fait différent de ce qu'on peut trouver dans le Coran. Il paraissait prendre très au sérieux sa propre érudition. Il psalmodia les mots et puis s'enfonça dans un silence profond. Le derviche le complimenta pour son excellente diction et attendit, plein d'intérêt ; qu'y avait-il d'autre dans la sacoche ? En toussotant avec nervosité, le religieux y farfouilla et en retira encore un paquet. Il le défit et une autre liasse de papiers en tomba, couverts de la même élégante calligraphie.

Le derviche regardait par-dessus son épaule ; il s'ennuyait un peu. Ecriture de grande qualité ? Calligraphie exceptionnelle ? C'était du chinois pour lui, bien sûr, tout cela, mais il trouvait en effet ces signes jolis et délicats à la lumière du soleil levant. Bien que son imitation du langage n'atteignît pas les limites les plus reculées du savoir-lire, il aimait parfois le dessin des mots. Il examina ces griffonnages avec plus d'attention. Ils semblaient danser sur la page. Même s'il n'avait pas réussi à entrer en contact avec la tribu des Harb et à se conquérir une renommée immortelle comme agent politique, il avait au moins la possibilité de revenir avec une sorte de trophée. Peut-être pouvait-il se faire un nom en tant que découvreur d'un maître calligraphe dont le style était inconnu jusque-là en Occident, y compris au British Museum. D'autres avaient bien ramené des gravures cunéiformes et des fragments des ruines de Ninive, pourquoi ne pourrait-il pas, lui, étonner le monde occidental en lui présentant un échantillon unique de calligraphie persane ?

Mais tandis que le derviche commençait à envisager cette éventualité, le religieux chiffonna soudain la feuille qu'il lisait et, avec une violente imprécation, la jeta dans le puits asséché. Après quoi il se détourna et sortit à grands pas de la ruine. Le derviche hésita un instant, incertain. Qu'est-ce que cela voulait dire ? La qualité de la calligraphie était-elle moins significative que ne l'avait d'abord pensé ce pédant personnage ? Ou le style moins noble ? Ou davantage ? Il y avait là de passionnantes possibilités.

La sacoche entrouverte, gonflée de son mystérieux contenu, était restée par terre à côté de l'agonisante. Le derviche attendit une seconde pour voir si le religieux allait revenir. Il ne revint pas. Lentement, doucement, il se pencha pour prendre la sacoche et venait d'en saisir les courroies afin de la tirer à lui quand la femme bougea, revenue à une certaine conscience. Elle tourna vers le derviche ses yeux immenses. Il frissonna en voyant sur son visage les marques cruelles de la variole et en s'apercevant qu'elle était africaine. Il ne s'en était pas encore rendu compte. Elle était couchée dans l'ombre et il n'avait remarqué que le sang qui s'écoulait d'elle, formant une mare de plus en plus grande. Elle était sur le point de mourir d'on ne savait quelle maladie. Vite, sans un mot, il traîna vers lui la sacoche et, en la serrant entre ses bras, se retira en hâte dans l'obscurité. Elle était peut-être contaminée, mais il prendrait le risque. Tout cela pouvait avoir de la valeur.

La femme le suivait de ses yeux brillants. Comme il se retournait pour la regarder encore, elle lui adressa, tel un rayon de soleil, un sourire merveilleux. Et mourut.

Le derviche retourna à Constantinople par le golfe d'Akaba et Damas, en enjolivant ses succès à chaque étape. Il avait pris contact avec la tribu des Harb. Il avait brillamment réussi dans sa mission. Il avait échangé avec Ibn Roumi, disait-il, des serments scellés dans le sang. Sa Majesté britannique, avait-il affirmé à ce champion de la lutte contre l'oppression, défendrait la cause de la liberté, se précipiterait à la défense des opprimés partout dans le monde, soutiendrait le bien contre le mal. Ce n'était qu'une question de prix et cela, affirmait-il, le fruit de sa mission avait été de l'établir. Il avait pour cette cause survécu aux épreuves les plus terribles et enduré les dangers les plus effroyables ; il avait, dans ce but, souffert de la soif et de la chaleur torride. Il avait affronté l'affreuse terreur du *hadj* et, en outre, il avait réussi, par le plus grand des hasards, à découvrir ce trésor, ces manuscrits couverts d'une calligraphie rare et délicate, ces textes qui faisaient écho au noble langage et aux expressions mystiques du Coran. Ils étaient uniques, car nul n'avait encore jamais vu pareille qualité d'art ou de poésie. Ceux qui les avaient lus affirmaient que leur beauté pouvait frapper l'âme de terreur…

L'ambassadeur se pencha sur son bureau pour feuilleter certains des ballots et paquets qui avaient été ouverts devant lui par une main tremblante, rougie et desséchée par de longs mois au soleil. Il éprouvait une irritation intense à l'égard de son attaché. Non seulement ce maudit gaillard était revenu sain et sauf, semblable à un dieu doré avec ses satanés muscles aux ondulations irrésistibles, mais sa malheureuse mission au milieu du désert avait attiré beaucoup d'attention. On parlait même à Whitehall de lui donner une promotion. Et quel était ce bric-à-brac qu'il avait ramené ? L'ambassadeur était fier de son érudition persane et turque. Arborant son pince-nez, il regarda fixement les pages étalées devant lui ; sa tempe droite battait. Furieux de jalousie, il ne voyait rien.

"Mon Dieu, j'ai bien peur que vous ne vous soyez fait avoir affreusement, murmura-t-il, les dents serrées. De ma vie, je n'ai jamais vu pareille camelote."

Le jeune attaché eut l'air quelque peu échaudé, mais cela ne dura pas. "Les autorités les plus compétentes m'ont affirmé qu'il s'agissait d'une trouvaille extraordinaire, monsieur l'ambassadeur, reprit-il. C'est une calligraphie si exceptionnelle…"

Mais l'ambassadeur était à bout de patience. "Ma femme s'en servira comme papillotes", dit-il d'un ton cassant. C'était une gaffe assez regrettable, car il savait que son écervelée d'épouse s'était récemment mise dans l'embarras en essayant de convertir le jeune homme dans le cadre d'une de ses sacrées croisades. Il devint rouge comme une pivoine et fit signe à son attaché qu'il pouvait se retirer.

Avec un sourire suave, le jeune homme rassembla les liasses et les paquets et les remit dans la sacoche. Un excellent diplomate. Il salua et sortit de la pièce, conscient que sa carrière personnelle était confirmée et qu'il s'était fait un nom.

Le contenu de la sacoche fut disséminé aux quatre vents.

L'épouse de l'ambassadeur en revendiqua une bonne partie et le fit admirer par des dames aux inclinations mystiques lorsque son mari se retira à Londres peu de temps après. Elle avait été très impressionnée par la façon dont ce beau et jeune attaché avait arraché la sacoche aux griffes d'une mort certaine. Quand certains des textes eurent été traduits à son intention par un drogman vénitien de l'ambassade (auquel cette calligraphie inspira également un vif intérêt et qui s'arrangea pour en subtiliser un ou deux spécimens à l'insu de l'ambassadrice), elle fit encadrer les feuillets avec soin et ils circulèrent, pendant la décennie suivante, parmi ses amis amateurs d'art, avec une préférence pour les préraphaélites. Elle s'exclamait souvent que ces fragments trouvés dans le désert constituaient un rappel authentique de la vérité des Evangiles et faisaient écho au Cantique des cantiques. Merveilleusement passionnés, disait-elle.

Un docteur anglais qui retournait à Tabrîz en passant par Constantinople une dizaine d'années plus tard se risqua à supposer qu'il pouvait avoir rencontré l'auteur de ces écrits, dont il se souvenait comme d'un fou aux manières agréables et à la voix mélodieuse. Un orientaliste allemand se sentit inspiré par eux au point d'instaurer à Fribourg – après être revenu de Perse où il faisait des recherches – une commune dans laquelle les femmes avaient, disait-on, des droits égaux à ceux des hommes et vivaient sans la moindre obligation de consommer leur mariage. Plusieurs autres rouleaux provenant de la sacoche furent examinés avec attention par un célèbre philosophe français de passage à Constantinople quelques années plus tard. Il estima qu'ils étaient d'une audace remarquable et constituaient assurément la meilleure illustration de l'influence de la philosophie française sur la pensée moyen-orientale. De Paris, ces rouleaux passèrent progressivement dans des caves de galeries et des greniers de musées à travers l'Europe entière.

On retrouva l'un d'entre eux, au début du XXᵉ siècle, dans une bibliothèque de Saint-Pétersbourg, où il eut le privilège, même après la prise du pouvoir par les bolcheviks, de rester exposé en permanence sous une lumière phosphorescente, pour l'édification du peuple libéré.

Un grand nombre des rouleaux demeurèrent à l'ambassade britannique et y furent oubliés jusqu'à ce qu'un incendie manquât détruire l'immeuble, peu avant la révolution des jeunes-turcs, à la charnière du siècle, moment où ils furent récupérés et identifiés par l'un des sous-secrétaires comme des documents codés contenant des secrets d'Etat d'une importance vitale, et qui devaient être mis sous scellés dans un coffre-fort à l'intention de la postérité.

Quelques-uns parvinrent jusqu'aux sous-sols du British Museum, où ils survécurent aux alertes et aux raids aériens en compagnie de vieilles brosses et de vieux balais, pour être découverts après la guerre par un concierge à la recherche de timbres de rationnement oubliés, lequel les vendit pour une somme rondelette à un homme qui tenait une échoppe à Portobello Road. D'autres, sauvés par l'erreur d'un archiviste mal payé, furent envoyés en Amérique via Naples sur le vapeur *Cedric* au lieu du *Titanic*, échappant ainsi au naufrage pour végéter ensuite dans un certain quartier de New York aujourd'hui spécialisé dans la fausse calligraphie orientale.

Au début du siècle, un jeune Falacha originaire d'Ethiopie, converti au christianisme par un homme qui avait vécu à Constantinople pendant quelques dizaines d'années, découvrit dans les papiers de son maître un document portant un sceau qu'il reconnut aussitôt comme celui du Messie revenu. Il insista pour émigrer en Palestine, où il s'efforça de convertir à son opinion les moines du Mont-Carmel, au grand embarras de la Société pour la conversion des juifs ainsi que des dirigeants de la colonie allemande du Temple établie dans cette région. Les groupements sionistes l'ignorèrent, ainsi que ses affirmations, et en dépit de son ardeur l'affaire fut étouffée et n'atteignit jamais la presse occidentale.

Il est difficile de savoir combien d'autres personnes peuvent avoir eu connaissance du contenu de la sacoche. Mais ce qui est indiscutable, c'est que celle-ci, vidée de ce contenu, resta pendant des années en possession de l'attaché anglais, qui la conservait en souvenir de ses exploits historiques dans le désert d'Arabie. Il l'avait accrochée au mur au-dessus de son bureau à l'ambassade, à Constantinople, de même que sa hache et son bol de mendiant, rappels de ses aventures sous l'apparence d'un derviche. Ensuite, lorsqu'il eut été promu à des fonctions plus élevées, il la garda chez lui, dans son bureau privé, à l'intense irritation de sa femme, qui guettait la première occasion de se débarrasser de cette chose affreuse.

LE CADAVRE

Ma puanteur est comme un nom, pensait le cadavre. Elle est liée à mon identité, et je ne peux me rappeler le temps où je ne puais pas. Je pue si fort depuis si longtemps que ma mémoire est saturée de moi, pensait-il en montant pas à pas.

Il tenta alors de larguer une partie de lui-même. C'était difficile, parce qu'il n'avait pas pratiqué ces pas lorsqu'il était vivant. Mais cela marcha.

Nous vivons, pensait le cadavre, comme si nous devions vivre à jamais. Et quand nous mourons, nous imaginons que nous allons puer à jamais. Mais ni l'un ni l'autre n'est vrai ; c'est une question de détachement.

Il n'avait pas eu besoin de réponses à cette question durant sa vie. Durant sa mort, toutefois, les réponses exigeaient son attention.

Le cadavre pensait sans le bénéfice de ses propres cellules grises. Il passait comme une mauvaise odeur dans les cerveaux des autres. Il vivait pendant un instant dans la mémoire des autres. On se souvenait de lui, par à-coups, pour cause d'irritation. Au point où il en était, il se sentait reconnaissant de n'importe quoi. Il profitait de ces brèves fusions pour appartenir à autrui. Il profitait de ces interactions invisibles pour susciter une vie avec autrui. Pareils talents, bien qu'imparfaitement développés, n'étaient pas tout à fait atrophiés en lui. Mais il s'en fallait encore de beaucoup qu'il pût danser.

Il ne manquait pas d'aide, bien entendu. La lumière des étoiles l'assistait. La beauté indicible des dunes du désert portait témoignage. Des anges de toutes confessions affirmaient en silence. Le cadavre ne se trouvait pas seul dans cette transition difficile, mais il ne la maîtrisait pas, loin de là. Il eût ardemment souhaité avoir été mieux préparé aux pas de cette danse.

Ce souhait, il s'en rendit compte avec étonnement, était une sorte de prière. Bien qu'il eût préféré, durant sa vie, un genre plus grossier de marchandage, durant sa mort il savait avec une certitude absolue que la prière du marchand constituait une bénédiction. Elle s'élevait du puits pour toujours et à jamais et pendant sa lente putréfaction il enviait le voleur qui l'avait méritée. Ah, s'il pouvait devenir l'objet de bénédictions plutôt que de malédictions !

Les pas qu'il gravissait montaient à une chambre haute, où les rayons du soleil à travers les vitraux des fenêtres faisaient danser une mosaïque de couleurs en d'étranges combinaisons.

Si seulement nous avions vécu comme si nous allions mourir à jamais, la puanteur ne serait pas si gênante, pensait le cadavre. Nous serions libres d'obéir à la danse.

Il n'avait pas vécu ainsi, toutefois. Bien au contraire. Il avait gravi ces marches sans le bénéfice de la prière et il avait trébuché. Il s'était attribué le genre de bénédiction qui ne pouvait favoriser l'annihilation de l'identité personnelle. Il n'avait pas saisi la signification de transformations infinies, de découvertes extérieures à ses propres limites, de la délicatesse de cette danse d'immortalité. Et par conséquent il traînait : une mauvaise odeur.

J'aimerais n'avoir ni nom, ni identité, pensait-il, puisque cela a si peu de valeur. Nous devrions vivre comme si nous allions mourir à jamais. Il y en a davantage.

Mais déjà ceci devenait trop difficile. De "je" à "nous", c'était trop, il ne se sentait pas prêt à s'étendre aussi loin. En tant que commerçant, il avait acquis un sens élevé de la confrontation de ses dépenses avec la valeur de ses profits mais ici, ces fusions subtiles, ces énigmes et ces corrélations qui portaient l'intérêt bien au-delà de l'imagination de tout ce qui avait été envisagé au paiement du premier acompte, cela dépassait déjà les capacités qu'il avait acquises. Il lui en fallait plus que la lumière des étoiles, plus que le clair de lune pour arriver à une transition aussi fluide entre les pronoms personnels.

Les rayons de soleil à travers les vitraux colorés de la chambre haute confirmaient la danse, mais il ne pouvait en suivre les pas sans angoisse. Ils sautaient en arrière vers un instant précis qui le remplissait d'une douleur déchirante. Ce n'était qu'au prix d'un effort immense qu'il parvenait à en assembler les morceaux. Il y avait une réponse de connexion à la question du détachement, comprit-il.

Il se trouvait dans une petite cour où un seul oranger chargé de fruits poussait à côté d'un bassin. L'air embaumait la fleur de l'oranger issu d'une graine unique de liberté infinie. Il y avait une porte de l'autre côté de la cour et il voyait, au-delà, les marches qui montaient, menant à l'étage. Toujours plus haut. Sur le seuil, le serviteur abyssinien lui dit que son maître l'attendait en haut dans la chambre. Son maître.

Il avait confié à ce jeune homme quelques marchandises à vendre en son absence. Au retour, il s'était aperçu que les prix avaient subi une baisse radicale et que la valeur de ses biens était bien moindre que celle dont il était convenu à l'origine avec le marchand. Mais celui-ci avait insisté pour lui payer la somme prévue, beaucoup plus que n'avait rapporté la vente en réalité. Il avait insisté. Agir autrement eût été contraire à la règle de loyauté, avait-il dit.

Il avait pris le jeune homme pour un sot et un naïf. Tout le monde le considérait comme un sot et un naïf. Il priait trop, c'était là son problème. On ne peut pas faire du commerce avec les yeux fermés. Par la suite, lors de l'affaire des ventes d'indigo, il avait essayé de profiter de cette naïveté. C'est facile de tricher en évoquant la confiance. Mais la règle dictait la réciprocité. Et bien que *sayyid*, le marchand n'était pas sot. Il avait l'air de prier avec les yeux fermés, mais il les perçait tous à jour. Avant de partir en pèlerinage, il avait conclu toutes ses transactions commerciales et mis la tricherie en évidence.

Les pas lui manquèrent alors qu'il montait vers la chambre haute. Quelque chose se trouvait là, lui bloquant le passage, qu'il était obligé de nommer. Il trébucha sur une ombre et une odeur. Lui-même. Il avait enfreint le code. Il avait violé son accord avec le marchand. Son manquement emplit ses pas de douleur. La douleur, pensa le cadavre, c'est quand la danse s'arrête.

La douleur déchirante venait de quelque part dans la région de sa poitrine. Celle-ci paraissait effondrée et ne lui fournissait plus l'air nécessaire au fonctionnement normal des cellules de son cerveau. Alors les autres moyens prirent le dessus. Fusions claudicantes. Interactions boiteuses. Faibles, parce que dépendantes de liens qu'il n'avait pas noués, de connexions qu'il n'avait pas établies, d'un détachement auquel il n'était pas parvenu. Faibles. Mais elles prirent le dessus. Pas exactement en dansant, mais elles bougeaient, au moins. Elles n'avaient pas le choix.

C'est comme ça, pensait-il, tandis que sa puanteur attirait les malédictions des pèlerins. On ne peut pas échapper à la règle de loyauté. On n'a pas le choix. Si l'on enfreint ses termes, les conséquences sont graves. La douleur est un accord non respecté. Ils marchaient autour de la Ka'ba lorsque c'était arrivé, se rappelait-il, et à cet endroit, le non-respect d'un accord est fatal. Les gens disaient qu'il avait eu une crise cardiaque.

En haut des marches où l'esclave abyssinien l'avait conduit, il trouva le jeune marchand assis dans la chambre haute, à droite, entouré de ses papiers. Il y avait sur le sol des tapis de roseaux illuminés par le soleil à travers les vitraux colorés. Un équinoxe verdoyant, un rubis ardent, tendre et vibrant, un semis d'améthystes sur des rivages de perles. Un océan, bleu indigo, sur lequel dansait le bateau vers son pèlerinage : une mer d'affirmation et de négation. Le riche vieillard resta debout sur le seuil et enleva ses souliers en témoignage obséquieux d'humilité et de déférence. Le jeune marchand aux moyens modestes n'eut pas un geste pour saluer sa présence. Il avait à portée de main son plumier et son encre, et il paraissait absorbé dans la composition d'un traité, d'une invocation, ou était-ce d'un poème ?

De toute évidence, on ne pouvait pas l'interrompre. Sa tête coiffée d'un turban vert était penchée sur la page. Il psalmodiait à voix basse tout en écrivant, rapidement et avec un art exquis, sur le délicat papier bleu. Son écriture était comme une haleine couvrant la page. Les mots se déployaient, telles des plumes, au bout de son stylet de roseau. Et il le trempait et le trempait encore dans l'encre à la noirceur de sang, s'arrêtant à peine pour les points. La vitesse à laquelle les mots couraient était étonnante ; elle correspondait exactement au rythme de sa voix mélodieuse.

Le riche marchand de Bouchir qui était venu discuter avec lui d'une affaire personnelle concernant leurs relations commerciales fut obligé de s'asseoir dans un coin de la pièce, près de la porte, ses pieds nus rentrés sous ses robes. Il fut obligé d'attendre. C'était embarrassant parce qu'il se sentait déshonoré, sali. Il souhaitait en finir avec cette affaire d'indigo et rentrer rapidement chez lui, mais c'était impossible. La convention de courtoisie ne le permettait pas. Déjà, il avait enfreint la règle de loyauté, et il devait en assumer les conséquences. Il ne pouvait plus contrevenir à aucun accord. Il se vit présenter un bol d'eau de rose par le même serviteur abyssinien. Pour se laver les mains. Pour prendre du thé couleur de cornaline. Le marchand était d'une propreté minutieuse.

Je ne peux me rappeler le temps où je ne puais pas, pensait le cadavre en gravissant les marches éternellement, préoccupé d'indigo. Comme il lui fallait longtemps pour gravir ces éternelles marches.

Il se sentait bouleversé parce qu'il avait essayé d'escroquer le jeune homme, et que le jeune homme avait refusé de se laisser escroquer. Il avait réclamé la ristourne habituelle après la vente de l'indigo, et le jeune homme avait refusé de la lui accorder. Il la disait injuste. Il disait que ce n'était pas loyal. Il refusait de baisser ses prix dès lors qu'ils avaient fait l'objet d'un accord, exactement comme il avait refusé de baisser le montant de ses paiements après qu'il s'y était engagé. Mais, sûrement, tout le monde savait que telle était la coutume ! On marchandait, on concluait un marché et puis, lorsque tout était signé et scellé, on exigeait en plus une ristourne. Cela, le jeune marchand ne le faisait pas. Il appelait cela malhonnêteté. Il appelait cela tricherie. Pourquoi modifiait-il les mots ? Cela s'appelait bakchich, rien de plus. Une coutume ordinaire.

Vous devrez modifier vos mots, dit-il. La loyauté transcende pareilles coutumes.

Mais tout le monde le faisait !

Vous devrez modifier vos coutumes aussi, dit-il.

Qui était-il, ce jeune arrogant qui pensait pouvoir modifier les mots ? Au nom de quelle autorité pensait-il pouvoir corriger les coutumes du pays ? Sa naïveté était dangereuse ! La première fois, le vieillard avait cru avoir à faire à un sot ; la deuxième fois, il se rendit compte que le sot, c'était lui.

Il gravissait les marches, alors, pour discuter avec le jeune marchand qui avait modifié la couleur de l'indigo. Mais à chaque pas, il se sentait tomber de plus en plus bas.

Et puis le fond même du monde lui manqua. Lorsqu'il regarda vers la Ka'ba grâce aux moyens qui se trouvent hors d'atteinte des cellules du cerveau, il vit quelqu'un là, debout, tenant en main l'anneau de la pierre. Ma mémoire est saturée de moi, pensa le cadavre. Ma vision est brouillée par moi ; je ne peux ni voir ni affirmer au-delà. Mais, sûrement, je connais ce jeune homme ?

Le jeune homme qui se tenait là, debout près de la pierre noire, proférait des mots qui se pressaient contre la poitrine brisée d'un monde gémissant. Il proférait des mots qui éclataient comme du sang à travers les tympans du monde. C'était le jeune marchand qui avait tué les coutumes et ressuscité la règle de loyauté dans le pays. C'était le jeune *sayyid* au turban vert qui avait modifié les mots du monde à Chîrâz. Et son nom embaumait. Son maître !

Il entendait les mots à travers l'océan effervescent et déferlant d'une foule, clairs comme des chants d'oiseaux à l'aube devant une fenêtre ouverte, pareils à une boucle noire de signification secrète caressant la joue de la création dans la brise du matin. Il entendait les mots prononcés par le marchand à côté de la Ka'ba, clairs comme l'eau du puits éternellement rempli, de même que lui mourait éternellement.

J'aimerais n'avoir ni nom, ni identité, pensait-il, et pouvoir devenir une syllabe de mots tels que ceux-ci ! J'aimerais pouvoir faire partie de ceci ! La prière était mélodieuse sous la plume agile du marchand et il écoutait avec un émerveillement croissant, assis, là, avec ses pieds calleux cachés sous ses robes salies par les voyages, dans la chambre du haut. Il écoutait avec une angoisse croissante, un verre de thé vide à la main, tandis que le marchand psalmodiait les mots qu'il écrivait avec une agilité et une beauté merveilleuses sur la page bleu pâle de vitraux dansants. Ce fut alors qu'il décida de partir en pèlerinage, lui aussi, avec le jeune homme. Son dernier pèlerinage.

Il oublia la ristourne sur l'indigo. Il s'oublia lui-même, momentanément. Pendant une seconde, il cessa de puer, si tendre était la fragrance de l'eau de rose sur ses paumes.

Voilà donc notre histoire, méditait le cadavre appuyé au mur nord de la ruine, en paisible dissolution. Une histoire de pourriture délicate et de décrépitude subtile déroulant sa bobine de jour en jour. Une histoire de confiance, une histoire de changement, une histoire de détachement et de lien, tel le parfum dans le désert qui s'attarde en la mémoire d'hommes saturés d'eux-mêmes. Et où, lorsque notre pas s'allonge, où disparaissent les odeurs ? Où sommes-nous lorsque l'odeur s'est tarie ? On disait qu'il aurait l'honneur d'être enterré à al-Baqî' parce qu'il était mort pendant son dernier pèlerinage. Etait-ce là que cela finirait ? Où, alors, était le commencement ?

Il savait, depuis l'instant où il avait vu le jeune homme tenir l'anneau de la Ka'ba dans sa main bleu indigo, il savait depuis l'instant où son identité personnelle s'était effondrée dans sa poitrine, que c'était ici que commençait l'histoire. Quelle que fût la fragrance du jeune homme au royaume des noms, il était manifeste qu'il avait été proféré par l'esprit des esprits. Les oiseaux volaient de sa bouche comme des flèches, destinés à planter des semences dans tous les déserts du monde. Ils tournoyèrent trois fois autour de la Ka'ba et partirent dans un bruit de torrent.

Quand le vieillard mourut, il n'avait pas encore appris les pas. Il ne pouvait suivre le mode sans tomber. Ses connexions étaient atrophiées. Mais après quelques jours de dissolution, il approchait de la transition entre les pronoms personnels. Et qui arrosera ces miens vergers après qu'ils seront partis ? Et qui prendra soin de nos abricots ? Et qu'est-ce qui peut sucrer ce fruit subtil en train de s'épanouir en toi ? pensait le cadavre.

Nous avons soif, chuchotaient les semences à l'intérieur du cadavre.

Il eut d'abord de la difficulté à apprendre les pas, avec ses significations tellement parcheminées, avec ses pronoms tellement atrophiés, jusqu'à ce qu'il entendît l'eau dans le puits. Le puits l'appelait à la prière. Ce n'était pas un marché, mais un cadeau : gratis, disait-on, le contraire de la subornation. Le puits avait été rempli des prières matinales du marchand et celles-ci montaient à ras bord. Le cadavre sut alors qu'il n'avait aucun désir d'être emporté au-delà de ce point sans limites.

Si nous mourions comme si nous pouvions vivre à jamais, l'histoire n'aurait pas de fin, comprit-il.

Il sut, avec la fiancée, que la prière du marchand était le salut de son âme et s'était dressée devant lui tel un frémissement lorsqu'il se levait le matin et penchée sur lui tel un baiser lorsqu'il dormait la nuit. Il sut, avec le chef, qu'elle demeurait en lui, telle la fragrance d'une rose. Il sut aussi, avec le voleur, que le dieu que priait le marchand était le dieu du vent pur et des voix du désert, le Véritable, celui qui incendie les cieux pendant le jour et parcourt pendant la nuit les sables au clair de lune. Il sut alors que l'honneur qu'il préférait n'était pas d'être enterré dans les sables morts d'al-Baqî' mais de se dissoudre en ce point précis, avec le pèlerin au fond des sables mouvants, près du puits.

Et ses prières furent entendues. On l'oublia sans difficulté, après tout.

Relié et détaché, il flotta, toute pitié, vers le derviche qui grimpait tant bien que mal depuis le fond du ravin, à ses pieds. Toute tendresse, il berça l'esclave à travers le mur en ruine derrière sa tête et s'attarda pendant une éternité avec le religieux entre l'ancien puits et le nouveau. Tout émerveillement, il se mêla à la fumée du bûcher funéraire entretenu par l'Indien, qui dérivait paisiblement à travers la vallée et se posa tel un souvenir sur la margelle de pierre du puits. Et finalement, comme la prière, le cadavre se laissa tomber, telle une rose aux cent pétales, et flotta avec grâce entre eux tous.

Ils commencèrent à se désaltérer.

Lorsque le point sera sûr, le cercle sera plus large et la danse achevée, pensait le cadavre, tandis qu'il cessait de puer.

GLOSSAIRE

Ahriman : le Mauvais, "l'Esprit hostile" symbolisé par les ténèbres, selon la doctrine de Zoroastre.

Ahura Mazdâ : le dieu de la bonté infinie, l'Etre suprême, symbolisé par la lumière du soleil et du feu, selon la doctrine de Zoroastre.

Ashrama : les stades successifs dans la vie d'un individu, au nombre de quatre dans la tradition hindoue.

'Atabat : les villes sanctuaires musulmanes chiites d'Iraq.

Avatar : une incarnation de Dieu dans le passé ou dans l'avenir, selon l'hindouisme.

Avesta : les Ecritures saintes de la foi zoroastrienne, rédigées en quatre parties comprenant des écrits liturgiques, des chants, des hymnes de louange et un code détaillé de purification rituelle.

Bhakti : la voie d'amour et d'adoration suivie par les hindous.

Califat : l'autorité souveraine dans l'islam acceptée par les sunnites, fondée sur la théorie du principe électif. Les califes (successeurs) furent désignés pour gouverner la communauté dès l'époque d'Abû Bakr, qui succéda au Prophète.

Chiisme : l'une des deux grandes formes de l'islam (l'autre étant la tradition sunnite) ; le chiisme, localisé principalement en Iran, se réclame de la succession d'Ali, cousin et gendre du Prophète, ainsi que de ses fils Hassan et Hussein, à travers une lignée de douze imams héréditaires.

307

Derviche : un saint homme errant, associé aux traditions du soufisme.

Dharma : la loi universelle, l'ordre moral, la "voie juste" de l'existence pour les hindous.

Dhu'l-Hidja : le douzième mois du calendrier lunaire islamique, au cours duquel a lieu le pèlerinage, ou *hadj*, prescrit par Mahomet.

Druj : le Peuple du Mensonge, référence à ceux qui, dans la conception zoroastrienne de l'univers, sont opposés à la paix et à l'harmonie d'*asha*, le Peuple de la Vertu.

Duhkha : la douleur qui existe dans ce monde de contingences, selon le bouddhisme et l'hindouisme.

Falacha : nom donné à une population immigrante en Ethiopie, de confession juive et se réclamant de la maison d'Israël. Selon certaines théories, ils ont été convertis au judaïsme pendant la période de l'esclavage des juifs en Egypte sous les pharaons ; selon d'autres, ils sont les descendants légitimes de Salomon et de la reine de Saba.

Farrash-bashi : chef des serviteurs ou des gardes.

Farsang : unité de mesure correspondant approximativement à cinq ou six kilomètres, la distance qu'une mule chargée peut couvrir en une heure.

Gîtâ : le *Bhagavad-gîtâ*, ensemble de textes sacrés de la religion hindoue.

Guèbre : nom donné aux zoroastriens de culture et d'origine persanes.

Hadj : le pèlerinage islamique à La Mecque prescrit par Mahomet. Tous les musulmans adultes devraient, s'ils peuvent se le permettre, l'accomplir au moins une fois au cours de leur vie.

Hadj-i-Akbar : le plus grand des pèlerinages, au cours duquel la fête du Sacrifice, célébrée le dixième jour de *Dhu'l-Hidja*, tombe un vendredi saint.

Haoma : boisson alcoolisée narcotique, liée à d'anciennes pratiques corrompues de la Perse antique, utilisée au moment de la prière chez certains zoroastriens.

Haram : zone interdite, comprenant l'enceinte sacrée entourant la Ka'ba.

Homme Supérieur : distinct du sage, qui possède la capacité de transformer autrui, un Homme Supérieur, ou *chün-tzu* dans la tradition chinoise, est un homme dont il faut imiter la noblesse et la vertu.

'Id al-Qurbân : la fête du Sacrifice, célébrée le dixième jour du *hadj*, en commémoration du sacrifice d'Abraham ; à cette occasion, des animaux sont abattus pendant le *rajim* et leur viande est distribuée aux pauvres.

Imam : terme désignant pour la plupart des chiites les douze successeurs apostoliques légitimes de Mahomet, en application du principe héréditaire de succession de la maison du Prophète passant par son cousin et gendre Ali. Désigne également les fondateurs des quatre écoles de jurisprudence sunnite.

Imam-Jumih : le meneur des prières de la congrégation chiite le vendredi.

Jñana : la voie de l'illumination selon les Ecritures hindoues.

Ka'ba : le très saint sanctuaire de l'islam à La Mecque, autour duquel circule la procession des pèlerins. Selon la tradition islamique, cet édifice cubique, à l'un des angles duquel se trouve la pierre noire sacrée, serait descendu du ciel et serait le lieu d'où le *Qa'im* – ou Mahdi – attendu se révélera un jour, en tenant de la main un anneau de fer scellé dans la pierre.

Kad-khuda : chef local d'une petite communauté ou d'un village.

Kalki : incarnation de Dieu dont l'apparition est prévue à la fin de l'âge des ténèbres, selon les Ecritures hindoues.

Keffieh : carré de tissu maintenu en place au sommet du crâne par une corde noire.

Khan : caravansérail, étape et refuge des voyageurs et de leurs bêtes pendant tout le Moyen Age et jusqu'au début du XXe siècle. Egalement, dans un contexte différent, terme de respect adressé à un homme.

Khanum : en persan, terme de respect adressé à une dame.

Maydan : place du marché ou lieu central de rencontres dans une ville.

Medersa : école religieuse où l'on enseigne les sciences aux érudits islamiques.

Memsahib : terme utilisé par les Indiens, s'agissant d'une Européenne ou de la maîtresse de maison.

Mojaver : résident des villes saintes de La Mecque et Médine.

Moksha : libération ou délivrance des cycles de souffrance pour les hindous.

Mollah : religieux chiite.

Mubahala : forme d'exécration réciproque fondée sur des prières sincères implorant l'arbitrage divin entre le bien et le mal.

Mujtahid : érudit chiite ayant atteint un certain degré de compétence.

Parsi : nom donné aux zoroastriens d'origine et de culture indiennes.

Qa'im : le douzième imam, ou Mahdi, dont le retour est attendu quand "les temps seront accomplis", selon les traditions prophétiques de l'islam.

Qualun : narguilé, parfois appelé *houka*.

Rajim : rituel particulier du *hadj*, consistant à lapider les "idoles" identifiées à Satan.

Samsâra : le cycle des renaissances ou des vies successives qui, selon une croyance hindoue, permet à certains individus de progresser sur la voie du salut *(moksha)*.

Saoshyant : le sauveur dont l'apparition est attendue à la quatrième époque de l'univers selon les prophéties zoroastriennes, et qui ressuscitera les morts en vue de leur récompense ou de leur châtiment ultimes, après quoi le bien régnera éternellement.

Sanatana Dharma : la loi universelle, l'ordre moral, la "voie juste" de l'existence au niveau cosmique. Tout le monde possède également son *dharma* personnel.

Sati : rite d'immolation de la veuve sur le bûcher funéraire de son époux.

Sayyid : descendant de Mahomet, dans la terminologie chiite.

Schéol : selon la Torah juive, nom désignant l'enfer, lieu sinistre de la damnation éternelle, où les âmes en peine errent à jamais. Egalement appelé Tophet.

Shaykhi : disciple d'une secte chiite à tendances messianiques fondée par Shaykh Ahmad-i-Ahsai au XVIIIᵉ siècle, en Iran.

Sunnite : tenant de la tradition majoritaire de l'islam, soutenant le principe électif dans la succession du Prophète depuis le premier calife, Abû Bakr.

Takhteravan : litière de voyage en bois, pour les femmes, portée sur le dos de mules ou de chevaux.

T'ien : définition chinoise du paradis ou du dieu dont les commandements règnent sur l'homme et l'univers, source de créativité transcendante et immanente sans cesse à l'œuvre dans l'univers.

Tophet : voir *Schéol*.

Uléma : membre de la classe instruite chez les musulmans.

Veda : les Ecritures hindoues.

Wadi : vallée.

Wahhabisme : secte sunnite fondée par Muhammad ibn 'Abd al-Wahhab au XVIIIᵉ siècle dans le but de réformer les ajouts apocryphes à l'islam associés à une vénération extrême des saints et une dévotion ostentatoire, et qui insistait sur les attributs humains plutôt que divins du Prophète. Les wahhabites trouvèrent des adeptes parmi les tribus saoudites et menèrent la guerre sainte contre les Ottomans.

Xiao ren : définition d'un homme ignoble et intéressé, inventée par Confucius afin de l'opposer à l'"homme supérieur", ou *chün-tzu*.

Zibh : égorgement des animaux pour le sacrifice de 'Id al-Qurbân, le dixième jour du pèlerinage islamique.

SOURCES

Cette œuvre est inspirée par le langage, les métaphores, les symboles et les traditions d'un nombre important de livres sacrés des différentes grandes religions du monde. On y trouve des références aux Ecritures hindoues du *Bhagavad-gîtâ*, des paroles attribuées au Bouddha, des citations des *Entretiens* de Confucius et du *Canon des mutations*, des échos de traditions associées au Coran et des allusions à la foi baha'i. Si les circonstances archétypales décrites dans ce livre sont fortement influencées par l'histoire religieuse du Proche-Orient, aucun des personnages ni des faits présentés dans cet ouvrage de fiction n'est censé dépeindre une figure historique ou un événement réel.

REMERCIEMENTS

Je dois des remerciements à des amis morts et vivants, en particulier à Soheil Farhad et Moojan Momen pour leur inestimable érudition, à Farzaneh Milani et Amin Banani pour leurs conseils pleins de sensibilité, à Helenka et Mark pour leur soutien pratique, à Helen et Mimi pour leur exemple et à tous ceux, chez Bloomsbury, qui m'ont offert leurs encouragements et leur patience angélique. Je tiens aussi à remercier ma mère et ma fille qui m'ont écoutée et ma belle-sœur qui, avec tant de générosité, m'a permis d'entendre.

TABLE

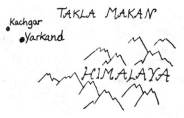

HSIN-KIANG ∘ LOB-NOR

Tachkent

TAKLA MAKAN

Kachgar

Samarkande ⋅Yarkand

HIMALAYA

Calcutta⋅

⋅Karachi

INDE

BABEL

Extrait du catalogue

COÉDITION ACTES SUD – LEMÉAC

Ouvrage réalisé par l'Atelier graphique Actes Sud. Achevé d'imprimer en mars 2001 par Bussière Camedan Imprimeries à Saint-Amand-Montrond sur papier des Papeteries de La Gorge de Domène pour le compte des éditions ACTES SUD Le Méjan Place Nina-Berberova 13200 Arles. Dépôt légal 1re édition : avril 2001. No d'éditeur : 4121. No impr. : 011315/1.